JUIN '03

VINGT DÉFIS POUR LA PLANÈTE, VINGT ANS POUR Y FAIRE FACE

Edition préparée sous la direction
de Martina Wachendorff

Titre original :
High Noon
Editeur original :
Basic Books, New York
© Jean-François Rischard, 2002

Jean-François Rischard

Vingt défis pour la planète, vingt ans pour y faire face

essai traduit de l'anglais
par Oristelle Bonis

SOLIN
ACTES SUD

pour Anthony, Christopher et Alexandre

SOMMAIRE

Note de l'auteur. Avertissement

Non, ce n'est pas le énième livre sur la mondialisation. En fait, avant que mon éditeur me pousse à l'intituler autrement, j'étais bien décidé à le présenter sous le titre *Ne nous laissons pas piéger par le concept de mondialisation**.

Pourquoi cette animosité contre ce terme de mondialisation, se demandera-t-on ? Parce que, comme tous les concepts fourre-tout, celui-ci embrouille plus qu'il n'éclaire. Trop souvent, on se borne à l'associer à des données économiques, au commerce mondial et aux flux de capitaux, par exemple, alors que d'autres choses au moins aussi importantes se déroulent sous nos yeux – entre autres le fait que la population du globe qui s'élevait à 5 milliards d'habitants il y a dix ans en comptera près de 8 milliards d'ici une génération. Pire, certains se font de la mondialisation une image d'hommes en complet-cravate qui se réunissent tous les lundis matin à Washington ou à New York afin d'arrêter les moyens les plus efficaces de s'enrichir en dégradant l'environnement, en répandant la misère aux quatre coins du monde. D'autres confondent plus innocemment deux choses : les grands changements et l'impuissance à les gérer correctement.

De quelque côté qu'on se tourne, on voit donc que le concept de mondialisation provoque comme une paralysie cérébrale. Il entraîne des erreurs de diagnostic, des chasses aux sorcières, des incompréhensions spectaculaires. Le débat s'enlise, avec pour effet de tous nous distraire d'un des défis les plus urgents à relever sur cette planète : la résolution des problèmes à l'échelle mondiale. Au moins les événements du 11 septembre 2001 se sont chargés de nous rappeler qu'il s'agit là d'une priorité absolue.

* *It's Not Globalization, Stupid*, dans l'édition originale. *(N.d.E.)*

Ce petit livre vise à clarifier un peu les débats actuels. Je l'ai écrit en me plaçant, non dans la perspective du fonctionnaire de la Banque mondiale que je suis aussi, mais dans celle d'un citoyen du monde que ces évolutions préoccupent, et qui est tout de même en situation d'observer pas mal de choses. (Il va sans dire que les opinions que j'exprime dans ce livre très personnel sont les miennes, pas celles de l'institution qui m'emploie.)

Pour atteindre cet objectif, je vous épargne d'emblée cent pages de lecture en choisissant de ne pas vous infliger les habituelles anecdotes imaginées de toutes pièces ("Lorsqu'il prit connaissance des derniers chiffres sur les réserves coréennes, Larry Summers se mit à suer à grosses gouttes", ou "Le soleil se couchait déjà sur Santa Fe quand le fax de l'Institut se mit à cracher le rapport sur le changement climatique"). J'ai trouvé plus efficace de m'appuyer sur des graphiques qui font office de cartes et fournissent au livre sa structure, une structure que j'ai essayé de rendre vivante en fournissant des exemples de ce qui se passe. Je préfère passer pour un pédant plutôt que pour un phraseur.

Et je prends plus volontiers le risque de la simplification à outrance que celui de la surabondance de détails. Une bonne part des informations pratiques et conceptuelles livrées dans ces pages me viennent des débats d'idées (les miennes ou celles de tiers) que je suis amené à avoir, en tant que généraliste, avec des dirigeants ou des publics du monde entier. Et contrairement aux chercheurs spécialistes d'un domaine, je crois être assez bien placé pour réunir les éléments en un grand tableau d'ensemble, et c'est précisément ce que je vais tenter de faire ici.

Du coup, mon ton sera passablement polémique. Comme disait l'autre, si tu veux marquer le point, ne prends pas de gants.

UN LIVRE EN TROIS PARTIES

La première partie est consacrée à l'*explication*. Elle précise le contexte et délivre ce message : oubliez la mondialisation. Les spectaculaires changements mondiaux appelés à se produire au cours des vingt prochaines années ne seront pas générés par une force unique, informe, mais par *deux* grandes forces distinctes : une augmentation importante de la population sur une planète déjà à la limite de ses capacités, et la nouvelle économie mondiale radicalement différente qui est en train d'apparaître. De plus, en même temps que les institutions humaines essaieront de s'adapter à ces deux forces, elles devront prendre en compte trois nouvelles réalités : l'essoufflement des hiérarchies et de l'Etat-nation, l'effacement des lignes de démarcation entre secteur public, monde des affaires et société civile. Histoire de rendre la pareille à mon éditeur, j'ai repris pour cette partie le titre assez emprunté, en effet, que j'avais retenu au départ – "Ne nous laissons pas piéger par le concept de mondialisation".

La deuxième partie répond à un souci de *documentation*. Son message est pour l'essentiel que, dans le contexte des deux grandes forces, il est impératif de s'occuper sérieusement d'une vingtaine de grandes questions brûlantes avant que les deux prochaines décennies s'achèvent. Je me suis débrouillé pour exposer chacune de ces questions en trois, quatre pages à peu près, de façon à vous en donner un bon aperçu d'ensemble sans nous noyer, ni vous ni moi, sous les détails. Cette partie est celle qui me fait penser à l'atmosphère du film *Le train sifflera trois fois*, célèbre western avec Gary Cooper où une petite communauté attend dans les affres le règlement de comptes prévu pour le jour même à midi alors que l'horloge égrène des minutes à la fois longues et terriblement courtes[*]. Je l'ai appelée "Etat d'urgence".

La troisième partie porte sur une forme de *réflexion* qui fait cruellement défaut et dans laquelle j'aimerais engager mes lecteurs. Bien que le système international actuel n'apporte pas, ou pas assez rapidement, de solutions à ces questions planétaires urgentes, il est utopique d'envisager son remplacement par un gouvernement mondial. Quelles autres options reste-t-il pour résoudre ces graves problèmes planétaires qui grossissent de jour en jour ? C'est de cela qu'il s'agit dans cette partie intitulée "Penser tout haut", où je tente, non sans prendre des risques, de proposer des idées nouvelles.

Tout cela n'est pas d'une galère folle, se dira t on. Dans le fond, pourtant, le livre est très optimiste. Certes, il soutient qu'il est impossible de s'en sortir avec les schémas de pensée traditionnels. Les Etats-nations vivent des heures difficiles. Les institutions internationales sont critiquées. A cause de leurs horizons électoraux limités et de leurs attachements territoriaux les hommes politiques ne sont pas en mesure de fournir des réponses satisfaisantes aux problèmes mondiaux urgents – pas plus que les contestataires, trop enclins à voir partout des complots imaginaires pour se mettre sérieusement en quête de solutions ; jusqu'à présent, ils n'en ont d'ailleurs guère proposé.

Le problème est que les différents acteurs continuent pour la plupart de suivre des pistes de réflexion souvent obsolètes. Nous

---

[*] L'édition originale de ce livre porte le titre de ce film, *High Noon. (N.d.E.)*

pourrions pourtant beaucoup progresser si nous acceptions de penser *autrement,* en allant piocher des idées dans le nouvel univers des réseaux. Certaines de celles que je présente paraîtront radicales, sinon naïves. Or, c'est peut-être ailleurs que se trouve la vraie naïveté : dans la conviction que, comme d'habitude, les choses se régleront d'elles-mêmes. Au train où elles sont parties, il n'y a aucune chance.

DEUX MODES DE LECTURE POSSIBLES

J'ai voulu que ce livre soit court dans l'espoir que mes lecteurs le liraient d'une traite. Il y a cependant une autre façon de s'y prendre, à savoir :

• passez sans vous y arrêter sur les chapitres XII, XIII et XIV, qui contiennent des précisions sur chacun des vingt problèmes mondiaux examinés ;

• tenez-vous-en à l'intrigue principale, qui court en gros sur la moitié des pages du livre ;

• et, si le cœur vous en dit, revenez ensuite à l'examen détaillé des vingt problèmes abordés.

Ces deux méthodes sont valables, mais je ne recommanderai la seconde qu'aux lecteurs vraiment pressés. Quoi qu'il en soit, même si vous pensez connaître tout cela sur le bout des doigts, gardez-vous de faire l'impasse sur la première partie, car alors vous ne saisiriez pas toutes les implications de la troisième.

Première partie

NE NOUS LAISSONS PAS PIÉGER
PAR LE CONCEPT DE MONDIALISATION

I

Deux grandes forces

Dans les vingt années à venir, deux grandes forces vont transformer en profondeur le monde tel que nous le connaissons. L'ampleur et la rapidité de ces changement seront sans précédent.

Et pour cause : en 2020, dans un délai donc assez court, la Chine sera en passe de redevenir la plus grande puissance économique du monde, retrouvant ainsi un titre qu'elle a perdu depuis quelque deux siècles. Des milliards de puces électroniques auront été lâchées dans un monde où les objets se parleront entre eux. Les modes de paiement électroniques obligeront les banques centrales à s'inventer de nouveaux rôles. L'eau, et non plus le pétrole, sera la première cause de conflit stratégique. L'un dans l'autre, les vingt prochaines années risquent fort d'entraîner des mutations plus rapides et plus décisives que n'importe quelle autre époque de l'histoire.

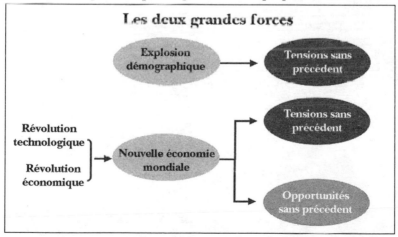

Figure I.1. Les deux grandes forces.

La première force responsable de l'imminence de ces changements drastiques, l'explosion démographique, est uniquement génératrice de tensions. La seconde, la nouvelle économie mondiale, crée un mélange de tensions et d'opportunités. Le cadre de référence présenté dans la figure I.1 est assez simple pour se passer d'explications. Il représente la carte qui nous guidera au cours des chapitres suivants.

II

Une planète à bout de souffle :
l'explosion démographique

Pas besoin de longs développements pour décrire la force démographique : notre planète, qui était déjà en partie sursaturée par ses 5 milliards d'habitants en 1990 et qui en abrite aujourd'hui 6 milliards, en comptera quelque 8 milliards aux alentours de 2020-2025 – dans moins d'une génération[1].

Il y a tout de même une bonne nouvelle, puisque la population mondiale devrait ensuite se stabiliser, ou à défaut atteindre un palier de 9 à 10 milliards d'habitants dans la deuxième moitié de ce siècle, après quoi elle pourrait commencer à décroître[2]. Il y a une quinzaine d'années, les démographes envisageaient des scénarios franchement plus alarmistes. Par bonheur, ils se trompaient. Peut-être que certains experts estimeront donc que je noircis par trop le tableau en parlant d'explosion démographique.

Quoi qu'il en soit, la situation est grave, car, semblable en cela à une locomotive, la population mondiale a besoin d'un long temps de freinage avant de marquer l'arrêt. Autrement dit, rien ni personne ne l'empêchera de croître jusqu'à 8 milliards d'habitants. Les gens qui mettront ces enfants au monde sont déjà nés, ou sur le point de naître, et l'estimation citée tient compte du déclin des taux de natalité observés depuis quelque temps dans la plupart des pays en développement. Cette augmentation de près du tiers (2 milliards d'individus) de la population d'une planète déjà à la limite de ses capacités aura des effets en tout point comparables à une explosion, avec des ondes de choc se propageant dans toutes les directions.

Que je reprenne l'expression devenue politiquement incorrecte d'"explosion démographique" risque cependant de heurter quelques-uns de mes lecteurs. A ceux-là, je répondrai que je ne veux ni jouer les Cassandre ni défendre le malthusianisme, mais

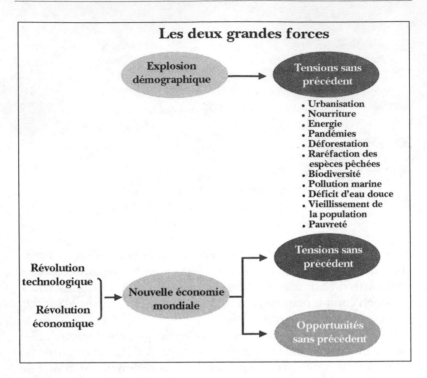

Figure II.1. Les tensions sans précédent amenées par l'explosion démographique.

que les ressources et l'espace vital de la planète seront nettement mis à rude épreuve avec 8 milliards d'habitants d'ici deux décennies au maximum, qu'avec les 5 milliards que nous étions en 1990, pour ne rien dire des 3 milliards de personnes qui se les partageaient en 1960. Une douzaine de conséquences suffisent à s'en convaincre.

Plus de 95 % des 2 milliards d'individus venant grossir la population mondiale au cours des vingt ans ou vingt-cinq ans à venir vivront dans les pays en développement. La majorité d'entre eux continuera à s'entasser dans les *villes*, avec pour résultat qu'en 2020 plus d'une personne sur deux vivra en zone urbaine. On comptera alors une soixantaine de villes de plus de 5 millions d'habitants (près de deux fois plus qu'en 1990), et peut-être jusqu'à vingt-cinq mégalopoles rassemblant au minimum 10 millions d'habitants (il y en avait moins de dix en 1990[3]).

La population de Karachi, de São Paulo et de Dhaka avoisinera les 20 millions d'habitants. L'urbanisation de type asiatique, caractérisée par le surpeuplement et la congestion des villes, deviendra la règle un peu partout, avec de nombreux effets négatifs sur le niveau de vie, la santé et le climat social. Qu'on pense seulement aux défis à relever s'agissant des transports, du logement, de l'enlèvement des ordures, des réseaux d'assainissement et d'adduction d'eau dans ces agglomérations tentaculaires. Même l'Afrique connaîtra des taux d'urbanisation en progression constante, qui s'établiront en moyenne autour de 50 % en 2020, soit le double de ce qu'ils étaient à la génération précédente.

Cet accroissement de la population, et l'amélioration du niveau de vie dans les pays en développement, imposent d'augmenter de près de 40 % la *production alimentaire* mondiale au cours des vingt prochaines années. La consommation de céréales sera d'environ 30 % supérieure à ce qu'elle est aujourd'hui, et celle de viande d'environ 60 %. Des chiffres plus élevés encore sont parfois avancés. Même si une majorité des experts estiment qu'il n'y a pas lieu de craindre que le monde ne puisse subvenir à ses besoins d'ensemble, arriver à produire les quantités nécessaires sera tout sauf simple. Non seulement il est d'ores et déjà difficile d'étendre les surfaces cultivées, mais les rendements à l'hectare sur les terres agricoles existantes risquent de diminuer à cause, entre autres, de la rapide érosion des sols ou de leur stérilisation par les dépôts salins. De plus, les limites d'une agriculture toujours plus intensive sont déjà patentes dans bien des coins du globe. La baisse des nappes phréatiques et la pollution par les nitrates contenus dans les engrais ne sont à cet égard que deux symptômes trop fréquemment constatés, aussi bien dans les pays riches que dans les pays pauvres[4].

De même, la *consommation énergétique* va augmenter dans des proportions telles qu'en 2020 les pays en développement ne seront pas loin d'avoir rattrapé les pays riches pour ce qui est du volume global des émissions de dioxyde de carbone dues au pétrole, au gaz, au charbon et au bois qu'ils brûleront pour assurer leurs besoins. Globalement, par rapport à ce qu'elle est aujourd'hui la consommation énergétique passera quasiment du simple au double, voire au triple dans plusieurs pays en développement. Un certain nombre d'entre eux verront leur production d'électricité multipliée par un facteur cinq.

Bien qu'il n'y ait aucun risque que le monde se retrouve alors à court d'énergie, cette hausse de la consommation énergétique fera surgir bien des problèmes de portée mondiale, régionale ou locale. A celui, primordial, du réchauffement de la planète (l'un des sujets les plus préoccupants des décennies à venir, sur lequel nous reviendrons dans la deuxième partie), s'ajouteront quantité de tensions se manifestant au niveau régional et local. La Chine, par exemple, aura besoin d'une nouvelle centrale électrique de 1 000 mégawatts par mois. Si toutes ces nouvelles unités fonctionnent au charbon

– et dans la mesure où l'Inde va elle aussi devoir développer de façon importante sa fourniture d'énergie électrique –, en 2020 les pluies acides causeront de sérieux dégâts en Asie. De même qu'elles ont gravement endommagé les forêts d'épicéas des Adirondacks et celles d'érables rouges en Pennsylvanie, elles pourraient avoir des effets dramatiques sur le Japon, par exemple, et sur ses forêts.

Au Népal ainsi que dans les autres contrées pauvres de l'Himalaya, l'augmentation de la consommation de bois de chauffage commandée par l'accroissement des populations rurales est pour partie responsable de la disparition quasi irréversible de la couverture forestière – un phénomène aux conséquences souvent catastrophiques, comme on le constate avec l'inondation des basses plaines du Bangladesh. Quand, à l'inverse, la sécheresse s'ajoute à la déforestation, les habitants de certaines parties de l'Afrique, les Mauritaniens par exemple, voient le désert progresser de dix kilomètres par an.

La liste des déséquilibres induits par l'augmentation de la population est infiniment longue : les *maladies infectieuses*, la *disparition des forêts tropicales*, l'*épuisement des ressources de la pêche*, l'*appauvrissement de la biodiversité*, la *pollution des mers* et la *raréfaction de l'eau douce* n'en représentent que quelques-uns. A l'instar du réchauffement de la planète, tous ces problèmes sont autant de questions qui se posent avec urgence au niveau mondial. Nous y reviendrons plus longuement dans la deuxième partie.

Le gonflement des chiffres démographiques sera accompagné par un autre facteur de tension : le *vieillissement de la population* du globe. Ce phénomène est déjà très menaçant dans nombre de pays riches, en 2020 les gens âgés de plus de soixante ans représenteront un tiers de la population de pays comme le Japon, l'Italie ou l'Espagne, tandis que l'Allemagne s'achemine vers une situation où l'on comptera alors deux retraités pour trois actifs. Or, le vieillissement de la population touche également des pays en développement, comme la Chine, qui depuis des années ont des taux de natalité bas. Il fera peser d'énormes contraintes sur les budgets gouvernementaux, puisque les Etats verront tour à tour les sommes versées pour les pensions grossir démesurément par rapport aux bases d'imposition. Il conduira également à réexaminer les politiques d'immigration : au cours des quarante prochaines années, l'Espagne et l'Allemagne, par exemple, connaîtront une baisse de population comprise entre 10 et 15 %, ce qui exigera, soit un engagement plus important de la population active (un plus grand nombre d'actifs, et qui travailleront plus longtemps), soit, plus vraisemblablement, un recours massif à la main-d'œuvre immigrée pour contrer la menace de déclin économique.

Au reste, les *poussées migratoires* des pays pauvres vers les pays riches risquent de largement surpasser les besoins de ces derniers. A l'échelle de la planète, les inégalités sont aujourd'hui si fortes que 20 % de la population mondiale (les habitants de la trentaine des pays les plus riches, et les mieux nantis des pays pauvres) consomment 80 % des biens et des services. Déjà près de 3 milliards de personnes (la moitié de la population du globe) disposent de moins de 2 dollars par jour, et 1 200 000 vivent dans une pauvreté absolue avec moins de 1 dollar par jour. En Afrique, des centaines de millions d'individus vivent avec moins de 0,60 dollar par jour. Dans la mesure où les 2 milliards d'habitants supplémentaires vivront presque tous dans les pays en développement, les contraintes qui poussent actuellement les flux migratoires vers les Etats riches deviendront plus pressantes encore. Si rien n'est fait pour régler au mieux ce déséquilibre majeur, les boat people et les sans-papiers d'aujourd'hui apparaîtront demain comme les signes avant-coureurs d'une immense vague migratoire imputable à la misère.

Nous reviendrons sur ce thème de la *pauvreté* dans la deuxième partie. Je pourrais multiplier les exemples des effets négatifs de la force démographique, puisque au vrai elle est uniquement géné-ratrice de tensions[5]. Il n'en va pas de même pour la seconde force à l'œuvre, dont les effets sans précédent sont autant positifs que négatifs.

III

Autre chose, autrement :
la nouvelle économie mondiale
et les deux révolutions qui la propulsent

L'autre grande force promise à introduire des changements spectaculaires sur la planète au cours des vingt prochaines années est
la "nouvelle économie mondiale" – expression qui recouvre un
concept plus large et plus intéressant que la "nouvelle économie"
créée autour de l'Internet dont on nous rebat les oreilles. La différence apparaîtra d'elle-même au fil de la lecture.

Deux moteurs entraînent cette nouvelle économie mondiale
(cf. fig. I.1) : le premier s'apparente à une révolution technologique, le second à une révolution économique. C'est cette dernière que nous commencerons à examiner.

LA RÉVOLUTION ÉCONOMIQUE

La révolution économique se laisse facilement résumer : alors
qu'il y a vingt ans nous étions un milliard et demi à vivre dans des
économies de marché, nous sommes aujourd'hui près de six milliards. Il n'y a à l'heure actuelle pratiquement aucun pays qui n'ait
adopté des politiques en phase avec le développement du marché. Tous ou presque ont abaissé leurs barrières douanières, pri-
vatisé les entreprises du secteur public quand cela paraissait
raisonnable, diminué le rôle d'opérateur commercial de l'Etat
(qui en la matière a maintenant des fonctions souvent plus régu-
latrices et incitatrices), ouvert certains services publics à la concurrence. Sur un plan plus général, ils donnent, et de plus en plus, la
parole aux marchés tout en limitant les interventions des fonctionnaires[1]. La toute petite poignée des récalcitrants, Cuba et la
Corée du Nord y compris, commence vaguement à se préparer en
vue d'une transition.

Principale raison de ce mouvement : l'effondrement du communisme, qui a semble-t-il amené le monde entier à la conclusion que l'alternative au système de marché – en l'espèce, celle où des armées de bureaucrates éminemment faillibles s'efforcent d'administrer un système de planification centralisé très imparfait en multipliant par millions des instructions approximatives – n'est décidément pas viable. Ce système qui aura réussi à ramener le produit intérieur brut (PIB) de la Russie à celui des Pays-Bas d'aujourd'hui, n'a pas laissé grand-chose hormis quelques anecdotes savoureuses, comme celle des chasse-neige livrés par l'URSS à la Guinée.

Parce qu'elle est moins commandée par l'idéologie que par une expérience durement acquise, la révolution économique opère en profondeur : en dépit de la crise financière qu'a connue l'Asie en 1997-1998 pas un seul des pays en développement n'est revenu à un modèle qui ne soit pas fondé sur le marché. Et cela n'a plus rien à voir avec la gauche ou la droite de l'éventail des opinions politiques : il y a quelques années, j'ai pu avoir au Népal une discussion très technique sur le pour et le contre de la privatisation avec un ministre marxiste-léniniste, un des derniers représentants de son espèce. Le 1ᵉʳ juillet 2001, Jiang Zemin, président de la république populaire de Chine, décidait d'ouvrir le parti communiste aux entrepreneurs capitalistes[2].

Le seul vrai débat porte aujourd'hui sur l'équilibre à trouver entre l'orientation favorable au développement du marché et tel principe de régulation ou telle mesure de sécurité sociale. Il est certes important, mais tandis qu'il se poursuit (avec une vivacité particulière en Europe, sans que ce continent en ait le monopole), personne n'envisage sérieusement de retour vers le modèle de la planification centralisée ou même de l'Etat gestionnaire d'entreprises. La chose est d'autant plus remarquable que les multinationales et la recherche du profit inspirent des sentiments pour le moins ambigus à la plupart des sociétés, et peut-être même à la plupart des gens[3].

Que cela nous plaise ou non, la révolution économique ne va pas s'arrêter de sitôt et il faut bel et bien la voir comme l'un des deux moteurs de la nouvelle économie mondiale. Les événements du 11 septembre 2001 ont beau être à l'origine de la réaffirmation du rôle de l'Etat dans les domaines touchant à la sécurité, ils n'ont pas empêché ce moteur de continuer à fonctionner. Ce serait plutôt l'inverse, comme en témoigne le regain d'allant avec lequel les nations se sont retrouvées au mois de novembre suivant à Doha pour entamer un nouveau cycle de négociations sous l'égide de l'Organisation mondiale du commerce (OMC).

LA RÉVOLUTION TECHNOLOGIQUE

Le second moteur de la nouvelle économie mondiale, la révolution technologique, est peut-être plus puissant encore, et le lien profond entre ces deux forces d'entraînement n'est pas une vue de l'esprit : nombreux sont ceux qui datent l'abandon de la planification centralisée aux années quatre-vingt, moment où les dirigeants soviétiques réalisèrent qu'un seul des avions de combat chargés de dispositifs électroniques qui se fabriquaient aux Etats-Unis pouvait clouer au sol toute une flotte de Mig.

Au cœur de cette révolution technologique, il y a les télécommunications et les technologies informatiques à bas prix, deux secteurs qui ont encouragé toutes sortes de révolutions annexes – dans les matériaux de pointe, la nanotechnologie (objets microscopiques), les robots qui font aussi bien ou mieux que les humains, les biotechnologies et bien d'autres domaines. L'électronique intelligente couvre à présent tous les aspects imaginables de l'activité humaine : la très vaste majorité des milliards et des milliards de puces électroniques servant aux usages les plus courants est insérée dans les objets les plus divers, pas seulement dans les ordinateurs.

Des secteurs aussi anciens que les transports ont eux aussi été révolutionnés par l'utilisation des conteneurs, les envois ultra-rapides et leur suivi en temps réel, la réorganisation du trafic aérien autour d'aéroports servant de plaques tournantes – autant de progrès autorisés par les nouvelles technologies des télécommunications et de l'information. Le point fondamental, à propos de ces dernières, est qu'elles modifient *complètement* les pratiques et les règles partout observées dans le monde des affaires, la société et ailleurs. Pourquoi ?

Disons simplement que les révolutions technologiques précédentes reposaient sur une transformation de l'énergie, ou des matériaux. Parce qu'elle transforme le temps et la distance, celle à laquelle nous avons affaire pénètre plus en profondeur dans le tissu social. Fait au moins aussi important, elle place le savoir et la créativité au tout premier rang des facteurs de production, loin devant le capital, le travail et les matières premières.

Autre élément de comparaison pour mieux apprécier l'amplitude de cette révolution : la domestication de la vapeur à la fin du XVIIIe et au début du XIXe siècle permit de passer d'un coup du cheval à une puissance mécanique de mille chevaux-vapeur, ce qui représentait un saut quantitatif de 10^3. En comparaison, celui qui vient de se produire dans les télécommunications est de 10^4, et le progrès informatique marque un bond stupéfiant de 10^5.

Plaçons-nous dans une troisième perspective. Jusque dans les années quatre-vingt, les processus de production industriels devaient cohabiter dans l'espace restreint de l'usine parce que toutes les machines étaient raccordées à l'arbre unique de la machine à vapeur. Au début du XXe siècle, la généralisation de l'électricité permit de fabriquer des petits moteurs électriques pouvant alimenter séparément chaque étape de la production. Le câble électrique a libéré l'industrie – et provoqué un décuplement fantastique de la surface de plancher des usines en même temps qu'une division de plus en plus fine du travail industriel. Notre entrée dans le XXIe siècle est en fait un retour à l'image de l'arbre moteur, mais sous une autre forme : les nouvelles possibilités de communication créent à l'échelle de la planète entière des arbres d'information virtuels, auxquels les processus de production peuvent, à tout moment et en tout lieu, être raccordés de façon flexible.

En conjuguant leurs effets, la révolution économique et la révolution technologique génèrent une nouvelle économie mondiale infiniment différente de celle qui l'a précédée. Ne vous laissez pas abuser par ceux qui prétendent que l'implosion des sites "point.com" enregistrée en 2000 et 2001 est signe que rien n'a changé dans le monde économique. Ils sont aussi bons prophètes que ceux qui annonçaient la fin de l'industrialisation en se fondant sur la flambée puis la chute du cours des actions de chemin de fer dans les années 1840-1845 – ou qui, devant la faillite de plus de trois mille fabricants automobiles dans le premier quart du XXe siècle, ne donnaient pas cher de l'avenir de l'industrie automobile. En fait, ils confondent la "nouvelle économie" high-tech, au rayon d'action forcément limité, avec le phénomène beaucoup plus généralisé et plus profond que j'ai choisi d'appeler "nouvelle économie mondiale" (précisément pour marquer la différence). Actionnée simultanément par ses deux moteurs, la nouvelle économie mondiale va bien au-delà de la simple utilisation des nouvelles technologies : son champ d'action s'étend à des marchés nouveaux, des produits nouveaux, de nouvelles façons de faire et de fabriquer – un nouvel état d'esprit, en somme, dont il sera plus amplement question au chapitre suivant.

VOUS N'AVEZ ENCORE RIEN VU

La révolution technologique a de beaux jours devant elle. La fameuse loi de Moore selon laquelle les ingénieurs doublent la vitesse de calcul des circuits imprimés tous les dix-huit mois continue

de se vérifier, et elle va encore accélérer la baisse de prix du matériel informatique. En 2010, les ordinateurs de base auront une puissance dix millions de fois supérieure à ceux que l'on trouvait sur
le marché en 1975, et ils vaudront beaucoup moins cher[4]. Qui plus
est, les constructeurs (notamment IBM, qui investirait massivement
dans ce domaine) travaillent à la conception de réseaux informatiques mondiaux quelque dix millions de fois plus puissants que
l'Internet, sur lesquels il suffira de se brancher pour augmenter
ses capacités de traitement. Les programmes au cœur de ces réseaux
devraient rendre la collaboration entre ordinateurs et le traitement de l'information beaucoup plus simples et plus fiables.

Quant à la technologie des communications, elle continuera à
caracoler en tête, en produisant des services toujours plus accessibles et performants. Selon les prévisions de la Banque mondiale,
le coût des télécommunications va encore diminuer considérablement : bien avant 2020, l'heure de communication transatlantique
devrait s'établir autour de trois centimes d'euro – autant dire qu'elle
sera gratuite. Au Chili, un projet de privatisation astucieux (les
soumissionnaires à l'appel d'offres devaient, entre autres, s'engager à couvrir les régions les plus reculées, le gagnant de cette com-
pétition étant celui qui se contenterait à cette fin de la plus faible
subvention de l'Etat) s'est traduit à la fois par une augmentation
importante du nombre de lignes téléphoniques et une extension
du réseau aux zones jusqu'alors isolées. En Chine, le taux d'expansion du marché des télécommunications est de plus de 20 % par
an : en 2005, le pays pourrait compter 500 millions d'abonnés
(dont 60 % à des réseaux de téléphonie mobile), et près de 200 millions d'utilisateurs de l'Internet[5]. Au reste, l'usage des téléphones
mobiles s'étend comme une traînée de poudre dans tous les pays
en développement[6]. A la fin de 2001, il y avait plus de téléphones
mobiles en Afrique que de lignes fixes[7].

Ces tendances que rien ne viendra entraver nous promettent
d'ailleurs une élévation encore plus spectaculaire de la *densité* des
communications entre les entreprises, les individus, les différents
points du globe. La nouvelle économie mondiale n'en est jamais
qu'à ses débuts ; à en croire certains elle aurait à peine parcouru
le cinquième du chemin, car si la technologie informatique a peut-
être franchi la moitié de son parcours, pour l'Internet et les technologies associées nous n'en sommes qu'à la phase de lancement.
D'autres attirent l'attention sur la constitution toute récente d'une
prodigieuse triade formée par les technologies de l'information et de
la communication, les biotechnologies et les neurosciences, et les
technologies de l'énergie renouvelable[8].

Avant de nous pencher sur les opportunités et les tensions créées par la nouvelle économie mondiale, il faut essayer de mieux cerner ce qui la rend si différente. Mais il y a une autre raison de nous y arrêter davantage, même si au vrai la nouvelle économie mondiale n'est pas en soi le sujet de ce livre : il est fort possible que les mécanismes qui l'animent soient précisément ceux dont nous pourrions nous inspirer pour rénover en profondeur les institutions humaines et réinventer les méthodes de résolution des problèmes de la planète. On parle déjà parfois très judicieusement d'"économie en réseau" à propos de la nouvelle économie mondiale. Dans la troisième partie, nous nous intéresserons à son double politique, la "gouvernance en réseau" pour employer un terme qui mériterait d'entrer dans le langage courant.

IV

Comment la nouvelle économie mondiale
transforme les façons de faire

Pour saisir les profondes différences introduites par la nouvelle économie mondiale, rien ne vaut quelques exemples concrets. En voici cinq, mais il en existe bien d'autres.

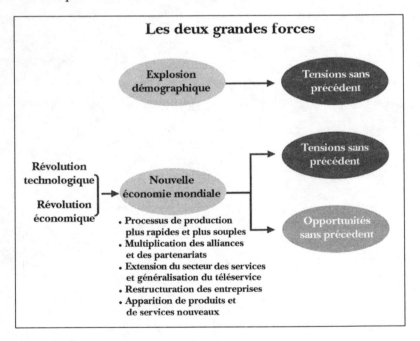

Figure IV.1. La nouvelle économie mondiale.

DES PROCESSUS DE PRODUCTION PLUS RAPIDES ET PLUS SOUPLES

La pratique du flux tendu, qui permet d'accélérer la production en l'adaptant précisément à la demande et supprime l'accumulation de stocks intermédiaires, se généralise partout. Toyota et Ford économisent des milliards de dollars en appliquant ce principe à toutes leurs opérations. L'économie de Singapour est entièrement fondée dessus : le passage en douane d'un chargement de fret prend désormais moins d'une demi-heure. Dans un atelier de couture marocain, des ouvriers assemblent au fur et à mesure les pièces de pantalon coupées sur place par une machine télécommandée par un ordinateur, qui lui se trouve aux Pays-Bas et répond instantanément aux demandes de réassort des commerçants hollandais. Aux Etats-Unis, le coût des stocks par rapport aux ventes des biens de consommation non périssables a diminué de moitié entre 1990 et 2000. Stocks et réserves appartiennent au passé : de nos jours, on anticipe.

De son quartier général installé dans la province déshéritée de la Galice, le brillant couturier espagnol Zara a opté pour un mode de travail si rapide et épuré qu'il arrive à créer de A à Z une nouvelle ligne de collection en trois semaines, contre neuf mois en moyenne pour l'industrie de la mode[1]. Des fabricants de Hong-Kong sont capables de réaliser un moteur électrique de sèche-cheveux, par exemple, moins de six semaines après avoir reçu les spécifications : ils communiquent avec leurs lointains clients au moyen de logiciels de CAO (conception assistée par ordinateur) Autre illustration de l'agilité de ce système : chaque jour la compagnie American Airlines procéderait à quarante mille changements de tarif

Il y a une contagion dans la vitesse : le raccourcissement des cycles de conception et de production va de pair avec le rapprochement des intervenants commerciaux et l'abrègement des cycles de prix. L'époque est à l'agilité, à l'adéquation de l'offre à la demande en temps réel.

MULTIPLICATION DES ALLIANCES ET DES PARTENARIATS

L'explosion du nombre des fusions d'entreprises (qui en 1999 a atteint le volume de transactions record de 3 000 milliards de dollars) est un autre indice de la nature radicalement différente de la nouvelle économie mondiale, de même que la multiplication des alliances conclues entre partenaires commerciaux : en dépit des

revirements occasionnels comme ceux auxquels on assiste aujour-
d'hui dans le secteur des télécommunications, elles ont décuplé
par rapport à 1990.

Les formes tout à fait inédites de ces alliances sont plus révéla-
trices encore que la fréquence des fusions. Très loin du classique
modèle de la joint-venture, elles incluent désormais toutes sortes
d'accords de collaboration et d'échange en matière de production, de commercialisation, de recherche, ou d'utilisation des installations. Telle grande firme pharmaceutique s'associe avec une
petite boîte de biotechnologie, tel géant de l'informatique avec
une *start-up* spécialisée dans la fabrication de logiciels. Des universités de divers pays se rassemblent pour proposer une formation avec
diplôme international à la clé. Les compagnies aériennes mettent
leurs moyens en commun sur certains vols et harmonisent les programmes de fidélisation de leurs passagers. Récemment, ces deux
grands rivaux qu'étaient jusqu'alors Suzuki et Kawasaki ont créé
la surprise en décidant de faire équipe pour des activités liées à la
conception de leurs gammes de motos et à l'achat de pièces détachées. Contrairement aux fusions, ces alliances sont des partenariats au vrai sens du terme : les contractants conservent leur
identité propre.

Sur un plan plus général, la logique des alliances entraîne des
chaînes de partenariat de plus en plus longues. Ainsi, un fabricant
de Singapour disposant de capitaux taïwanais et d'une licence d'exploitation israélienne va produire en Chine des téléphones destinés
au marché américain : cinq pays participent à la chaîne. La tendance
se fait sentir jusqu'en Afrique : des usines du Lesotho fournissent
des marques américaines comme DKNY par l'entremise de fabricants de vêtements basés à Hong-Kong[2]. Souvenez-vous de l'image
des arbres moteurs virtuels qui répandent l'information aux
quatre coins du monde et auxquels peut se connecter n'importe
quelle entreprise, où qu'elle se trouve. L'époque est à ceux qui
savent fonctionner en réseau.

EXTENSION DU SECTEUR DES SERVICES
ET GÉNÉRALISATION DU TÉLÉSERVICE

La part du secteur tertiaire, c'est-à-dire des services, dans le produit intérieur brut (PIB) ne cesse d'augmenter : déjà au-dessus de
la barre des 80 % aux Etats-Unis, elle frôle les 65 % en Europe et
continue à gonfler. Le secteur secondaire qui représentait 20 %
des emplois en Amérique au début du XXe siècle, et 35 % dans les

années cinquante, est à présent redescendu en dessous du seuil de 20 %[3]. En revanche, le foisonnement d'idées que suscitent aujourd'hui les services dans les pays développés fait du tertiaire le secteur le plus dynamique, le plus florissant et le plus créateur d'emplois. Les services sont au cœur de la nouvelle économie mondiale.

On assiste d'ailleurs à un phénomène sans précédent : des services qui il y a dix ans étaient encore circonscrits à l'entreprise s'échangent aujourd'hui sur des distances considérables. Aux Antilles, trente mille personnes répondent par téléphone aux questions de clients d'entreprises américaines. Des compagnies d'assurances établies aux Etats-Unis expédient en Irlande tant les contrats signés avec leurs clients que la paperasse subséquente, et quelques heures plus tard des Irlandais vivant en zone rurale rentrent les données dans les ordinateurs de ces sociétés. L'assureur américain Aetna emploie même à cette fin quatre cents habitants d'Accra, au Ghana[4].

En Inde, la ville de Bangalore exporte aujourd'hui des services de création et de maintenance de logiciels pour une valeur de 7 à 8 milliards de dollars par an, alors que cette activité était encore très marginale il y a dix ans. Et des médecins établis à Washington dictent au téléphone des notes qui, *via* des liaisons satellites, leur reviennent noir sur blanc sur leurs consoles en l'espace de quelques heures, proprement dactylographiées par des infirmières qualifiées installées en Inde. On estime que le montant annuel des téléservices ainsi exportés par les pays en développement pourrait en venir à atteindre plus de 250 milliards de dollars, ce qui représente pour eux un énorme potentiel.

RESTRUCTURATION DES ENTREPRISES

Dans *Net stratégies*, le livre qui expose sans doute de la façon la plus complète pourquoi, dorénavant, tant de choses se feront autrement, Philip Evans et Thomas Wurster mettent le doigt sur l'un des ressorts principaux de tous ces changements[5]. Jusqu'à présent, expliquent-ils, il fallait faire un choix entre la richesse de contenu d'un message et la taille du public auquel il s'adressait. Un message détaillé et complexe ne pouvait avoir qu'une diffusion restreinte ; toucher des milliers de personnes au moyen de la publicité, en revanche, obligeait à le simplifier à outrance. Les nouvelles technologies ont définitivement supprimé ce dilemme ; dorénavant, il est possible d'envoyer des informations riches, complexes et personnalisées à des milliers, voire des millions de personnes. Le beurre et l'argent du beurre, en somme.

Qu'est-ce que cela entraîne ? Entre autres, une réorganisation profonde des structures de l'entreprise. Ainsi que l'a démontré l'économiste Ronald Coase, la répartition des activités internes et externes de l'entreprise (celles dont elle se charge et celles qu'elle sous-traite à l'extérieur) suit un principe de minimisation des coûts. La levée de la contrainte qui liait la diffusion du message à son contenu modifie ce calcul des coûts – et de fait cela change tout :

• Les entreprises peuvent désormais sous-traiter des pans entiers de leur activité, et elles n'hésitent pas à le faire, quitte à pousser cette logique à son comble : Cisco et Alcatel ont décidé d'abandonner complètement à d'autres industriels la fabrication de leurs produits[6].

• Elles peuvent plus facilement associer leurs clients et leurs fournisseurs à la gestion de leurs affaires. De grands groupes comme GE, IBM ou des compagnies pétrolières se servent de l'Internet pour organiser des plateformes d'échange entre secteurs d'activité, ce qui leur permet d'économiser jusqu'à 15 % sur leurs énormes budgets d'achat de composants et de fournitures. La participation des fournisseurs va parfois très loin : dans l'usine General Motors de Gravatai, au Brésil, dix-sept d'entre eux assemblent eux-mêmes des modules pour produire cent mille Chevrolet compactes par an. Les entreprises sont de plus en plus nombreuses à les impliquer dans la conception et le suivi de leur production, et pour cause : les économies ainsi réalisées sont parfois de l'ordre de 40 %.

• Les bataillons de vendeurs risquent de s'amenuiser progressivement. Les relations de l'entreprise avec ses clients ouvrent un espace commercial de plus en plus interactif, où la personnalisation des produits et des services est de plus en plus poussée : le client, désormais, est vraiment roi[7].

• Les années à venir verront s'imposer en force une nouvelle catégorie d'acteurs dont la seule fonction sera d'"assembler" les produits et les services proposés par d'autres entreprises, et qui simplifieront beaucoup la vie de tout un chacun en jouant le rôle d'éclaireur et en créant des bouquets de produits. Leur rôle pourrait en partie consister à protéger les clients contre la tendance des fournisseurs en ligne à accumuler en secret des informations sur leurs visiteurs. Les conditions sont d'ores et déjà réunies pour que ces "assembleurs" – ou "infomédiaires", comme on les nomme parfois – exercent une emprise considérable sur leurs fournisseurs et, par l'intermédiaire de leurs marques, sur une clientèle dont l'attention sera de plus en plus sollicitée.

APPARITION DE PRODUITS ET DE SERVICES NOUVEAUX

Le commerce électronique qui a cours sur l'Internet et l'implosion des entreprises "point.com" qui avaient trop misé sur le phénomène ont reçu une publicité plutôt négative ces derniers temps. Mais, malgré les sérieux revers qui ont ébranlé ce secteur (et qui sont d'ailleurs plus marqués en bout de chaîne, au niveau des ventes aux consommateurs, que dans les applications entre entreprises), il ne fait guère de doute que d'ici 2020 le commerce électronique relayé par l'Internet se chiffrera chaque année en dizaines de milliers de milliards de dollars. Cela dit, il n'est pas inutile de répéter une fois de plus que la nouvelle économie mondiale est un phénomène dont l'ampleur excède largement celle de la "nouvelle économie" créée autour de l'Internet. Témoins ces trois exemples de l'évolution des produits et des services, qui n'ont au mieux qu'un lien ténu avec l'Internet.

Tout d'abord, *les produits s'apparentent de plus en plus à des services.* Aujourd'hui on n'achète plus simplement une voiture, mais aussi le service qui va avec. Ce crédit-bail qu'est le leasing a pour effet de transformer l'argent investi dans l'achat de la voiture en une sorte de loyer. L'acquéreur peut s'assurer contre les vices de fabrication, et même contre l'usure du véhicule. Certains fabricants vont jusqu'à rembourser les frais d'hôtel en cas de panne inopinée, et bientôt les voitures seront capables de réserver toutes seules les révisions dont elles auront besoin. Qu'il s'agisse de jets privés ou même de chevaux de selle, les achats en multipropriété sont en plein essor[8]. Les clients d'Andersen Windows peuvent dessiner une fenêtre ajustée à une ouverture dont les mesures ne sont pas standard, et se la faire livrer à domicile dans un délai très court en utilisant le logiciel particulier mis à leur disposition par l'entreprise. Qu'est-ce qu'ils paient, au bout du compte ? Une fenêtre ou un service ? Produits et services finissent tellement bien par se confondre qu'en effet "le produit n'est rien d'autre qu'un service en attente de réalisation[9]".

Ensuite, *la pratique qui consiste à offrir des biens et des services gratuitement* s'est complètement banalisée, car elle est dans la logique des priorités souvent inversées de la nouvelle économie mondiale. Les exemples sont légion, à côté de la gratuité du courrier, de la presse et des services documentaires sur l'Internet. Ce principe trouve à s'illustrer de façon étonnante dans une des dernières inventions de Michelin : un pneu révolutionnaire qui conserve sa forme même après crevaison et permet donc au conducteur de continuer à rouler jusqu'à un garage très distant. Qu'a fait Michelin, en l'occurrence ? Au lieu de monopoliser ce juteux marché, la société a partagé la technologie avec ses concurrents Pirelli et Goodyear, et a de la sorte imposé un nouveau pneu standard[10]. Dans un esprit similaire, Motorola, qui dépose mille brevets d'exploitation par an, a récemment décidé de mettre les résultats de ses recherches à la disposition de qui le souhaite, y compris ses concurrents potentiels[11]. Quant au système d'exploitation gratuit Linux, il est aujourd'hui installé sur plus de 25 % des ordinateurs haut de gamme utilisés comme serveurs, un pourcentage qui tient la route face aux 40 % du système Windows de Microsoft.

Enfin, le foisonnement des nouvelles méthodes de *regroupement et de dissociation de fonctions, de produits ou de services* est également caractéristique de la nouvelle économie mondiale. Les compagnies aériennes sont aujourd'hui des "conglomérats" fédérant des dizaines d'entreprises qui possèdent en propre les appareils, en assurent le nettoyage, s'occupent qui des réservations, qui du convoiement des bagages, qui des repas servis à bord, etc. Les studios de Hollywood réunissent souvent des centaines de sociétés autour d'un seul film. Pour ce qui est, à l'inverse, de la dissociation, un des plus grands changements annoncés concerne le secteur bancaire qui, en 2020, aura sans doute éclaté en trois domaines d'activités bien distincts : la création de produits financiers (plutôt du ressort des banques d'investissement), l'interface avec la clientèle (qui concerne plus les banques commerciales traditionnelles) et le suivi administratif (les opérations d'écriture nécessitées par les transactions que des gens sans compétence aucune dans la banque peuvent effectuer n'importe où dans le monde[12]).

Je donnerai pour finir un exemple de "regroupement" à l'ordre du jour : les cartes à puce multifonctions à données biométriques qui serviront simultanément : de cartes d'identité ; de passes de sécurité dans les aéroports ; de cartes de crédit ou de retrait ; de cartes pour réserver un hôtel, louer une voiture ou faire valoir les bonus de fidélisation octroyés par les compagnies aériennes ; de cartes de téléphone ; de cartes de sécurité sociale et même de cartes d'électeur. La carte nationale d'identité des Finlandais est déjà équipée de certaines de ces fonctions, et une expérience similaire est actuellement en cours en Malaisie[13].

La nouvelle économie mondiale fourmille ainsi de pratiques et de procédés radicalement novateurs, qui pour beaucoup n'ont rien à voir, ni avec l'Internet, ni avec l'étroit concept de "nouvelle économie" qui lui est trop souvent associé. Au vrai, il s'agit plutôt d'une *mentalité nouvelle*, encouragée par les deux révolutions jumelles de l'économie et de la technologie à l'origine de tous ces changements.

V

Les opportunités et les tensions
de la nouvelle économie mondiale

Prenez le temps d'examiner la figure V.1 afin de repérer la prochaine étape de notre trajet. La nouvelle économie mondiale, l'une des deux grandes forces responsables des mutations qui se produiront au cours des vingt prochaines années, est à la fois porteuse d'opportunités et de tensions, contrairement à la force démographique qui ne comporte guère que des désavantages.

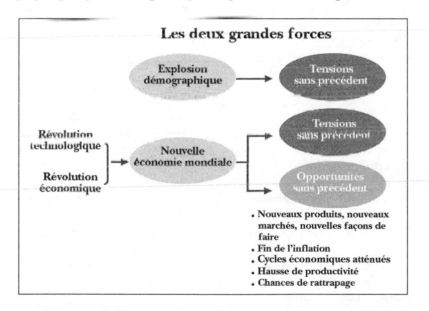

Figure V.1. La nouvelle économie mondiale – des opportunités sans précédent.

LES OPPORTUNITÉS

Commençons par les opportunités, qui se répartissent en cinq catégories.

Premièrement, la nouvelle économie mondiale génère, comme l'illustrent les exemples du chapitre précédent, *des produits nouveaux, des marchés nouveaux, des pratiques et des procédés qui transforment complètement les façons de faire.*

Deuxièmement, il semble aussi qu'elle signe le *déclin de l'inflation*, ainsi que chacun peut le constater. Cela est notamment dû au fait qu'en différents points du globe les politiques monétaires sont plus rigoureusement conduites depuis qu'en 1990 la Nouvelle-Zélande, pionnière dans ce domaine, a amené de nombreuses banques centrales à combattre l'inflation en lui fixant un plafond quantitatif. Néanmoins, le facteur principal, et peut-être aussi la raison principale du succès de cette politique anti-inflationniste, tient plutôt aux conditions moins favorables à l'inflation créées de par le monde par la remarquable fluidité inhérente à la nouvelle économie mondiale et aux révolutions économique et technologique qui en sont indissociables[1].

L'hypercompétitivité des entreprises de la nouvelle économie mondiale a en effet porté un rude coup à l'augmentation des prix. Comparer les prix devient un réflexe instantané dans un monde toujours plus transparent – si transparent que dans certains cercles on évoque sur un ton de semi-plaisanterie la "nudité" de l'économie*. En outre, il est facile de délocaliser la production des biens et des services vers les sites où elle revient le moins cher, et les marchés financiers sont maintenant en mesure de sanctionner en temps réel la politique économique de n'importe quel gouvernement. La baisse des taux d'inflation partout constatée n'a donc rien d'étonnant : alors qu'ils tournaient en moyenne autour de 15 à 20 % dans les années quatre-vingt et au début des années quatre-vingt-dix, ils sont tombés en dessous de 10 % en 1995 et sont passés sous la barre des 5 % en 2000. Dans l'intervalle, les pays en développement auront vu leurs taux d'inflation moyen chuter drastiquement : au lieu des 30 à 40 % dont ils étaient coutumiers, depuis l'an 2000 ils ont atteint un niveau équivalent à celui des pays riches.

Troisièmement, les *cycles économiques* ne sont plus ce qu'ils étaient. Dans la nouvelle économie mondiale, tous les pays sont progressivement amenés à augmenter la part des services dans leur PIB, conformément à ce que l'on observe aux Etats-Unis où

* *The nude economy*, en anglais, jeu de mots sur *the new economy*. *(N.d.E.)*

elle représente déjà près de 80 % de l'activité. Cette tendance limite considérablement les effets du vieux cycle économique – installation de capacités et constitution de stocks excessifs dans le secteur industriel (automobile, appareils ménagers, électronique) en période de surchauffe, suivies d'une compression de la production afin d'écouler les stocks.

Il est clair par exemple que le ralentissement de la croissance américaine en 2000 et la récession qu'il a provoquée l'année suivante n'avaient pas grand rapport avec ce cycle traditionnel, même avant que l'attentat terroriste du 11 septembre 2001 vienne les amplifier. Il faut plutôt y voir la conséquence d'une gueule de bois exceptionnelle, doublement provoquée par l'effondrement du marché boursier suite à l'incroyable surévaluation des valeurs technologiques, et par le brutal ralentissement des ordres d'achat dans le secteur de la haute technologie (consécutif à la tout aussi incroyable orgie d'investissements à laquelle s'étaient abandonnés les investisseurs[2]). Au vrai, la chute brutale de la fabrication industrielle américaine en 2000 2001 est peut-être en partie imputable aux pratiques du flux tendu évoquées plus haut, et à leur effet d'accélération sur la vitesse de transmission. L'autre nouveauté de la dernière récession tient par ailleurs à l'extrême rapidité avec laquelle le ralentissement de croissance survenu aux États-Unis s'est propagé à l'Europe, au Japon et aux économies émergentes.

L'important secteur des services a toutefois continué à jouer son rôle de volant d'inertie pendant une bonne partie de l'année 2001. Sans doute est-il encore trop tôt pour en juger, mais en apparence au moins le vieux cycle centré sur la consommation et la production des produits industriels donne des signes d'essoufflement – et si la chose se confirme, on ne pleurera pas cette victime de la nouvelle économie mondiale.

Quatrièmement, la nouvelle économie mondiale s'accompagne semble-t-il d'une *hausse importante du taux de croissance annuel de la productivité*. Après des analyses minutieuses menées en 1997 pour recalculer le taux d'inflation réel des États-Unis, les économistes ont commencé à soupçonner que l'inflation avait été surestimée à hauteur d'un point de pourcentage, et que depuis plus de dix ans le rythme annuel de la hausse de productivité était bien supérieur à ce que l'on pensait[3]. Les très forts taux de croissance enregistrés par l'économie américaine dans la seconde moitié des années quatre-vingt-dix semblent en effet confirmer qu'il s'est passé quelque chose d'extraordinaire autour des tendances de la productivité.

Bien que les chiffres aient à nouveau été revus à la baisse, et malgré le débat qui persiste à leur propos entre universitaires, il serait difficile de nier la reprise à la hausse du taux annuel d'augmentation de la productivité. Pour ne citer que le cas des Etats-Unis, ce taux est passé à 2,5 % par an au cours de la période 1995-2000, contre 1,5 % environ de 1973 à 1995. Le gain est loin d'être négligeable : toujours aux Etats-Unis, une augmentation d'un point du rythme de hausse de la productivité génère en dix ans un surplus de richesse à hauteur de 1 000 milliards de dollars. Même si on divise prudemment cette estimation par deux, un demi-point de hausse de productivité se traduit à terme par un excédent de 400 millions de dollars. Or il faut noter que le rythme de croissance de la productivité américaine s'est maintenu tout au long des deux derniers trimestres de 2001, autrement dit qu'il n'a pas été outre mesure affecté par les attentats du 11 septembre[4].

A quoi cela tient-il ? En premier lieu aux nouveaux procédés et aux nouvelles pratiques dont il a été question au chapitre précédent. Allant plus loin, l'ancien secrétaire du Trésor américain Larry Summers a sans doute touché du doigt l'essentiel. Dans un discours prononcé en mai 2000, il faisait remarquer que la nouvelle économie mondiale ne semble pas suivre les mêmes lois que les modèles en vigueur à l'ère industrielle, y compris dans l'agriculture : "Il suffit de penser au cycle céréalier classique : quand les prix augmentent, les agriculteurs produisent plus, les consommateurs achètent moins, et l'équilibre finit par se restaurer en s'ajustant à une demande moindre." On a affaire, selon lui, à "un effet de feed-back négatif", reflétant les contraintes à court terme de l'offre et de la demande.

"En comparaison, poursuivait Larry Summers, la nouvelle économie va de plus en plus se développer en fonction d'un feed-back positif." Dans le modèle économique qu'elle est en passe de supplanter, les biens de consommation sont d'abord rares et chers avant de devenir banals et bon marché : c'est vrai des téléviseurs, des voitures, des machines à laver... Dans la nouvelle économie mondiale, la capacité ajoutée devient effective si vite et à un si bas coût (pensez aux téléphones mobiles, aux microprocesseurs, aux nouveaux services de l'Internet) que les contraintes qui pèsent traditionnellement sur l'offre en deviennent presque insignifiantes. La limite de vitesse de l'économie a en effet augmenté[5].

Le phénomène n'est pas uniquement dû à l'impact des nouvelles technologies sur les modes de production. Des études émanant du US Conference Board et du cabinet McKinsey montrent que la flexibilité accrue des marchés du travail, du capital et des produits – à quoi s'ajoute une plus grande efficacité organisationnelle de l'entreprise – a également contribué à cette accélération notable (bien faite pour nous rappeler que la révolution économique est l'un des deux moteurs de la nouvelle économie mondiale[6]).

Enfin, cinquièmement, en sus de ces avantages globaux sensibles partout, la nouvelle économie mondiale offre aux pays en développement des *possibilités de rattrapage sans précédent*. Beaucoup d'entre eux comptent déjà parmi les principaux bénéficiaires des opportunités ouvertes par les nouvelles technologies et les nouvelles façons de faire. Il a été question plus haut de l'exportation des services de création et de maintenance de logiciels de la ville de Bangalore, des vêtements assemblés au Lesotho, des dossiers d'assurance saisis au Ghana pour des compagnies américaines. Voici d'autres exemples tout aussi parlants.

Une réflexion s'est engagée il y a quelques années en Chine autour de l'idée d'équiper 400 millions de Chinois de cartes à puce individuelles leur permettant à la fois d'alimenter leurs comptes et d'effectuer des règlements. Si cette idée voit le jour – si rien ne vient s'opposer à sa réalisation –, d'un bond la Chine rattrapera des décennies de progrès bancaire : elle passera directement à l'ère de la monnaie électronique et s'épargnera du même coup bien des tracas. La Lituanie et la Pologne envisagent elles aussi de sauter le pas.

Dans le domaine de l'éducation, les chances à saisir ne sont pas moins formidables. Je ne citerai ici qu'un seul cas, celui de l'université Monterrey Tech, au Mexique, devenue en l'espace de quelques années l'un des plus importants centres d'enseignement à distance du monde : la trentaine d'universités d'Amérique latine qui lui sont rattachées offrent à chacun de leurs étudiants la possibilité de travailler avec les meilleurs spécialistes de leur discipline. Dans de nombreux pays en développement, l'enseignement en réseau qu'autorise l'Internet est d'ailleurs à la clé d'une amélioration considérable du contenu des programmes et de la propagation de méthodes d'enseignement plus efficaces.

Les possibilités de rattrapage offertes par la nouvelle économie mondiale sont également bien réelles au niveau des communautés villageoises. Les paysans ivoiriens qui se servent de leurs téléphones cellulaires pour connaître le cours du cacao à la bourse du commerce de Chicago ne sont plus obligés d'accepter les indications de prix souvent fantaisistes des intermédiaires locaux. En Ethiopie, un de mes collègues a demandé aux petits agriculteurs venus le rencontrer s'ils savaient ce qu'était l'Internet. Il fut très étonné d'entendre un de ses interlocuteurs lui répondre qu'il s'en servait régulièrement pour vendre des chèvres à des chauffeurs de taxi éthiopiens exilés à New York, désireux d'offrir ce cadeau pour de grandes occasions à leurs familles restées au pays. Plusieurs organisations non gouvernementales spécialisées aident des villageoises d'Amérique latine et d'Asie à présenter les produits de leur artisanat dans des catalogues en ligne, accompagnés de quelques mots sur leur histoire et celle de leur village[7]. Du jour au lendemain ou presque, tous ces gens jusqu'alors isolés sont intégrés dans un marché de dimension planétaire.

La nouvelle économie mondiale est une mine d'opportunités merveilleuses, jusqu'alors inédites. Elle n'est cependant pas exempte de tensions, réparties en quatre catégories (voir la fig. V.2).

LES TENSIONS

Le premier type de tensions a trait à la nécessité de *s'adapter aux nouvelles règles du jeu qui régissent l'économie*. Plusieurs livres exposent ces règles auxquelles il faut désormais se plier[8]. Il me semble cependant plus éclairant de partir, encore et toujours, des quatre caractéristiques de base de la nouvelle économie mondiale et des quatre règles qui à mon avis en découlent. Le lecteur aura d'ailleurs pu les déduire lui-même des exemples cités dans les chapitres III et IV.

Quatre traits caractérisent la nouvelle économie mondiale :

• Elle est intrinsèquement rapide, et requiert donc une extrême agilité. Bill Gates parle à ce propos de "vélocité".

• Elle déborde les frontières nationales – ce qui exige de savoir travailler en connexion avec des réseaux internationaux.

• C'est une surdouée avide de savoir qui transforme en impératif le renouvellement permanent des connaissances. Ceux qui ne se bougent pas pour apprendre resteront sur le bord de la route.

• Enfin son hypercompétitivité oblige les divers acteurs à être d'une absolue fiabilité, au risque de voir des concurrents s'emparer immédiatement du marché.

Que cela leur plaise ou non, les gouvernements, des secteurs économiques entiers, les entreprises grandes et petites, les institutions et les individus doivent maintenant tenir compte de ces nouvelles règles du jeu qui décident, et de plus en plus, des réussites et des échecs. A la distinction entre riches et pauvres sont venues s'ajouter des oppositions impitoyables : on est lent ou rapide ; branché ou non sur les réseaux ; occupé à apprendre ou statique – et fiable à 100 % ou hors jeu. Tous les joueurs vont devoir intégrer ces nouvelles règles, et cela n'ira pas sans pleurs et grincements de dents ; quand elle est imposée par des événements extérieurs, l'obligation de changer ses habitudes et de tout réapprendre de A à Z est très désagréable, surtout pour ceux qui s'estimaient plutôt satisfaits de leurs performances.

Il est une deuxième tension, liée à la précédente et qui, elle, a trait aux *disparités croissantes*, d'ordre international ou national. Comme nous venons de le voir, la nouvelle économie mondiale récompense la rapidité, le travail en réseau, la soif d'apprendre et la fiabilité. Médusés par la prodigalité dont elle fait montre envers ceux qui possèdent ces qualités, certains analystes ont même cru déceler l'émergence d'une "société où les vainqueurs raflent toute la mise[9]". De fait, en marginalisant les pays qui ne cultivent pas ces qualités et en récompensant généreusement ceux qui les mettent en valeur, la nouvelle économie mondiale accroît les disparités *entre* les Etats.

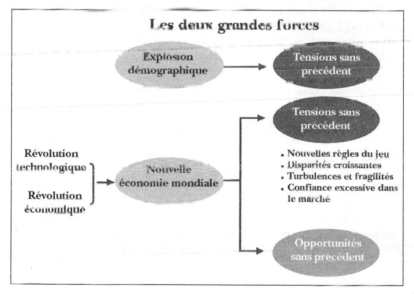

Figure v.2. La nouvelle économie mondiale – des tensions sans précédent.

Au cours des quarante dernières années, le revenu moyen des vingt pays les plus riches a été multiplié par deux par rapport à celui des vingt pays les plus pauvres, et il est actuellement quarante fois plus élevé. Il est à craindre que la nouvelle économie mondiale n'aggrave ces disparités[10]. La situation la plus préoccupante est celle des pays dits "les moins développés" ; au nombre d'une cinquantaine et pour la plupart situés sur le continent africain, ils risquent de rater complètement leur intégration dans la nouvelle économie mondiale. Si rien n'est fait pour corriger ces déséquilibres majeurs (cf. la deuxième partie de ce livre), on verra immanquablement se creuser les écarts entre pays dans un monde déjà intrinsèquement inégalitaire. Qui plus est, les disparités observées au sein même du groupe des pays en développement ne pourront que s'accentuer : pensez au cas de l'Afrique, avec le contraste entre l'île Maurice et les Etats sub-sahariens, ou encore à celui de la République dominicaine et d'Haïti, deux mondes divergents mais qui se partagent la même île.

Plusieurs signes attestent par ailleurs l'accroissement des disparités, non plus entre, mais *à l'intérieur des pays*. Aux Etats-Unis, en 1990 les revenus des 20 % d'habitants les plus riches était dix-huit fois supérieur à ceux des 20 % d'habitants les plus démunis ; en l'an 2000, il était vingt-quatre fois plus important[11]. Pendant la même décennie, toujours aux Etats-Unis, la rémunération supplémentaire des détenteurs d'un diplôme bac + 4 par rapport à ceux qui entrent dans la vie active avec un niveau bac a tout simplement doublé. Ce phénomène qui au départ touchait essentiellement les pays anglo-saxons est en passe de se généraliser : la nouvelle économie mondiale s'accompagne semble-t-il d'une revalorisation de la rémunération des diplômés par rapport à celle des personnels non qualifiés.

Patent depuis les années quatre-vingt en Amérique latine, le creusement des inégalités à l'intérieur des territoires nationaux est maintenant une réalité même dans des pays comme la Chine, où les écarts entre les villes et les campagnes sont de plus en plus importants. La Russie, le Kirghizstan, l'Arménie ont eut vite fait de rejoindre le triste clan des sociétés les plus inégalitaires du monde. Cet accroissement des disparités sur le plan national ne concerne pas seulement les revenus : au Brésil, la mortalité infantile est cinq fois plus élevée dans les Etats du Nord que dans ceux du Sud. L'amplification de ces disparités va produire de nombreuses tensions dans les années à venir.

La troisième catégorie de tensions est liée à la plus grande *turbulence* et à la plus grande *fragilité* instaurées par la nouvelle économie mondiale. Ce ne sont pas les indices qui manquent.

Le développement de la nouvelle économie mondiale pourrait bien nous réserver encore quelques coups de tabac provoqués par la *turbulence* des marchés, aussi sérieux que la crise qui, en 1997-1998 a frappé l'Asie, la Russie, le Brésil, ou celle qu'ont subie la Turquie et l'Argentine. Pourquoi ? Il y a deux éléments à prendre en compte. Tout d'abord, alors que la valeur totale des actions et obligations émises dans le monde n'était que de 10 000 milliards de dollars en 1980 et de 30 000 milliards de dollars en 1990, elle dépasse aujourd'hui les 80 000 milliards de dollars[12]. Ensuite, une part toujours plus considérable des marchés financiers est désormais aux mains d'opérateurs plus rapides que leurs prédécesseurs à sanctionner les entreprises, les pays ou les régions du globe qui paraissent suspects. Un peu comme si les vagues de l'océan étaient devenues plus grosses et plus promptes à changer soudain de direction. Il n'est pas exclu que ce phénomène soit pour beaucoup à l'origine de la crise qui a fait plonger certains pays asiatiques en 1997-1998 – même si, bien sûr, leur "capitalisme de connivence", la folle témérité de leurs institutions financières et la vulnérabilité de leurs politiques de change ont à l'évidence joué un vilain rôle dans cette affaire. De toute façon, quand la houle se renforce et devient moins prévisible, le risque de naufrage augmente, y compris pour les petites économies sagement pilotées.

La rapide accélération du rythme du changement qu'induit la nouvelle économie mondiale est une autre source de turbulences au-delà des seuls marchés financiers. Les entreprises sont de plus en plus souvent amenées à réaliser d'énormes investissements, dans un contexte où les concepts industriels et commerciaux de leurs métiers changent presque d'un mois sur l'autre. D'où, parfois, les erreurs monumentales qu'elles commettent, à l'origine d'ondes de choc retentissantes. Exemple : les sommes astronomiques (plus de 100 milliards de dollars) versées ces dernières années par les sociétés de télécommunication pour acquérir en Europe les licences 3G permettant d'accéder à l'Internet à partir des téléphones mobiles. Des enquêtes récentes révèlent pourtant que ce progrès n'intéresserait que 4 % des utilisateurs de téléphones mobiles, et l'on commence à découvrir les effets néfastes produits par cette surenchère effrénée sur la santé de ces sociétés et sur celle de leurs banques.

A côté de cette turbulence accrue et des remous qu'elle peut déclencher, la nouvelle économie mondiale s'accompagne d'une *fragilité* jusqu'alors inconnue et potentiellement menaçante. Les banques centrales ont de plus en plus de mal à assurer la régulation de l'activité économique qui en principe leur incombe, et leur rôle est devenu plus symbolique qu'elles ne veulent bien l'admettre. A la fin de 1998, la crise éminemment inquiétante déclenchée à Wall Street autour du fonds spéculatif Long-Term Capital Management a révélé la fragilité des montages financiers complexes et opaques.

L'intégration à l'échelle planétaire des mécanismes de paiement, de compensation et de dépôt de titres va très probablement se poursuivre au nom de l'efficacité, mais là aussi au prix d'une fragilisation de l'ensemble du système, plus exposé au risque de pannes ou de blocages critiques. Les attentats terroristes qui ont frappé les Etats-Unis le 11 septembre 2001 ont permis à beaucoup de gens de réaliser que les kilomètres de câbles enfouis sous le quartier d'affaires du sud de Manhattan en avaient fait la première place boursière électronique du monde. Il s'en est fallu de peu pour que la coupure de millions de lignes téléphoniques ne paralyse complètement les autres places de marché.

A cela s'ajoute un facteur de fragilisation plus global introduit par l'utilisation de plus en plus fréquente de l'Internet pour passer les commandes, contrôler le trafic ferroviaire, assurer la fourniture énergétique, et ainsi de suite. Des gens animés de mauvaises intentions pourraient – c'est du domaine du possible – court-circuiter les centres de transmission et de réception des messages installés au cœur de l'Internet. Il y a peu, le quart des informations échangées sur l'Internet était paraît-il traité à Tyson's Corner, une bourgade de Virginie, dans un immeuble jouxtant un restaurant. Le gouvernement américain est si inquiet qu'il envisagerait de créer un réseau gouvernemental sécurisé indépendant de l'Internet, afin de protéger le fonctionnement des institutions fédérales contre les attaques lancées dans le cyberespace[13].

Dans le même ordre d'idées, le système de plaques tournantes et de radiales développé par les compagnies d'aviation américaines depuis la dérégulation du secteur se traduit par le fait que 80 % des décollages et des atterrissages effectués aux Etats-Unis ont désormais lieu dans 1 % seulement des aéroports. Le moindre problème surgi dans ces structures qui tournent à plein régime a inéluctablement des répercussions en cascade sur l'ensemble du réseau. La nouvelle économie mondiale créera de plus en plus de fragilités de ce type.

La quatrième catégorie de tensions qu'elle induit est plus subtile. Elle tient à la *confiance excessive placée dans le marché* et à la myopie qui en résulte.

Maintenant que le modèle de planification centralisée a été rayé de la carte, un nombre grandissant d'acteurs, politiques ou autres, voient volontiers le marché comme la solution à tous les problèmes – quitte, tant qu'ils y sont, à taper au passage sur l'Etat. Que ce soit par paresse intellectuelle ou par entêtement idéologique, ces partisans fanatiques de la liberté du marché oublient que si les planificateurs se sont conduits comme des crétins ou des fous, au choix, le marché est quant à lui un parfait idiot ; un idiot efficace, peut-être, mais un véritable idiot : laissé à lui-même, il continue de tourner et de produire sans réfléchir[14]. La myopie qui découle de cette confiance excessive dans le marché est très dangereuse pour deux raisons.

En premier lieu, abandonner au marché le soin de résoudre tous les problèmes, c'est faire l'impasse sur les tensions sociales qu'il peut générer. Ainsi, il est peu contestable que la nouvelle économie mondiale rend plus précaire la durée d'un emploi dans une entreprise donnée, y compris là où le taux de chômage reste bas, comme aux Etats-Unis et dans un certain nombre d'autres pays. Pour atténuer le sentiment d'insécurité qui en découle, il serait par exemple possible de créer des formes de pensions plus transférables d'emploi à emploi – mais le marché ne prendra pas tout seul cette initiative. Nous avons vu qu'en assez peu de temps le salaire de ceux qui entrent dans la vie active sans diplômes a baissé par rapport à ceux qui possèdent un certain niveau d'instruction. Une des solutions envisageables serait de veiller continuellement à ce que le salaire minimum ne devienne pas ridiculement obsolète, ce qui est le cas dans plusieurs pays riches. Or, le marché ne corrigera pas non plus ce décrochage de son propre chef. Si nous nous en remettons aveuglément à lui, au cours des vingt prochaines années les facteurs de tension sociale se multiplieront – et des foules de contestataires descendront dans la rue crier leur mécontentement.

Il est une deuxième raison plus profonde pour ne pas confier au marché le soin de tout régler. Si efficace qu'elle soit à court terme, son expansion purement mécanique finira par grever les capacités d'absorption d'une planète et d'un environnement déjà malmenés par l'augmentation de la population. Ce n'est pas une question d'idéologie mais de limites physiques. Au moment de mourir, un maître du bouddhisme zen déclarait à ses disciples : "La vie ne m'a appris qu'une seule chose : où s'arrête ce qui suffit."

La nouvelle économie mondiale ignore cette limite – comme d'ailleurs trop d'hommes politiques et de penseurs, entraînés par la prospérité de la seconde moitié du XXᵉ siècle à professer une foi éperdue dans les mécanismes du marché. On a là une des sources des discussions et des dissensions qui agiteront le XXIᵉ siècle. Le grand économiste John Maynard Keynes le pressentait, il y a plus d'un demi-siècle, lorsqu'il écrivait que le débat de fond sur l'avenir de l'humanité finirait par se focaliser précisément sur ce point : la latitude qu'il convient de laisser à "l'amour instinctif de l'argent et au désir instinctif de s'enrichir en tant que principale force motrice de la machine économique[15]". Ce débat se déroulera dans un climat tendu et, s'il n'aboutit pas, il ne pourra qu'exacerber davantage les tensions.

VI

Une crise de la complexité

Les chapitres précédents nous ont permis de découvrir que la nouvelle économie mondiale apporte à tous les acteurs des opportunités sans précédent, y compris des chances de rattrapage inédites pour les pays en développement capables de les saisir. Mais il y a également été question des diverses catégories de tensions qu'elle génère et qui viennent s'ajouter à la longue liste des tensions sociales et écologiques accompagnant la croissance démographique.

D'une puissance de geyser, ces deux grandes forces que sont l'augmentation de la population de la planète et la nouvelle économie mondiale introduisent un niveau de complexité inouïe dans les questions économiques, sociales, politiques et environnementales. Les problèmes humains en deviennent plus urgents, plus globaux, et

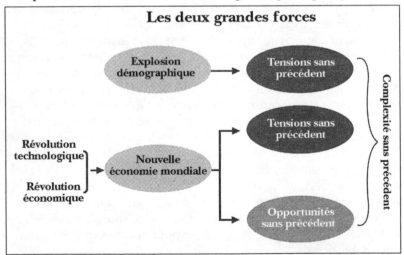

Figure VI.1. Les deux grandes forces – une complexité sans précédent.

partant plus difficiles à résoudre, tant d'un point de vue technique que politique. Une crise se noue autour de la complexité.

Le rythme des changements impulsé par ces deux forces contraste du tout au tout avec la lente évolution des institutions humaines. Qu'il s'agisse des Etats-nations, de leurs gouvernements, de leurs ministères et des services afférents, des organisations internationales ou de n'importe quelle grande structure, l'évolution des institutions humaines s'effectue très lentement, et de façon linéaire.

Les deux grandes forces de changement sont au contraire exponentielles. La croissance démographique induit une sorte d'exponentialité de la rareté – celle de l'espace, de l'eau, des terres cultivables, de l'air pur, de la biodiversité de la faune et de la flore, et ainsi de suite. A l'inverse, c'est une exponentialité de l'abondance qui caractérise la nouvelle économie mondiale. On se souvient de la loi de Moore, mais aussi du phénomène de feed-back positif dont parlait Larry Summers et de la disparition du dilemme entre richesse et portée d'un message analysée par Evans et Wurster (chap. IV). Il faut encore mentionner la loi de Metcalfe, selon laquelle la valeur d'un réseau croît à raison du carré de ses membres. Et garder en mémoire quelques-uns des exemples de nouveaux marchés, nouveaux produits, nouveaux procédés et nouvelles pratiques cités plus haut ; la logique qui impose soudain de ne pas faire payer certains produits ou de partager ouvertement des techniques, par exemple.

Tandis que les deux forces exponentielles gagnent du terrain, leurs courbes s'éloignent de celle, linéaire et beaucoup plus plate, qui décrit l'évolution de nos institutions. Ce que l'on peut très crûment représenter ainsi :

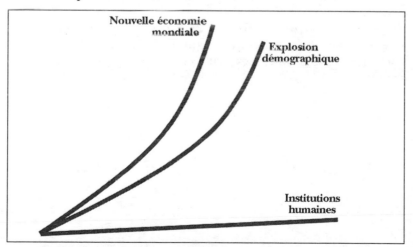

Figure VI.2. Les deux grandes forces – représentation graphique.

On assiste en outre à une différenciation du facteur temps, qui désormais passe plus vite dans certains domaines que dans d'autres. Sur les courbes de la croissance démographique et de la nouvelle économie mondiale, la contraction de sa durée amène à le mesurer allégoriquement en "années chien" : parce que les chiens vieillissent plus rapidement que nous, pour ramener leur âge au nôtre il faut paraît-il le multiplier par sept – un chien de deux ans en a ainsi quatorze en termes humains. Il en va de même, si l'on peut dire, de la courbe de croissance démographique, où chaque année perdue dans la lutte contre le réchauffement climatique en vaut sept, figurativement parlant. Quant à la courbe de la nouvelle économie mondiale, les "années chien" semblent bien s'appliquer là aussi : trois ans après sa création le site Amazon.com pesait déjà autour de 15 milliards de dollars – une valeur qu'une entreprise traditionnelle n'acquiert en principe qu'au bout d'une vingtaine d'années ; Nokia, qui il n'y a pas si longtemps fabriquait du papier-toilette et d'autres produits aussi peu prestigieux, a réussi en l'espace de quelques années à conquérir 35 % du marché des téléphones mobiles[1].

En comparaison, et pour continuer la métaphore, sur la courbe des institutions humaines le temps s'écoule en "années bureaucratiques" : il faut sept ans pour mener à bien un changement qu'il devrait être parfaitement possible d'opérer en un an. Bref, il y a une véritable confrontation entre les "années bureaucratiques" et les "années chien", si l'on me permet cette image farfelue. Rien d'étonnant, donc, à ce que beaucoup d'entre nous aient l'impression qu'à notre époque deux horloges au rythme différent marquent le passage du temps.

Penchons-nous de plus près sur la courbe des institutions humaines, qui elles aussi subiront de grandes tensions alors qu'elles chercheront à s'adapter aux grands changements en cours.

VII

Trois nouvelles réalités

Si les institutions humaines de tous types se préparent dans les affres aux changements considérables qui sont en cours ou qui s'annoncent, c'est avant tout parce que rien ne les destinait à relever de pareils défis. Très palpables dans celles qui ont en charge l'organisation de la vie publique, ces difficultés qui les dépassent sont définies par trois nouvelles réalités.

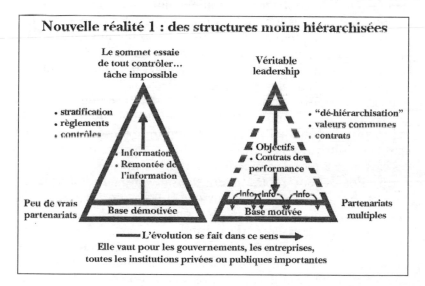

Figure VII.1. Nouvelle réalité 1 : des structures moins hiérarchisées.

DE LA HIÉRARCHIE AUX RÉSEAUX

La première réalité nouvelle a trait aux limitations des structures hiérarchiques traditionnelles et à la nécessité d'inventer des formes d'organisation plus souples. Les institutions humaines quelles qu'elles soient (nations, gouvernements, établissements publics, organismes gouvernementaux et multilatéraux, Eglises, multinationales, bref, tous les groupes constitués autour de buts et d'intérêts communs) sont dans leur grande majorité conformes à un modèle d'organisation hiérarchique hérité de l'âge industriel, si ce n'est de l'âge agricole. Or, les périodes de changement intense et complexe conviennent mal aux hiérarchies en place, tandis que l'avenir appartient plutôt aux organisations qui sauront gagner en souplesse comme en rapidité et s'inspirer du modèle du réseau.

Pourquoi ? Dans une structure de hiérarchie classique (la pyramide représentée à gauche sur la figure VII.1), l'information ne remonte au sommet qu'après avoir transité par les différentes strates de l'encadrement superposées de bas en haut. Ce système repose sur trois piliers – la stratification, les règlements et les contrôles –, mais il a aussi trois gros points faibles qui le pénalisent lorsqu'il est confronté au changement.

Tout d'abord, les hiérarchies manquent à l'évidence de souplesse et ne s'adaptent que lentement aux mutations survenues à l'extérieur. L'information suit un long trajet avant de parvenir au sommet. A chaque niveau de responsabilité, le maintien en l'état des choses est en quelque sorte un droit acquis ; on répugne toujours à transmettre les mauvaises nouvelles à l'échelon supérieur. Les règlements et les procédures de contrôle conçus pour assurer le fonctionnement de l'ensemble en période de stabilité renforcent la rigidité de la structure. Quand le changement s'intensifie, ces caractéristiques deviennent autant de handicaps.

Ensuite, les gens qui travaillent dans des organisations hiérarchisées sont plus traités en relais de l'information qu'en agents indépendants. Cela n'est pas sans incidence sur le moral et les motivations de ces salariés. Les grandes entreprises bâties sur ce modèle nourrissent presque toujours, ouvertement ou non, une culture de la frustration surtout sensible dans leurs sièges sociaux. La plupart d'entre elles se retrouvent en fin de compte avec une base démotivée. Quand le changement s'intensifie, les salariés ne sont pas suffisamment mobilisés pour réagir vite et rompre avec la routine.

Enfin, et c'est peut-être le plus important, les hauts responsables censément en position de tout gouverner et contrôler à partir du sommet de la hiérarchie perdent les pédales dès que le rythme du changement s'accélère. Ceux qui dirigent des institutions internationales, par exemple, se débattent chaque jour avec des piles énormes de notes et de rapports, sans compter les messages électroniques qu'ils reçoivent par centaines. En août 1997, alors que la menace de la crise asiatique se précisait, il était à peu près impossible de trouver des interlocuteurs qualifiés parmi les hauts responsables de la banque centrale et du gouvernement thaïlandais : ils croulaient sous la charge et ne songeaient qu'à démissionner.

Plus généralement, il faut bien convenir que ce n'est pas une sinécure d'assumer la direction d'une grande entreprise, d'une administration d'Etat, d'un organisme de la société civile, et plus généralement de toute grosse structure hiérarchisée. En moyenne, les PDG restent beaucoup moins longtemps en poste qu'autrefois, et les périodes d'état de grâce s'abrègent[1]. Ces derniers temps, plusieurs d'entre eux ont brusquement renoncé à la position qu'ils occupaient au sommet de la hiérarchie et opté pour une vie nouvelle ; ce fut notamment le cas des dirigeants de Carlsberg, d'AOL Time Warner, d'Energis, de Lazard Londres.

L'ère qui s'annonce ne sera donc pas celle de la hiérarchie traditionnelle. Cela ne signifie pas que toutes les hiérarchies vont être balayées – quantité de domaines ou de fonctions ne sauraient s'en passer ; simplement, la hiérarchie est bel et bien en net déclin en tant que modèle d'organisation des activités humaines, ne serait-ce que parce qu'elle contribue largement à freiner l'évolution des institutions, comme le montre implicitement la courbe représentée sur la figure VI.2. Les hiérarchies sont trop lentes, trop rigides, trop imbues d'elles-mêmes, trop contaminées aussi par une espèce de mauvaise humeur permanente. Et la plupart du temps leurs dirigeants sont dépassés par les événements.

Sous la pression du changement, de nouvelles formes d'organisation vont émerger, et il est probable qu'elles ressembleront peu ou prou au schéma de droite de la figure VII.1. Les entreprises publiques et privées de la nouvelle génération s'inspireront plus volontiers du concept de réseau que de celui de la pyramide. Moins verticales et moins hypertrophiées, elles gagneront en souplesse et comporteront moins de strates de responsabilité que les hiérarchies traditionnelles.

Pourquoi ? Parce qu'il ne sera plus nécessaire de faire remonter l'information jusqu'au sommet. C'est à la base, au contraire, que l'information circulera – au niveau de ceux qui travaillent en proximité avec les clients, les fournisseurs ou les associés, là où elle peut être rapidement utilisée pour adapter l'ensemble de la structure à l'évolution des besoins. Bien des accords de partenariat s'établiront demain à ce niveau, selon une démarche peu compatible avec les hiérarchies traditionnelles.

Les salariés de ces organisations moins pyramidales et plus proches du modèle du réseau ne seront plus simplement chargés de transmettre l'information : ils jouiront de l'autonomie qui va avec la responsabilisation. Les dirigeants garderont néanmoins un rôle important, qui ne consistera plus à contrôler et formuler des instructions détaillées mais à préciser la vision d'ensemble, les valeurs et les objectifs de l'entreprise, à obliger aussi les salariés à respecter les contrats de performance. Autrement dit, ils exerceront un véritable leadership. Par voie de conséquence, les organisations structurées selon ces principes auront une base beaucoup plus motivée.

Utopie, se dit-on ? Que non ! Réalité en voie de s'accomplir. L'une après l'autre, les grandes entreprises s'efforcent de passer du triangle dessiné à gauche de la figure VII.1. au triangle dessiné à droite. L'équipementier ABB et le sidérurgiste NUCOR (aciéries électriques) furent les premiers à s'y essayer au début des années quatre-vingt-dix ; depuis, la plupart des grands groupes industriels leur ont emboîté le pas. On ne compte plus le nombre d'ouvrages publiés sur le "nouveau management". Eglises, syndicats, universités... pratiquement toutes les institutions un peu importantes évoluent dans cette direction. Aux Etats-Unis, il y a même eu des propositions visant à conférer une certaine horizontalité à la structure de commandement militaire, par délégation de responsabilités aux officiers de rang inférieur et mise sur pied de forces plus petites et plus mobiles, opérant sur de vastes portions de territoire dont le maillage serait assuré par les technologies de l'information.

De solides raisons commandent cette évolution : l'organisation plate et horizontale calquée sur le modèle du réseau permet un fonctionnement plus intelligent et plus souple, plus en phase avec le changement que celui des hiérarchies classiques. C'est la solution qui s'impose quand le changement rivalise de vitesse avec la complexité. Bienvenue, donc, à la nouvelle réalité des organisations de l'ère de l'information, si profondément différentes de celles qui prévalaient jadis, du temps des modes de production agricole puis industriel.

Si elles représentent l'avenir, elles ne sont d'ailleurs pas sans liens avec un passé très ancien. Les psychologues qui étudient le comportement de celles et ceux qui travaillent dans des structures en réseau le rapprochent volontiers de celui des chasseurs-cueilleurs qui vivaient il y a vingt mille ans : les équipes se font et se défont au gré des besoins, il faut se montrer souple et agile, travailler des heures d'affilée autour d'un projet et prendre le temps de souffler, n'accepter d'autre autorité que celle qui s'avère efficace[2].

Une chose est sûre : la transformation des organisations traditionnelles en structures conformes au schéma de droite de la figure VII.1 sera en soi une grande source de tensions. Elle posera en particulier d'énormes difficultés aux établissements publics dont le fonctionnement est profondément ritualisé ; les ministères des Affaires étrangères, par exemple, comptent parmi les institutions les plus ritualisées du monde. Le pays ayant à ce jour fourni le plus d'efforts en la matière est sans doute la Nouvelle-Zélande, engagée depuis les années quatre-vingt-dix dans une refonte du gouvernement qui désormais ressemble plus au triangle de droite qu'à celui de gauche : les hauts fonctionnaires disposent du bilan et des comptes financiers de leurs départements respectifs, et bien qu'ils jouissent d'une grande liberté de manœuvre ils doivent, au risque de perdre leurs postes, remplir les objectifs fixés par le Parlement.

Les tentatives de ce genre vont vraisemblablement se multiplier, malgré les difficultés et les controverses qu'elles suscitent[3]. Sur un plan plus général, la transformation des structures hiérarchiques en organisations plus ouvertes et plus souples, à l'image des réseaux, est à l'évidence un des moyens les plus sûrs de redresser la courbe des institutions humaines, pour reprendre la terminologie utilisée dans la figure VI.2.

L'ESSOUFFLEMENT DE L'ÉTAT-NATION

L'Etat-nation, cette institution familière et rassurante, est lui aussi malmené par une autre réalité tout aussi contraignante. Il a en fait une histoire relativement courte, de même que le concept de souveraineté nationale qui lui est associé. Les historiens les font généralement remonter à la paix d'Augsbourg, signée en 1555, qui laissait au pouvoir politique le soin de décider de la religion pratiquée sur le territoire relevant de son autorité (en vertu du principe *cujus regio, ejus religio*). Mais on les rattache plus souvent aux traités de Westphalie (1648) qui mirent un terme à la guerre de Trente Ans, les puissances de l'Europe continentale s'engageant à laisser désormais chaque souverain diriger son pays comme il l'entendait. L'Etat-nation dont la définition n'a cessé d'évoluer depuis est un concept territorial circonscrit par une frontière géographique ; sur la figure VII.2, cette frontière correspond au plus grand des cercles concentriques.

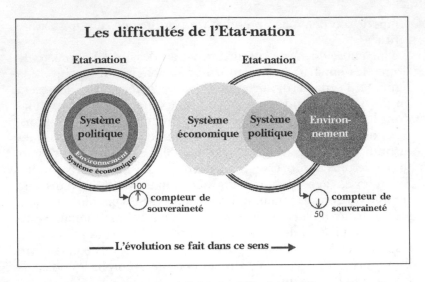

Figure VII.2. Nouvelle réalité 2 : les difficultés de l'Etat-nation.

Selon cette représentation schématique, à l'intérieur de ce territoire coexistent un système politique, un système écologique (les données du milieu naturel) et un système économique. Quand l'Etat-nation contrôle parfaitement ces trois blocs, le "compteur" de sa souveraineté est à 100 – ce qui n'est qu'une manière de parler car, selon toute probabilité, ce cas de figure ne s'est jamais présenté.

Mais sous l'effet des deux grandes forces, le système économique et le système écologique débordent désormais le cadre des frontières nationales, et il ne fait aucun doute que la tendance va s'affirmer au cours des vingt ans à venir.

La force exercée par la nouvelle économie mondiale crée en effet un système économique qui se joue des frontières. Souvenez-vous des médecins de Washington qui dictent leurs observations à des dactylos basées en Inde et travaillant par liaison satellite. Le bénéfice ainsi dégagé (important, puisque, à 0,09 dollar la ligne, la transcription coûte à peu près moitié moins cher que ce que demandent les dactylos de Washington) peut au choix être déclaré, et imposé, soit aux Etats-Unis, soit en Inde. D'une certaine façon, ces transactions échappent au contrôle des Etats-Unis – et de l'Inde aussi bien. Le cercle représentant le système économique entame un déplacement qui l'amène à mordre sur la frontière nationale. Nous avons passé en revue bien d'autres exemples de cette situation aux chapitres IV et V (et le chapitre XIV nous en fournira d'autres).

De même, sous l'effet des nombreuses tensions découlant de la force démographique, le milieu naturel est de moins en moins contenu à l'intérieur des frontières nationales : l'exemple des centrales à charbon chinoises qui envoient des pluies acides sur le Japon a été cité plus haut. Le réchauffement de la planète, la raréfaction des ressources en eau douce dans plusieurs régions et les autres effets pervers de l'augmentation de population empêchent l'Etat-nation de conserver la maîtrise de son milieu naturel. Le sida et la résistance du bacille de la tuberculose aux antibiotiques agissent de manière similaire, car ces maladies qui ne connaissent pas les frontières se répandent plus vite qu'auparavant aux quatre coins du globe.

Ces processus qui soustraient progressivement les systèmes économique et écologique à l'influence du système politique contribuent à son affaiblissement. Le compteur de souveraineté chute à l'indice 50 – ce qui, là encore, n'est qu'une façon de parler[4].

Les difficultés dans lesquelles se débat l'Etat-nation ne se résument pas à ce seul phénomène. Elles vont notamment de pair avec un autre syndrome : le sentiment de malaise croissant autour de la politique en général et des hommes politiques en particulier. Partout, le monde politique tremble sur ses bases : les électeurs plus volages qu'autrefois papillonnent entre les partis politiques, et les "états de grâce" durent de moins en moins longtemps. Les enquêtes effectuées aux Etats-Unis et en Europe sur le comportement des jeunes soulignent l'ampleur de la désaffection pour la classe politique[5].

Qui plus est, le débat entre la gauche et la droite s'efface au profit d'une nouvelle forme de confrontation, entre d'un côté ceux qui résistent au changement et, de l'autre, ceux qui y voient une chance à saisir. Les gens qui s'opposent aux grandes mutations (et qui ont souvent tendance à voir des complots derrière) peuvent aussi bien être de droite que de gauche[6]. Les coalitions qui en résultent médusent ceux qui au contraire considèrent que les changements ouvrent plutôt de nouvelles opportunités (autour de 30 % seulement de la population, selon les enquêtes effectuées aux Etats-Unis).

La deuxième réalité avec laquelle il faut désormais compter est donc assez composite : l'essoufflement de l'Etat-nation et les nombreux défis lancés à la politique traditionnelle s'associent pour entretenir en permanence une sorte de mauvaise humeur politique. On ne peut plus, ces temps-ci, ouvrir un journal sans en trouver une illustration au niveau local, national ou mondial. Les difficultés grandissantes de l'Etat-nation lui-même sont peut-être moins visibles, mais il ne faut pas s'y tromper : la bataille sera historique[7].

UN NOUVEAU TYPE DE PARTENARIAT

La troisième réalité nouvelle tient à la manière dont le secteur public, le secteur privé et la société civile agissent réciproquement les uns sur les autres. Nous sommes habitués à un mode d'interaction distant, où chaque partie reste dans son coin et où le niveau de collaboration est minime. Les milieux d'affaires poursuivent leurs propres buts et s'attachent exclusivement aux résultats, encouragés dans cette conduite par des théoriciens comme Milton Friedman. La société civile se contente de critiquer de l'extérieur et assume rarement le rôle plus courageux consistant à soumettre des solutions à l'examen de tous. Quant au secteur public, non sans arrogance il se sent parfaitement capable de décider des actions à mener, de ce qui est bon pour le peuple, de la meilleure manière d'administrer le pays.

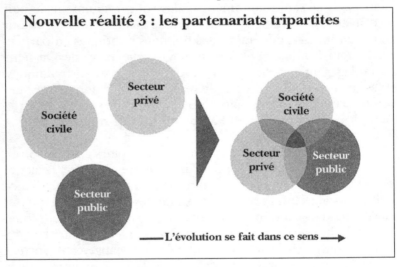

Figure VII.3. Nouvelle réalité 3 : les partenariats tripartites.

Plus le changement s'accélère et s'intensifie, moins ce cloisonnement est tenable. Pourquoi ?

En premier lieu, la *société civile* (les organisations non gouvernementales ou ONG, les organisations humanitaires, les syndicats, les organisations religieuses...) a considérablement gagné en puissance. Le nombre des ONG internationales déclarées est passé de 6 000 en 1990 à 26 000 en 2000. Les ONG dont le champ d'action est uniquement national sont plus nombreuses encore : il en existe près de 2 millions aux Etats-Unis, créées pour 70 % d'entre elles depuis les années soixante-dix. En Europe de l'Est, plus de 100 000 ONG sont apparues en l'espace d'une décennie. Certaines sont gigantesques : le WWF (World Wide Fund for Nature) compte quelque 5 millions d'adhérents.

L'importance aujourd'hui reconnue à la société civile ne tient pas seulement à ces données numériques ; elle s'explique aussi par l'habileté avec laquelle la société civile s'est emparée des nouvelles technologies. Les sites web qui ont éclos par milliers, à côté de services d'information et de systèmes d'alerte instantanés, ont permis aux ONG et à maintes associations issues de la société civile de former des coalitions puissantes. La société civile a très astucieusement tiré parti de la disparition du dilemme entre la richesse du message et sa portée (cf. chap. IV).

C'est aussi en partie grâce à ces nouvelles technologies qu'une frange de plus en plus importante de la société civile a réussi à se constituer en vigoureuse force de contestation mondiale. Un des piliers de l'alliance ainsi formée est le réseau électronique lancé par des militants de Berkeley, Portland et Seattle, mais il en existe bien d'autres, qui pour certains sont des réseaux de réseaux. De Seattle à Gênes, les contestataires s'unissent au sein de grandes coalitions liées les unes aux autres grâce à une coordination assurée par le biais de l'Internet : l'expression "essaims d'ONG" fait florès. Au printemps 2000, lors de la tenue à Washington des sommets du Fonds monétaire international (FMI) et de la Banque mondiale une dizaine de milliers d'opposants se retrouvèrent dans la capitale américaine. Le contraste était saisissant, entre d'un côté les ministres des Finances qui ne savaient plus à quel saint se vouer, incapables qu'ils étaient de franchir les cordons de manifestants ou de trouver l'endroit où les réunions avaient été transférées, et, de l'autre côté, la logistique très performante des manifestants, qui par l'intermédiaire de leurs sites web surveillaient en direct l'entrée du FMI, indiquaient la direction du vent au cas où la police ferait usage de gaz lacrymogènes, donnaient en détail le programme et l'emploi du temps des différentes délégations.

Si la voix de la société civile résonne de plus en plus fort, ce n'est toutefois pas simplement pour des raisons purement numériques, grâce à un usage astucieux de la technologie ou à la capacité nouvelle des contestataires à se coaliser dans des réseaux. Plus profondément, certains des groupes qui en font partie laissent loin derrière les deux autres secteurs (gouvernements et entreprises) pour ce qui est de la détection des grands changements à venir, et de l'action à l'échelle de la planète. L'opinion publique le sent d'ailleurs fort bien. C'est cela, surtout, qui explique la cote de confiance actuelle de la société civile : les enquêtes effectuées aux Etats-Unis et en Europe montrent que sur ce point elle devance largement le gouvernement, le secteur économique et financier ou même la presse. Cela lui confère une forme de légitimité brute, sans doute, mais pas moins tangible. D'aucuns remettent en question cette légitimité en déclarant qu'elle n'est pas représentative, voire qu'elle serait "tyrannique" car non démocratique. Après s'être ainsi pro-noncés, on ne voit cependant pas très bien comment ils enten-dent remédier à la situation.

D'autant que quelques-unes des institutions de la société civile sont riches d'un savoir impressionnant dans de nombreux domaines, tels que l'environnement, l'éducation, la santé ou même les mar-chés financiers. Or, sans ces connaissances, et sans l'éclairage par-ticulier apporté par les organisations de la société civile, il paraît difficile de trouver des solutions aux problèmes complexes qui se posent sur les plans social, écologique et économique.

Il est tout aussi malaisé d'imaginer que les problèmes complexes qui vont surgir au cours des vingt prochaines années pourront être résolus sans la participation active du *secteur privé*. Comme la société civile, les grosses entreprises ont un énorme avantage sur les gou-vernements : leur champ d'action est mondial. Alors que les Etats-nations s'acharnent à maintenir leur conception territoriale de la souveraineté, les multinationales étendent leurs opérations à de nombreux pays (plus de cent, pour les plus grandes d'entre elles).

Qu'elles contribuent au problème ou à la solution, les entreprises possèdent pour la plupart un avantage lié à leurs connaissances et aux moyens qu'elles sont capables d'engager. Lorsqu'un groupe comme Cisco Systems décide d'investir dans le domaine de l'ensei-gnement, il engage cet effort dans une multitude de pays à la fois : en 2001, 157 000 étudiants s'étaient inscrits dans les 6 800 "acadé-mies de réseau" établies en peu de temps dans près de 130 pays[8]. Et il ne fait pas de doute que le secteur privé sera comme jamais sollicité pour résoudre un certain nombre des grands problèmes mondiaux examinés dans la deuxième partie de cet ouvrage : à lui, entre autres mais surtout, de réaliser les avancées attendues en matière d'énergies renouvelables et de dessalement de l'eau de mer, de mettre au point des vaccins et des médicaments nouveaux, de sécu-riser les moyens de paiement, d'inventer une sylviculture durable… La liste est longue. Il arrive même que les multinationales se char-gent de faire respecter certains principes à travers le monde. Uni-lever s'est par exemple engagé à ne plus acheter à partir de 2005 qu'aux pêcheries respectant les dispositions prises pour assurer le renouvellement de la ressource halieutique ; et il y a peu le fonds de pension californien Calpers, un des géants du secteur, a créé la surprise en décidant de se retirer des pays ne respectant pas des critères minimaux (établis par lui) quant aux droits de la personne, aux conditions de travail et à la transparence financière.

Les entreprises, et tout particulièrement les grandes multinationales, ont en outre des capacités d'anticipation supérieures à celles de bien des gouvernements. C'est Shell, pas un gouvernement, qui le premier a travaillé sur des scénarios à long terme afin de sonder l'avenir de manière plus fine que ne l'autorisent les méthodes classiques de planification[9]. Plus généralement, il est fascinant d'observer le parcours en quatre étapes qui, ces vingt dernières années, a amené plusieurs grandes entreprises à se "responsabiliser". Cela a commencé par la création d'œuvres caritatives ou de mécénat. La dénonciation de leurs méthodes de travail par les ONG et les conséquences écologiques de leur activité les poussèrent dans un deuxième temps à se doter de services plus spécifiquement chargés de définir leurs responsabilités sur les plans écologique et social. Certaines franchirent ensuite un pas supplémentaire en s'impliquant carrément dans le développement, comme Cisco avec ses académies. Aujourd'hui, elles sont plusieurs à être sérieusement intéressées à s'atteler, aux côtés des gouvernements et de la société civile, à la résolution de problèmes mondiaux urgents qui dépassent largement leur champ d'action normal – ce, non pour des raisons directement commerciales mais parce qu'à l'instar de la société civile elles commencent à s'inquiéter sérieusement de l'état dans lequel la planète pourrait être d'ici dix à quinze ans[10].

La grande nouveauté, dans cette affaire, est que la société civile et le secteur privé ont effectivement entrepris de venir au renfort d'un *secteur public* qui croule sous la charge. Quelle charge ? D'abord celle inhérente à la complexité croissante des affaires humaines. On se souvient de l'impuissance de la Réserve fédérale américaine lors de l'effondrement du fonds spéculatif Long-Term Capital Management en 1998 : les analystes étaient abasourdis par l'ampleur et la complexité des situations qu'ils découvraient[11]. Dans le même ordre d'idées, on peut rappeler la stupeur plus profonde encore qui gagna les milieux gouvernementaux américains en décembre 2001, devant l'étendue et la complexité des problèmes à l'origine de la faillite d'Enron – énorme compagnie au départ spécialisée dans la fourniture d'énergie et qui, à la faveur de la dérégulation, avait fini par faire le négoce de quelque deux mille produits financiers, des dérivés climatiques à la bande passante. On peut aussi évoquer la mission quasi impossible des fonctionnaires chargés de la réglementation du marché des télécoms, alors que cette industrie change de métier tous les six mois – ou la tâche titanesque qui incombera demain aux employés municipaux des mégalopoles, asiatiques et autres.

Une évolution très préoccupante jette une ombre supplémentaire sur ce tableau : dans tous les pays du monde, les gens les plus brillants et les mieux formés désertent la fonction publique[12]. En 1980, les trois quarts des étudiants sortis de la Harvard's Kennedy School of Government entamaient une carrière dans l'administration ; à l'heure actuelle, un tiers d'entre eux seulement font ce choix. Presque partout dans le monde, à poste équivalent le niveau moyen des salaires de la fonction publique est largement inférieur à celui du secteur privé, et plus les responsabilités augmentent, plus l'écart se creuse : Alan Greenspan, le président de la Réserve fédérale américaine, perçoit la modeste somme de 140 000 dollars par an – le dixième, et encore, de ce qu'un trader d'obligations d'Etat, compétent mais sans plus, pouvait espérer toucher à la fin des années quatre-vingt-dix. Il n'est donc pas étonnant qu'un nombre croissant de jeunes fonctionnaires très capables considèrent l'administration comme un simple tremplin pour une carrière plus ambitieuse. Le Trésor français, par exemple, a de plus en plus de mal à retenir ses meilleurs éléments.

Toutes ces raisons excluent que les problèmes complexes d'aujourd'hui et de demain puissent être résolus par les seules autorités publiques – fédérales, régionales ou locales –, sans l'aide cruciale des deux autres secteurs de la société. Ces problèmes imposeront de plus en plus aux trois cercles d'influence de mettre en commun leurs connaissances et leur énergie pour y apporter des solutions (cf. fig. VII.3).

D'où une nouvelle réalité incontournable : le secteur public, le secteur privé et la société civile doivent imaginer des modes de collaboration pour régler les problèmes les plus complexes et les plus confondants. Si insolites que ces partenariats tripartites d'un nouveau genre paraissent au départ (ils exigent une attitude complètement différente de celle qui prévaut aujourd'hui), tout laisse à penser qu'ils vont se multiplier au cours des vingt prochaines années, et ce à tous les niveaux, aussi bien mondial que régional ou local. Nous reviendrons plus en détail sur ce thème dans la troisième partie, en prenant un exemple au niveau mondial – celui de réseaux planétaires constitués pour traiter spécifiquement tel ou tel grand problème, et dont la conception devrait aussi refléter les deux autres réalités nouvelles abordées ci-dessus : d'une part le mouvement vers une moindre hiérarchisation et une structure plus plate des organisations, d'autre part le nécessaire dépassement des méthodes et du fonctionnement traditionnels de l'Etat-nation.

Deuxième partie

ÉTAT D'URGENCE :
VINGT DÉFIS BRÛLANTS POUR LA PLANÈTE

VIII

Un dangereux fossé

Prenons d'abord le temps de réexaminer un des graphiques déjà présentés dans la première partie.

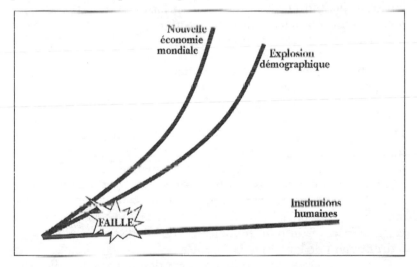

Figure VIII.1. Les deux grandes forces – le fossé de gouvernance.

Le fossé qui se creuse entre ces courbes au tracé divergent constitue, nous l'avons vu plus haut, un des plus grands défis qu'il nous incombe de relever. Il tient à l'incapacité de nos institutions à maîtriser les tensions engendrées par les forces exponentielles qui vont spectaculairement transformer le monde en deux décennies.

Que faire ? Beaucoup estiment que pour réussir à combler l'écart il faudrait ramener vers le bas les courbes de la croissance démographique et de la nouvelle économie mondiale, mais il s'agit d'un rêve irréalisable. Comme nous l'avons vu, les deux grandes forces ne sont pas mues par des décisions délibérées mais par de puissants mécanismes agissant en profondeur : la poussée démographique ; une révolution technologique impossible à arrêter ; une révolution économique provoquée par le formidable essor du marché consécutif à l'effondrement de l'expérience de planification centralisée tentée au cours du XXe siècle. A la limite, on pourrait peut-être envisager de freiner un peu la courbe de la nouvelle économie mondiale – pas beaucoup, cependant, et pas longtemps –, mais l'infime délai supplémentaire ainsi obtenu obligerait à sacrifier des opportunités immenses (en particulier la libéralisation du commerce, dont les pays les plus pauvres seraient les premiers bénéficiaires).

Le vrai défi consiste en fait à relever la courbe des institutions humaines, autrement dit à améliorer leur capacité de gestion et leurs performances, notamment s'agissant des organismes assumant des fonctions de gouvernement. Cela n'ira pas sans un sérieux effort pour les repenser et les réinventer à la lumière des trois réalités nouvelles exposées au chapitre précédent et compte tenu de la triple exigence qu'elles imposent, à savoir le nécessaire dépassement : des hiérarchies traditionnelles ; des méthodes et des procédures traditionnellement utilisées par les Etats-nations ; du cloisonnement devenu intenable entre secteur public, secteur privé et société civile.

La tâche est herculéenne, car les institutions résistent plus encore au changement que les individus, ne serait-ce que parce qu'elles sont plus attachées aux rituels. Ce pourquoi la phase critique qui se dessine comporte deux aspects indissociables : la crise de la complexité due aux tensions provoquées par le caractère exponentiel des courbes de la démographie et de la nouvelle économie mondiale se double en effet d'une crise de la gouvernance, née de la rigidité des institutions humaines et de la difficulté à amorcer le redressement de leur "courbe".

Ce n'est pas la première fois que ces deux crises jumelles surgissent simultanément. Au XIXe siècle, l'intégration des économies de part et d'autre de l'Atlantique laissait espérer la rapide convergence des niveaux de richesse des Etats-Unis et de l'Europe, et du bloc européen lui-même. Cette évolution dont le cours semblait inexorable fut en fait contrée par un brutal contrecoup – résultat combiné de la montée des inégalités mondiales et de l'instabilité politique, comme l'exposent Kevin O'Rourke et Jeffrey Williamson dans leur analyse des échanges commerciaux, des mouvements migratoires et des flux de capitaux entre les deux rives de l'Atlantique au XIXe siècle[1].

L'histoire a par la suite fourni une preuve supplémentaire de l'ampleur de la réaction négative qui peut se produire lorsque le changement économique laisse trop de gens sur le carreau et que le pouvoir politique échoue à apporter les correctifs nécessaires. Après la Première Guerre mondiale, le rythme du changement s'intensifia une fois de plus, la nouvelle phase d'intégration des économies coïncidant avec l'impact considérable de l'énergie électrique sur l'industrie et l'apparition de la division moderne du travail (chap. III). Toutefois, cette période de mutation rapide fut elle aussi enrayée par le déclenchement successif de la Grande Dépression et de la Seconde Guerre mondiale. Dans l'analyse de ce contrecoup qu'il a livrée en 1944, le grand visionnaire que fut Karl Polanyi avance que les mutations économiques et sociales, lorsqu'elles se déroulent trop rapidement et dans un vide institutionnel, ont toutes les chances d'entraîner des réactions politiques, marquées par des tentatives de retour à l'autarcie ou par l'instauration de formes de contrôle autocratiques et autoritaires dangereuses pour les valeurs libérales et les libertés fondamentales[2].

Toutefois, Polanyi propose aussi une tout autre vision. Au sortir du chaos du deuxième grand conflit mondial, il invitait le monde de l'après-guerre à assigner aux "instances de régulation" et aux "institutions" – aujourd'hui on parlerait de gouvernance – la tâche de renforcer "la liberté dans une société complexe". Certains de nos contemporains se placent également dans cette perspective, en particulier le philosophe allemand Jürgen Habermas dont la quête d'une "politique intérieure à l'échelle de la planète" procède du même esprit[3]. Les politologues Joseph Nye et Robert Keohane, d'avis que nous allons vers une "interdépendance complexe", défendent eux aussi cette vision d'une complexité planétaire où le monde s'apaise et s'harmonise en même temps qu'il gagne en pluralité et en flexibilité, et que parallèlement les structures de pouvoir se diversifient[4]. La troisième partie de ce livre expose des idées qui vont dans le même sens.

En attendant, la crise de gouvernance est bel et bien là, et aussi longtemps qu'elle durera, et même – comme tout le laisse à prévoir – s'étendra, le monde sera confronté au dangereux fossé crûment décrit dans la figure VIII.1.

Ce fossé a d'ores et déjà servi de creuset à toute une série de troubles plus ou moins graves : la crise financière de 1997-1998, prolongée par les rudes secousses que viennent de subir l'Argentine et la Turquie ; le malaise croissant suscité par la relative impuissance des hommes politiques à régler les problèmes urgents ; les alliances aussi impressionnantes qu'éloquentes de contestataires de tous bords qui se mobilisent autour des événements internationaux pour dénoncer l'incapacité des institutions en place à répondre à leurs préoccupations et à prendre en compte de manière crédible les formidables changements en cours. Mais la conséquence la plus néfaste de la crise de gouvernance est la non-résolution d'une vingtaine de questions mondiales gravissimes, qui pour la plupart doivent coûte que coûte être résolues d'ici vingt ans. Le terrorisme mondial en fait partie, ainsi que nous l'avons soudain découvert le 11 septembre 2001, mais ce n'est qu'un problème parmi d'autres.

IX

Une désagréable sensation au creux de l'estomac

Pensez aux évolutions survenues ces dernières années. Si vous êtes ressortissant d'un Etat riche, ne vous est-il jamais arrivé, tandis que les hommes politiques de votre pays discutaient âprement l'inscription payante dans les universités, l'adoption ou le rejet de l'euro, l'instruction religieuse dans les écoles, la réduction de la durée hebdomadaire du travail, la longueur de la saison de la chasse, le mode de financement des partis ou le niveau des taux d'intérêt..., de sentir votre ventre se nouer à l'idee qu'en attendant ils laissaient en suspens des questions planétaires primordiales ? N'avez-vous jamais eu le sentiment angoissant que la brièveté des cycles électoraux et le système de référence territorial de la plupart des politiciens n'ont aucune commune mesure avec la longévité et le caractère transnational des grands problèmes qui se posent à l'échelle de la planète ?

Vos sentiments n'ont sans doute pas été très différents si, au contraire, vous êtes ressortissant d'un pays en développement – à cela près que vous avez probablement un sens plus aigu de ces grands problèmes en souffrance. Leurs effets tangibles n'auront pas pu vous échapper : l'agression du milieu naturel, la pauvreté, les affrontements ethniques, les nouvelles pandémies sont du nombre. Et peut-être vous arrive-t-il aussi d'éprouver un vrai désespoir, tant devant l'horizon borné des politiciens que devant la faiblesse ou la corruption du système politique. Il y a de quoi être découragé par la succession trop rapide des gouvernements, la kleptocratie des élites, ces ministres qui se rengorgent quand les choses vont à peu près bien mais s'empressent de montrer du doigt les organisations internationales quand des choix difficiles s'imposent à eux...

Au Nord comme au Sud, l'impression lancinante que des problèmes planétaires cruciaux restent en souffrance donne lieu à des questionnements angoissés. *Quid* des mesures à adopter à propos du réchauffement de la planète et des autres atteintes à l'environnement ? de la lutte contre la pauvreté qui touche la majorité des habitants du globe ? des moyens mis en œuvre pour enrayer la propagation des nouvelles maladies infectieuses ? du regain d'efforts à engager contre le trafic de drogue ? de la réflexion à mener d'urgence sur les échanges commerciaux, la gestion des crises financières, la redéfinition de la propriété intellectuelle sur le plan international ? ou des débats de fond qu'il conviendrait d'avoir autour des biotechnologies et du commerce électronique, faute de quoi il deviendra vite impossible de leur imposer un minimum de réglementation ? La réponse est invariablement la même : les tentatives de solution restent très en deçà des enjeux.

Pourquoi ? Parce qu'on ne s'attaque pas de front au problème fondamental : les défaillances du système actuel de résolution mondiale des grands problèmes mondiaux, qui constituent l'un des aspects les plus inquiétants du fossé de gouvernance décrit plus haut (cf. fig. VIII.1). Pour dire les choses simplement, le dispositif international existant n'est pas à la hauteur. Il faut en imaginer un meilleur, et dans les plus brefs délais. Si, pour des raisons que nous examinerons plus loin, la constitution d'un gouvernement mondial est inenvisageable, il existe des solutions alternatives. Avant d'explorer ces pistes dans la troisième partie, penchons-nous de plus près sur ces grandes questions que la planète va devoir affronter au cours des deux prochaines décennies.

X

Vingt défis pour la planète, vingt ans pour y faire face

La liste toujours plus longue des grands problèmes planétaires que les institutions traditionnelles semblent bien incapables de traiter nourrit jusque chez les experts un profond sentiment de frustration. La figure X.1 présente un petit échantillon de ces problèmes, qui sont en fait autant d'échecs criants.

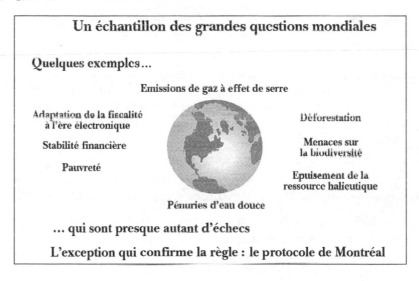

Figure X.1. Un échantillon des grands problèmes mondiaux.

Examinons-les de plus près :

• En dépit des avis quasi unanimes sur le péril inhérent au réchauffement du climat du globe, malgré le Sommet de la Terre organisé à Rio en 1992 et le protocole signé à Kyoto en 1997, les pays développés ont à leur actif bien peu de progrès tangibles s'agissant de la réduction des émissions de dioxyde de carbone et autres gaz à effet de serre. Tandis que les discussions sur les détails pratiques s'éternisent, bien des pays riches rejettent au contraire dans l'atmosphère un volume de gaz toujours plus important[1]. Suite à l'échec des négociations de La Haye, en novembre 2000, à la position anti-Kyoto de la nouvelle administration américaine, à l'arrangement conclu *in extremis* à Bonn en juillet 2001 (sans les Etats-Unis), on voit mal quand les pays industrialisés entreprendront sérieusement de réduire leurs émissions de dioxyde de carbone. Avec l'accord de Bonn dont les modalités d'application ont été récemment précisées à Marrakech, ce serait une divine surprise de constater en 2015 que le volume de dioxyde de carbone rejeté dans l'atmosphère par le groupe des pays industrialisés a effectivement diminué de plus de 2 à 3 % par rapport à 1990 – un objectif beaucoup moins ambitieux que le taux de 5 % fixé à Kyoto, lui-même très en deçà du seuil qu'il aurait fallu définir[2]. Qui plus est, les pays en développement ne sont pas du tout concernés. Le protocole de Kyoto n'est pas mort, mais il est mal en point.

• La forêt tropicale continue de reculer à raison de 1 % par an en moyenne ; depuis 1960, plus d'un cinquième de sa surface a été déboisé.

• Au rythme où se poursuivent les atteintes à la biodiversité, une espèce de mammifères sur cinq et une espèce d'oiseaux sur huit sont menacées de disparition. Malgré les efforts de la communauté internationale, le taux d'extinction est de cent à mille fois supérieur à ce qu'il serait sans l'intervention de l'homme.

• La ressource halieutique est en voie d'épuisement, à cause d'une capacité de pêche deux fois trop importante par rapport au niveau maximal compatible avec le rythme de reproduction des espèces.

• Le déficit en eau douce de l'ordre de 15 à 20 % d'ores et déjà constaté dans de nombreux pays en développement provoque des tensions évidentes en certains points du globe, au Proche-Orient par exemple. Plus généralement : en 2020 un tiers des habitants de la planète manqueront d'eau. A ce jour, les efforts internationaux engagés en la matière se limitent à un travail de prise de conscience.

• Si rien n'est fait pour massivement intensifier la lutte contre la grande pauvreté, en 2020 le nombre de personnes disposant pour vivre de moins de 2 dollars par jour risque fort de dépasser les 3 milliards recensés aujourd'hui. Or, ces dix dernières années, les pays riches ont réduit de 30 % environ leurs efforts d'aide internationale.

• Les améliorations à apporter à l'architecture financière mondiale pour stabiliser les marchés et réduire la probabilité des crises financières sont effectuées au compte-gouttes.

• Par tout ce qu'il a d'insaisissable, le commerce électronique représente une menace majeure pour tous les systèmes fiscaux de la planète. Quantité d'autres raisons commandent de toute façon de repenser ces derniers, mais en ce domaine aussi la réflexion piétine.

• Le décollage foudroyant du commerce électronique et des biotechnologies les place d'ores et déjà très au-delà de la capacité de la communauté internationale à fixer un minimum de règles pour les encadrer. Elle ne s'est d'ailleurs pas vraiment essayée à en définir un.

La liste exhaustive des problèmes mondiaux mal ou trop peu traités est en fait beaucoup plus longue. Avant de la compléter, il vaut toutefois la peine de s'arrêter un instant sur un effort qui a porté ses fruits : la mobilisation internationale pour l'élimination progressive des substances responsables du trou dans la couche d'ozone, dont on sait qu'elle nous protège du rayonnement solaire ultraviolet.

Depuis la signature, en 1987, du protocole de Montréal, les pays industrialisés ont progressivement et presque totalement cessé de fabriquer et de consommer les substances qui attaquent la couche d'ozone, les plus dangereuses étant les chlorofluorocarbones (CFC). En 1999, les pays en développement qui en sont les plus gros producteurs (l'Inde, la Chine et la Russie pour s'en tenir à ces trois-là) se sont fermement engagés à renoncer à leur tour à fabriquer ces composés. Tous les pays en développement réussiront semble-t-il à atteindre les objectifs relatifs à l'élimination de ces substances et à se conformer aux autres obligations définies par le protocole de Montréal. Des analystes estiment même que le trou de la couche d'ozone devrait bientôt commencer à se réduire et qu'il se sera complètement refermé dans cinquante ans.

Quatre grandes raisons sont à l'origine de ce succès. Le concept a été défini dans des termes simples et clairs qui n'offraient pas matière au conflit entre les pays : en effet, "aucune nation ne voyait de bénéfice à l'amincissement de la couche d'ozone[3]". Les producteurs des substances incriminées étant peu nombreux, quelques pays seulement avaient besoin de prendre des mesures. Les arguments scientifiques étaient solides, et l'effort de recherche a collé aux nouvelles découvertes. Enfin, des technologies de substitution furent rapidement mises au point et, de pair avec les gouvernements, les industriels du monde entier se sont engagés à les adopter, aidés dans cette démarche par des mécanismes financiers particuliers destinés à permettre aux pays en développement d'assumer les frais de conversion supplémentaires.

La préservation de la couche d'ozone reste toutefois l'exception qui confirme la règle. Si elle a pu bénéficier d'un traitement rapide et efficace, il reste à résoudre toute une série de questions aussi cruciales pour l'avenir de la planète – tellement cruciales que je parle à leur propos de "problèmes intrinsèquement mondiaux".

XI

Les problèmes intrinsèquement mondiaux

Les problèmes intrinsèquement mondiaux sont au nombre d'une vingtaine, et l'état de la planète que nous laisserons aux générations futures dépendra des solutions que nous réussirons – ou non – à leur apporter dans les vingt ans à venir. Comment au juste déterminer leur caractère "intrinsèquement mondial" ? Au milieu de l'année 1999, la Banque mondiale, au dire d'un groupe interne d'experts, était impliquée dans plus de soixante questions "mondiales". D'autres organismes et d'autres institutions (le Programme des Nations unies pour le développement, par exemple, ou la Fondation Carnegie pour la paix dans le monde) travaillent également sur tout un éventail de questions et de problèmes de gouvernance débordant largement le cadre des frontières nationales[1].

A ce jour, cependant, personne n'a vraiment entrepris de cerner les caractéristiques qui rendent certains de ces problèmes intrinsèquement mondiaux – autrement dit insolubles en dehors d'un cadre d'action planétaire incluant toutes les nations sans exception. La tendance veut plutôt qu'on qualifie ainsi à la va-vite des problèmes qui ne le sont pas intrinsèquement (la pollution de l'air ou les pluies acides en Asie du Sud-Est, les formes endémiques du paludisme en Afrique), auxquels il faut s'attaquer à l'échelle régionale et nationale.

Une vingtaine de questions seulement sont de nature intrinsèquement mondiale. Elles se répartissent en trois catégories :

• La première concerne les effets transfrontaliers et les limites physiques de l'espace habitable, soit en gros ce que certains appellent les "biens planétaires communs". Elle recouvre les questions liées à la manière dont nous partageons la planète.

• La deuxième regroupe des questions sociales et économiques aux répercussions mondiales, dont le règlement urgent exige une masse critique que seules les coalitions internationales permettent d'atteindre. Elles portent sur la manière dont nous partageons notre humanité.

• La troisième correspond à des questions d'ordre juridique qu'il faut traiter à l'échelon mondial afin d'éviter les effets d'arbitrage réglementaire qui avantagent trop souvent les tricheurs et les resquilleurs. Il s'agit, en somme, du partage commun des règles[2].

Voici, brièvement présentée, la liste de ces vingt questions :

Vingt défis pour la planète, vingt ans pour y faire face

Une même planète : questions relatives aux biens planétaires communs

- Le réchauffement planétaire
- La diminution de la biodiversité et la dégradation des écosystèmes
- L'épuisement de la ressource halieutique
- La déforestation
- La pénurie d'eau douce
- La pollution et la sécurisation des mers

Une même humanité : les questions de société appelant une mobilisation mondiale

- La mobilisation massive contre la pauvreté
- Le maintien de la paix, la prévention des conflits et la lutte contre le terrorisme
- L'éducation pour tous
- La lutte contre les grandes pandémies
- La réduction de la fracture numérique
- La prévention et l'atténuation des catastrophes naturelles

Les mêmes règles pour tous : questions relevant d'une approche juridique mondiale

- La redéfinition des règles fiscales pour le XXIe siècle
- La réglementation des biotechnologies
- L'architecture financière internationale
- La lutte contre le trafic des stupéfiants
- La régulation du commerce, des investissements et de la concurrence économique
- La protection de la propriété intellectuelle
- La régulation du commerce électronique
- La protection des travailleurs et les migrations internationales

---

Figure XI.1. Vingt défis pour la planète.

Dans les trois chapitres suivants, je décris tour à tour brièvement, en quelques pages, ces problèmes, leur importance, ce que l'on pourrait envisager d'entreprendre pour les résoudre. Je ne me suis pas lancé, à propos de chacun d'entre eux, dans l'historique détaillé des tentatives de résolution ratées ou par trop limitées de la communauté internationale.

Même dans ces conditions, il faudrait pour résumer convenablement chacune de ces vingt questions confier à un groupe d'experts le soin de les traiter séparément. Les survols que je propose ici sont nettement moins scientifiques, et je m'excuse à l'avance des inexactitudes ou des approximations qu'ils peuvent comporter. En contrepartie, ils sont sûrement plus personnels, et par conséquent plus lisibles. De plus, on trouverait difficilement ailleurs une compilation aussi unifiée et dense.

Quoi qu'il en soit, le lecteur impatient de découvrir sur un plan plus général les raisons de l'impuissance de l'actuel système international – et quelques idées neuves pour résoudre les problèmes au niveau mondial – peut fort bien passer tout de suite à la troisième partie, quitte à revenir plus tard sur les chapitres XII, XIII et XIV.

XII

Une même planète :
questions relatives aux biens planétaires communs

L'espace public mondial correspond à ces biens naturels collectifs que sont les océans, l'eau, les forêts, dont chaque être humain a besoin mais qui risquent fort de pâtir de l'implacable logique à l'origine de la "tragédie des communaux" anglais[1]. Deux mots sur le sujet : au Moyen Age, il existait autour des villages des îles Britanniques des terrains communaux où les paysans laissaient paître leurs troupeaux. Chaque fois qu'un paysan ajoutait un mouton à son troupeau, le surcroît de bénéfice que cela représentait pour lui était, disons, égal à + 1. Seulement, cela avait aussi un prix, car l'animal supplémentaire contribuait à la surexploitation des pâtures communales. Ce coût étant cependant supporté par l'ensemble des villageois, pour le paysan concerné il était inférieur à - 1. Sans états d'âme, chaque paysan augmentait donc son troupeau.

Là se trouve le ressort de la tragédie : les paysans ont tous le même intérêt à multiplier leurs cheptels, mais arrive un jour où la quantité de bétail empêche si bien le renouvellement des pâtures que l'élevage devient tout simplement impossible. Que s'est-il passé ? La communauté n'a pas réalisé que l'intérêt personnel de chacun de ses membres contredisait l'intérêt collectif. Elle n'a pas su gérer les communaux dans l'intérêt commun.

Les six grands problèmes mondiaux énumérés ci-dessous tiennent à un échec du même ordre, à cela près que c'est cette fois la communauté mondiale qui n'a pas su voir que le climat, la biodiversité, les forêts, la faune aquatique, les ressources en eau douce, les océans devaient être gérés dans une perspective collective, autrement dit planétaire.

LE RÉCHAUFFEMENT PLANÉTAIRE

Le réchauffement planétaire (ou changement climatique comme on l'appelle aussi souvent) est en train de rapidement s'imposer comme l'un des vingt problèmes intrinsèquement mondiaux les plus épineux et les plus menaçants. Il est si lourd de conséquences et fait couler tellement d'encre que je m'y attarderai plus longuement que sur les autres thèmes.

Le climat de la planète n'a jamais été stable. En quatre millions et demi d'années, il a constamment été modifié par les émissions volcaniques, les mouvements des plaques tectoniques, les variations d'intensité du rayonnement solaire et maints autres facteurs. Depuis la dernière période glaciaire il est cependant resté relativement constant, puisqu'en dix mille ans la variation des températures du globe n'a pas atteint 1 °C par siècle. Des preuves de plus en plus nombreuses attestent cependant qu'au cours du siècle écoulé les activités humaines ont pour la première fois contribué dans une mesure importante à la hausse des températures et que le phénomène connaît depuis vingt ans une accélération inquiétante (cf. fig. XII.1).

Quels sont les mécanismes ici à l'œuvre ? Avant d'atteindre la Terre, le rayonnement solaire est en partie absorbé par l'atmosphère qui entoure la planète. Ce qui nous en arrive est à son tour pour partie absorbé par le sol et les océans, pour partie réfléchi. Une certaine proportion de la chaleur réfléchie repart se perdre dans l'espace, mais le reste est piégé par des gaz présents dans l'atmosphère qui forment une capsule tout autour de la Terre (le mécanisme est très semblable à celui qui bloque la chaleur à l'intérieur d'une serre). Si le climat se réchauffe, c'est parce que le piège s'est en quelque sorte resserré à cause de la plus forte concentration de ces gaz désormais connus sous le nom de gaz à effet de serre. Ce sont, nommément :

• le dioxyde de carbone, pour l'essentiel produit par la combustion des énergies fossiles telles que le pétrole, le gaz et le charbon, ainsi que par la déforestation ;

• le méthane, produit essentiellement par l'élevage, la culture du riz, l'enfouissement des déchets ;

• l'oxyde d'azote et un certain nombre d'autres gaz, dont quelques-uns sont à la fois rares et particulièrement polluants comme le SF5 CF3, d'origine industrielle[2].

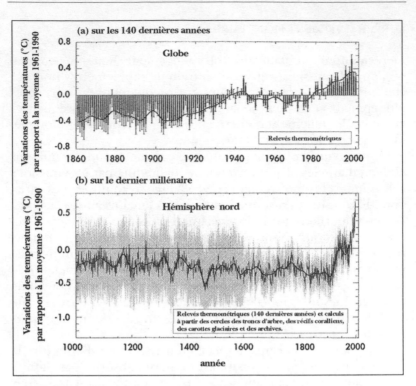

Figure XII.1. Variations des températures de la surface terrestre.
Source : GIEC.

En 2001, plus d'un millier d'éminents scientifiques de diverses nationalités (dont plusieurs dissidents), qui depuis 1988 travaillent au sein du Groupe intergouvernemental sur l'évolution climatique (GIEC), ont publié un volumineux rapport en trois parties beaucoup plus alarmant que les deux précédents, respectivement sortis en 1990 et 1995[3].

Dressant une sorte d'état des lieux, ils attirent l'attention sur les constats suivants :

• depuis 1860 le réchauffement climatique est de l'ordre de 0,6 °C, et il s'est intensifié au cours des deux dernières décennies ;

• la hausse des températures de surface vérifiée au XXe siècle n'a pas eu d'équivalent au cours du dernier millénaire ;

• le schéma des précipitations s'est clairement modifié, avec une augmentation notable des précipitations dans plusieurs régions du monde ;

• le niveau des océans a monté de 10 à 20 centimètres depuis 1900, la plupart des glaciers reculent[4], chaque été la superficie et l'épaisseur des glaces de l'Arctique diminuent ;

• les trajets migratoires des oiseaux ont commencé à changer, de même que la longueur des saisons de reproduction ;

• les activités humaines ont incontestablement augmenté la concentration des gaz à effet de serre, et le réchauffement qui s'est produit au cours du dernier demi-siècle a pour l'essentiel été provoqué par l'homme. L'émission des gaz à effet de serre fait apparaître des inégalités flagrantes : ainsi, alors que 5 % seulement de la population mondiale vivent aux Etats-Unis, ce pays émet le quart du volume de dioxyde de carbone rejeté dans l'atmosphère.

Les perspectives d'avenir énoncées par le GIEC sont peu réjouissantes. Elles prévoient en effet que l'activité humaine va partout susciter une hausse notable du taux de concentration du dioxyde de carbone, des températures de surface, des précipitations et du niveau des océans :

• tous les modèles utilisés par les scientifiques prédisent que faute de mesures politiques drastiques les concentrations en dioxyde de carbone augmenteront significativement au XXIe siècle ;

• d'après leurs calculs, sur la durée de ce siècle le réchauffement du climat sera compris entre 1,4 et 5,8 °C, soit un ordre de grandeur beaucoup plus important que celui estimé il y a cinq ans. L'augmentation des températures de surface sera supérieure à cette moyenne[5] ;

• en 2100, dans le meilleur des cas la montée du niveau des océans sera au moins équivalente à la hausse déjà importante intervenue lors du siècle qui vient de s'achever ; en raison de l'expansion thermale des eaux marines bien plus que de la fonte des glaces, elle pourrait même la dépasser et atteindre jusqu'à la valeur énorme de 80 à 90 centimètres ;

• la fréquence des phénomènes climatiques "aberrants" va s'intensifier : vagues de chaleur, déluges, inondations, sécheresses, incendies incontrôlables, dessèchement des sols, cyclones, prolifération d'insectes nuisibles. Les courants océaniques sont encore mal connus, et les possibles effets que pourrait avoir sur eux le réchauffement planétaire suscitent une vive inquiétude[6]. Elle est notamment alimentée par le fait que les perturbations associées au phénomène El Niño qui ont provoqué tant de dégâts ces dernières années (des inondations en Amérique centrale aux incendies provoqués par la sécheresse en Indonésie) pourraient semble-t-il s'installer durablement ;

• la longueur des saisons de reproduction et les trajets migratoires des oiseaux vont continuer à se modifier, en même temps que la flore, les insectes et la faune sauvage en général migreront de plus en plus vers les pôles ou en altitude.

Tous ces changements auront des répercussions majeures, qui se feront sentir sur plusieurs générations. Des milliards d'êtres humains les subiront de plein fouet. Certaines sociétés réussiront sans doute à s'y adapter, mais les populations pauvres y parviendront moins bien, en particulier dans les pays en développement. Au nombre de ces conséquences, il faut citer :

• une diminution de la ressource en eau douce dans les régions où sa pénurie se fait déjà sentir, en particulier les zones subtropicales ;

• une baisse de la productivité agricole sur tous les continents, notamment dans les zones tropicales et subtropicales. Seule mince consolation : dans l'hypothèse où la hausse des températures resterait limitée aux prévisions les plus basses, la productivité agricole pourrait au contraire s'améliorer aux latitudes moyennes et hautes, soit essentiellement dans les pays riches ;

• une augmentation de la mortalité due aux malaises provoqués par la chaleur, aux maladies transmises par des insectes (paludisme) ou par des eaux insalubres (choléra) ;

• un accroissement généralisé du risque d'inondation pour des dizaines de millions de personnes, à cause de l'intensité des précipitations et de la montée du niveau des mers. Près d'un tiers de la population mondiale vit à moins de cent kilomètres des côtes. Des endroits comme Tikalu, où dix mille insulaires vivent sur des atolls, pourraient être rayés de la carte[7], de même que plus de 15 % de la surface terrestre du Bangladesh. Une élévation du niveau des océans limitée à 50 centimètres au cours du XXIe siècle entraînerait le déplacement de quatre-vingt-dix millions de personnes ;

• des dommages irréversibles sur les glaciers, les récifs coralliens, les atolls, les mangroves, les écosystèmes polaires et alpins – toutes zones qui conditionnent les moyens d'existence de millions d'individus.

J'avoue que je trouve cette liste de conséquences singulièrement déprimante. Il y a d'abord l'ampleur de ces changements imminents, et leur irréversibilité apparente : même si nous arrivions à stabiliser la concentration en dioxyde de carbone au cours du siècle qui commence, les scientifiques du GIEC prévoient que le niveau des océans continuera de monter pendant des centaines d'années. Et puis il y a tout lieu de penser que ces phénomènes relèvent des "années chien" : chaque année perdue par rapport au règlement de tel ou tel problème de fond doit en valoir sept, au moins.

Tout espoir n'est pourtant pas perdu. Face au défi du réchauffement planétaire, il existe en effet plusieurs options technologiques et politiques à développer selon trois axes.

En premier lieu, il faut stabiliser la concentration des gaz à effet de serre, et cela est du domaine du possible. Des solutions technologiques d'ores et déjà disponibles permettraient de stabiliser la concentration en dioxyde de carbone autour de 450 à 550 parts par million (soit à peu près deux fois le niveau préindustriel) d'ici la fin du XXIe siècle. Cet objectif suppose la réduction des émissions dans toutes les régions du globe, y compris, d'ici dix à quinze ans, dans les pays en développement qui émettront alors plus de CO_2 que les pays riches. Fixer des plafonds d'émissions par pays, région, secteur d'activités ou même entreprise serait un moyen d'y parvenir. Une solution qui ne laisse pas d'intriguer consisterait à préciser le niveau global maximum de la concentration des gaz à effet de serre, puis à accorder sur cette base à tous les pays leur part du "gâteau d'émissions" – en l'espèce des allocations *per capita* au départ très dissemblables mais appelées à converger vers l'égalité sur une période déterminée à l'avance[8].

En deuxième lieu, et dans le même esprit, il est indispensable de modifier radicalement le profil énergétique de la planète en procédant par touches successives. Cela suppose entre autres d'utiliser plus efficacement l'énergie (en rapportant le calcul de la consommation énergétique au PIB) ; de résolument entreprendre la "décarbonisation" du système énergétique mondial en passant de façon massive aux énergies hydraulique, solaire, éolienne et en privilégiant le gaz naturel sur le charbon et le pétrole (car il rejette moins de dioxyde de carbone) ; d'imaginer enfin des solutions novatrices, pour assurer par exemple le stockage en sous-sol du dioxyde de carbone.

Certaines technologies nouvelles paraissent très prometteuses. On a mis au point des panneaux solaires aussi minces que du papier peint, qui permettent de transformer à peu près n'importe quel objet relativement gros en générateur électrique ; parallèlement, il est envisagé d'utiliser des piles à combustible afin de compenser la variabilité de l'énergie solaire. Ce ne sont pas les moyens potentiels qui manquent pour rentabiliser la consommation d'énergie : à niveau de vie égal, dans plusieurs pays européens la consommation d'énergie par habitant est de 50 à 75 % inférieure à celle des Etats-Unis – et de nombreux pays en développement pourraient substantiellement réduire la consommation énergétique de leurs industries[9]. Il faut encore mentionner des pistes de réflexion intéressantes pour le stockage du dioxyde de carbone : après l'avoir extrait des courants gazeux par filtrage au travers de membranes, ou autres dispositifs, on l'injecterait dans des champs pétrolifères en voie d'épuisement, ce qui permettrait en prime d'accélérer le recouvrement des réserves de pétrole résiduelles[10].

Les solutions envisageables ne sont pas uniquement d'ordre technologique. La mise au point de "taxes carbone" et d'incitations fiscales diverses pourrait aussi considérablement faciliter le passage vers un modèle énergétique plus durable (cf. chap. XIV). De même que l'élimination définitive des subventions accordées un peu partout dans le monde à l'exploitation des énergies fossiles, qui représentent des sommes supérieures à celles pourtant astronomiques dont bénéficie l'agriculture des pays riches et qui avantagent presque systématiquement les mieux nantis.

En troisième lieu, les forêts, les terres arables et les différents écosystèmes offrent des opportunités fantastiques pour une stratégie de "séquestration" du dioxyde de carbone : il devrait être possible d'y stocker jusqu'à deux cents gigatonnes de carbone au cours du prochain demi-siècle.

Il va à l'évidence falloir procéder à des changements considérables, sur plusieurs fronts à la fois et sans s'arrêter aux objectifs par trop modestes du protocole de Kyoto auquel les Etats-Unis ne se sont de toute façon pas associés. Nombreux sont ceux qui le perçoivent clairement. On sait moins, en revanche, que le coût de ces changements restera raisonnable si l'on s'attaque sans tarder au problème. Le GIEC estime que la stabilisation de la concentration en dioxyde de carbone coûterait 0,2 à 2 % du PIB mondial – et que l'addition pourrait être réduite de moitié (de 0,1 à 1 %) grâce à divers mécanismes[11].

Le montant très modique de cette facture n'a rien d'exceptionnel, puisque cela se vérifie également pour les autres problèmes intrinsèquement mondiaux. Modique dans l'absolu, il l'est aussi en regard du coût planétaire de la politique de l'autruche, dont on sait qu'il sera astronomique à long terme. Et pourtant, le réchauffement de la planète et l'échec du protocole de Kyoto nous ont fourni au chapitre X le premier exemple flagrant de l'impuissance du dispositif international actuel à résoudre les problèmes mondiaux urgents.

LA DIMINUTION DE LA BIODIVERSITÉ ET LA DÉGRADATION DES ÉCOSYSTÈMES

Bien que personne ne sache au juste combien il existe d'espèces vivantes, selon les estimations leur nombre total serait compris entre dix et quinze millions. Ce qui est sûr, c'est que le rythme d'extinction s'accroît. Si tant d'espèces disparaissent ou sont menacées d'extinction, c'est avant tout parce que leur habitat est anéanti par l'agriculture, la déforestation, le morcellement des forêts traversées par des routes et plus généralement la croissance de la population humaine. Le réchauffement planétaire, la pollution, la chasse, la pêche, le commerce, l'introduction d'espèces allogènes représentent aussi de très sérieuses menaces[12].

Les preuves de l'accélération du rythme d'extinction abondent :

• près de 60 % des récifs coralliens sont menacés, un chiffre inquiétant car en sus d'assurer les moyens d'existence de millions d'êtres humains ils représentent le milieu d'habitat de nombreuses espèces, dont le quart des poissons d'eau de mer ;

• la couverture forestière tropicale ne cesse de diminuer ;

• environ 75 % des espèces de grands poissons d'eau de mer sont en voie d'extinction ou sérieusement menacées par la surcapacité des moyens de pêche ;

• près de 50 % des mangroves côtières – milieu vital pour les jeunes d'innombrables espèces – ont disparu ;

• près d'une espèce de mammifère sur cinq risque de disparaître[13] ;

• une espèce d'oiseaux sur huit est en danger. Le nombre des espèces menacées a ainsi doublé en ce qui concerne les pingouins[14], et quadruplé pour les albatros ;

• à cause de la chasse, de la destruction des habitats naturels, du braconnage d'espèces protégées, le nombre d'espèces de primates menacées d'extinction est passé de cent à cent vingt en l'espace de quelques années. Les défenseurs de l'environnement craignent que d'ici une ou deux décennies la forêt tropicale humide du bassin du Congo, deuxième du monde par son importance, ne se vide de ses grands mammifères et que les grands singes africains n'aient tous disparu.

Les chiffres cités ne font pas l'unanimité, mais le rythme d'extinction actuel serait de cent à mille fois supérieur à ce qu'il devrait être dans des conditions normales, et dans cette fourchette les estimations qui rallient le plus d'avis sont les plus pessimistes. A en croire certains, à l'aube du prochain siècle plus de la moitié des espèces de mammifères, d'oiseaux, de papillons et de plantes auront été anéanties ou seront en passe de l'être. Comme on l'a fort justement dit, une chose est de mourir, c'en est une autre d'arrêter de naître.

La préservation de la vie terrestre dans toute sa diversité merveilleuse n'est toutefois pas le seul enjeu, loin de là :

• La biodiversité joue un rôle essentiel dans la stabilité des cinq grands écosystèmes dont dépend la vie, nommément : les terres cultivées, le milieu côtier, la forêt, le milieu aquatique, les prairies[15]. De nombreuses espèces végétales contribuent de manière essentielle au maintien de ces écosystèmes en purifiant l'eau ou en recyclant le carbone et l'azote.

• La diversité renforce la capacité de récupération des écosystèmes. Plus ils contiennent d'espèces, mieux celles-ci jouent leur rôle de "tampons" et protègent l'environnement des effets néfastes du réchauffement planétaire, de la sécheresse, etc. La diversité génétique de la flore, de la faune et des microorganismes détermine notamment la productivité à long terme des écosystèmes agricoles, leur capacité à supporter les chocs écologiques et à assurer les besoins alimentaires des générations futures. La tendance qui substitue la monoculture à la polyculture ne s'est toutefois pas inversée, et le nombre de variétés cultivées est en diminution : on cultivait deux mille variétés de riz au Sri Lanka en 1959, et tout juste cinq dans les années quatre-vingt[16].

• La santé des êtres humains est aussi largement tributaire de la biodiversité. Des produits conçus pour diminuer le taux de cholestérol aux antibiotiques, dix des vingt-cinq médicaments les plus vendus dans le monde sont dérivés de ressources naturelles.

Il est donc particulièrement important et urgent de tout mettre en œuvre au cours des décennies à venir pour protéger la biodiversité et les écosystèmes. Si les solutions envisageables sont trop complexes pour être exposées ici, l'action à entreprendre au niveau mondial devra impérativement s'appuyer sur plusieurs éléments : zones protégées, conservatoires intelligemment gérés, interdictions de commercialiser les espèces en péril, gestion intégrée des écosystèmes, délivrance de certificats, procédures d'exploitation durable des ressources naturelles, banques de semences, surveillance par satellite, etc. La liste bien sûr n'est pas exhaustive. Plusieurs de ces idées ont certes été essayées çà et là, mais il s'agit d'atteindre la masse critique qui permettra de résoudre cette grave question mondiale – autrement dit d'augmenter dans des proportions importantes les modestes ressources actuellement consacrées à la conservation et à la protection de la biodiversité[17]. Il faut d'ailleurs souligner que ces solutions n'ont en réalité rien d'exorbitant dans la mesure où par exemple 45 % des espèces végétales et 35 % des vertébrés sont concentrés dans vingt-cinq "lieux stratégiques" ne couvrant au total que 1,4 % des terres émergées de la planète[18]. Pourtant, l'anéantissement des espèces se poursuit malgré l'arsenal de traités et de conventions visant à garantir leur survie. Ce triste constat vaut aussi pour deux questions très voisines : l'épuisement des ressources de la pêche et la déforestation.

L'ÉPUISEMENT DE LA RESSOURCE HALIEUTIQUE

Le poisson représente la première source de protéines d'un habitant de la planète sur cinq. À la fin des années quatre-vingt-dix, la production totale de la pêche était estimée à 125 millions de tonnes par an environ, pour une valeur commerciale de 70 à 80 milliards de dollars. L'augmentation de la population et l'amélioration du niveau de vie auront inévitablement pour effet d'accroître la demande de manière conséquente. Les moyens d'existence et la sécurité alimentaire de nombreuses communautés, voire de pays et de régions entières, dépendent de façon cruciale de la pêche. Le commerce international du poisson et des produits dérivés génère chaque année quelque 50 milliards de dollars.

Il y a cependant un problème, et il est de taille : la survie de quantité d'espèces de poissons et celle des pêcheurs eux-mêmes sont menacées par la surcapacité des flottes de pêche (supérieure de quelque 100 % au niveau de pêche compatible avec la reproduction des espèces) et par une gestion aberrante des prises (qui se traduit notamment par le gaspillage du quart des quantités pêchées). Les activités de pêche illégales compteraient pour environ 30 % de la production totale de certaines pêcheries – et les gouvernements ne font rien pour arranger les choses : les subventions accordées à ce secteur tournent autour de 15 milliards de dollars par an[19].

Résultat : la ressource halieutique mondiale est pleinement exploitée pour 50 %, surexploitée pour 20 %, et décimée pour le reste par des méthodes d'exploitation manifestement non viables[20]. Les trois quarts des espèces de poissons les plus courants (tels que le thon ou la morue) sont pêchés à la limite, voire au-delà du seuil de reproduction biologique. Les nouveaux filets et les techniques de localisation des bancs de poissons aggravent encore la situation. Certains scientifiques estiment d'ailleurs qu'en dépit des statistiques indiquant que les prises mondiales restent stables ou même augmentent elles ont probablement diminué depuis dix ans (en partie parce que les chiffres de production de la Chine ont sans doute été systématiquement surestimés[21]).

Ces problèmes sont à l'origine de la montée en puissance de l'aquaculture, qui s'est tellement bien développée dans les années quatre-vingt-dix qu'elle pèse désormais quarante millions de tonnes, soit le tiers de la production mondiale de poisson. Elle présente cependant de graves inconvénients : la pollution chimique, bien sûr, mais aussi le risque que des poissons d'élevage s'échappent et aillent rejoindre leurs congénères vivant à l'état sauvage. Ce danger est d'autant plus grand que, du Canada à la Chine, de nombreux pays expérimentent aujourd'hui des programmes de modification génétique. Autre sujet d'inquiétude, la pratique aberrante qui consiste à prélever sur les prises de pêche pour nourrir les poissons d'élevage.

L'épuisement de la ressource halieutique pose un problème délicat à la plupart des gouvernements de la planète. Pour inverser la tendance, il faudrait massivement réduire les flottes de pêche, sévèrement réprimer les activités et les techniques illégales, strictement limiter les quantités de poisson qu'il est possible de pêcher sur une période déterminée, bref, engager toute une série de mesures très peu populaires. Jusqu'à présent, même l'Union européenne (UE) qui a pourtant engagé une action concertée sur ces questions n'est pas arrivée à stabiliser les réserves de poisson de la mer du Nord. Reste qu'on ne résoudra pas le casse-tête de l'épuisement de la ressource halieutique mondiale sans une action internationale énergique.

Des idées originales, radicales et parfois étonnantes pourraient utilement venir l'appuyer. Des scientifiques font observer que le fait d'interdire complètement la pêche pendant plusieurs années à certains endroits augmente le volume des prises globales au cours du temps, et de façon durable. Dans la centaine de zones soumises à de telles interdictions temporaires, le nombre de poissons a augmenté de 90 % en l'espace de quelques années, leur taille de 30 % et le nombre d'espèces de 20 %. Il est fascinant de constater que ces effets bénéfiques s'étendent apparemment aux eaux adjacentes, où la pêche reste autorisée. A Sainte-Lucie, par exemple, le tiers des zones de pêche nationales a été interdit aux pêcheurs en 1995, et au bout de trois ans les espèces de poissons commercialement intéressantes avaient doublé dans les eaux adjacentes à ces secteurs. D'où la proposition de créer un réseau mondial de zones de pêche, avec une rotation des secteurs interdits et un constant redéploiement des flottes ; cette politique présente en outre l'intérêt d'être facilement applicable, car les bateaux qui se risqueraient dans les secteurs interdits seraient vite repérés par des satellites d'observation[22].

D'autres solutions encourageantes adoptées, entre autres, par la Nouvelle-Zélande, l'Islande et les Etats-Unis (pour une partie de ces Etats) pourraient également être étendues au reste du monde. Elles consistent à donner aux pêcheurs des droits de prise correspondant à des quotas fixés de façon à assurer la reproduction des espèces, et à leur permettre de négocier entre eux ces droits à leur guise. Les résultats sont là, puisque les réserves se reconstituent là où ces idées sont mises en pratique[23].

Le coût des efforts à engager pour s'attaquer résolument à ce problème n'est pas plus exorbitant que pour les autres grandes questions à régler d'urgence : les idées esquissées ci-dessus indiquent même qu'il pourrait être dérisoire à l'échelle mondiale. Au vrai, ce ne sont pas tant les moyens matériels qui manquent pour résoudre les grands problèmes de la planète que des méthodes plus imaginatives – vaste sujet sur lequel nous reviendrons plus tard.

LA DÉFORESTATION

La constatation vaut pour une autre question d'intérêt planétaire concernant un bien planétaire commun : la destruction de la couverture forestière et l'avancée des déserts et des savanes.

Peu d'entre nous réalisent le rôle crucial rempli par les forêts. A l'instar des bois et des arbres isolés, elles procurent à l'humanité de la nourriture, du bois de chauffage, des médicaments, des matériaux de construction, du papier. En sus de contribuer à la qualité de l'eau douce en ralentissant l'érosion des sols et en filtrant les polluants, elles ont un effet de régulation sur le débit et le niveau des cours d'eau. Près des deux tiers des espèces terrestres vivant dans des milieux forestiers, le maintien de ces derniers est également essentiel à la préservation de la biodiversité. Et comme les arbres, en poussant, absorbent du dioxyde de carbone, les forêts sont aussi des atouts majeurs dans la lutte contre le réchauffement planétaire.

Comment se présentent les choses, à l'échelle du globe ? A l'heure actuelle, il reste sur la Terre 30 à 35 millions de kilomètres carrés de forêts qui couvrent à peu près le quart de la surface des terres émergées – soit 20 à 50 % de moins qu'à l'ère préagricole, même si en la matière personne ne peut avancer de chiffre exact[24]. Les forêts des pays industrialisés gagnent légèrement en étendue depuis quelques dizaines d'années, mais leurs arbres qu'on laisse moins vieillir qu'autrefois sont plus petits et moins variés.

Le problème de fond se pose à vrai dire dans les pays en développement, avec plusieurs types de questions à la clé :

• Au total, chaque année ces pays perdent en moyenne plus de 130 000 kilomètres carrés de forêt (près de 1 % par an). Depuis les années soixante, ce sont 20 % des forêts tropicales et subtropicales qui ont disparu. Pour s'en tenir au seul cas de l'Indonésie, au cours de la dernière décennie la déforestation a porté chaque année sur 17 000 à 20 000 kilomètres carrés, diminuant de plus de moitié la couverture forestière par rapport à 1985 ; au rythme actuel, les forêts de Kalimantan (Bornéo) auront disparu d'ici neuf ans, et dans quatre ans il ne restera rien des forêts de plaine de Sumatra. Les principales raisons à l'origine de cette tendance constatée partout dans le monde tiennent aux pressions inhérentes à la croissance démographique, qui entraîne une extension de l'agriculture de subsistance et des besoins en bois de chauffage incompatibles avec le développement durable ; on pourrait citer au même titre l'élevage extensif du bétail tel qu'il se pratique en Argentine, les nouvelles implantations urbaines décidées par les gouvernements ou l'abattage illégal d'arbres. En Indonésie, la production de bois provient à 70 % de coupes illégales[25].

• Le morcellement des forêts (par les routes, l'agriculture, la sylviculture) a lui aussi un impact très négatif. Il réduit l'habitat naturel des espèces vivantes, bloque leurs trajets migratoires et ouvre des avenues aux espèces étrangères au milieu. Les routes facilitent la chasse, le transport des grumes, et perturbent de diverses manières les écosystèmes forestiers. Là où les pans de forêt qui demeurent sont trop petits pour assurer la subsistance des grands prédateurs, une succession d'effets en chaîne dégrade très vite la biodiversité.

• On assiste semble-t-il à une recrudescence des incendies de forêt. S'il s'agit parfois d'un phénomène naturel qui peut avoir son utilité, au Brésil leur nombre a doublé en 1996-1997, et il a à nouveau augmenté de 80 % en 1997-1998. A cause des gigantesques incendies qui ont récemment affecté l'Asie du Sud-Est, vingt millions de personnes ont souffert de troubles respiratoires et les dégâts se sont chiffrés en milliards de dollars ; au cours de la seule année 1997, l'Indonésie a perdu 46 000 kilomètres carrés de forêt[26]. Le tristement célèbre El Niño a sa part de responsabilité dans tout cela.

La combinaison de ces différents facteurs qui hypothèquent l'avenir des forêts tropicales et subtropicales doit être appréhendée comme un problème mondial de première importance. Il comprend plusieurs dimensions :

• La production de bois de construction a doublé depuis 1960. Les nouvelles plantations procurant le cinquième des quantités abattues, ce n'est pas la rareté qui est en soi problématique. L'inquiétude vient de ce que la multiplication de ces bois plantés pour être exploités n'a pas allégé la pression exercée sur les forêts naturelles. Dans de nombreux pays en développement, les arbres sont toujours abattus à un rythme trop rapide pour arriver à maturité. Un mécanisme récurrent veut de surcroît qu'une fois les forêts supprimées la terre qu'elles occupaient soit convertie à d'autres usages. Ce processus qui ne cesse de s'étendre est essentiellement dû aux coupes illégales auxquelles procèdent de grands groupes industriels ou les paysans qui défrichent par brûlis.

• Le bois de chauffage représente avec le charbon de bois la moitié des ressources énergétiques de la biomasse brûlées sur la planète (deux milliards de personnes en dépendent dans les pays en développement) et 30 % du total de l'énergie consommée mondialement. Il est déjà difficile de s'en procurer dans certaines régions, en particulier à proximité des centres urbains. Dans la mesure où les pays en développement vont devoir absorber la quasi-totalité de l'augmentation de la population mondiale, les besoins en bois de chauffage pourraient facilement excéder de près de 50 % le niveau de consommation compatible avec le maintien des forêts.

• La déforestation érode la capacité des forêts à retenir l'eau, à la filtrer, à réguler le débit des cours d'eau. A cet égard, le rôle des forêts est particulièrement crucial dans les zones en amont des bassins fluviaux, mais d'ores et déjà un tiers d'entre elles ont perdu les trois quarts de leurs couvertures forestières d'origine. Les forêts ayant aussi une action modératrice sur l'action du ruissellement dû aux pluies et à la fonte des neiges, leur disparition augmente la fréquence des glissements de terrain et des inondations ; les coupes claires pratiquées dans la forêt himalayenne rendent beaucoup plus difficiles les conditions de vie au Bangladesh, situé en contrebas. De plus, dans la mesure où les forêts jouent aussi un rôle de réserves d'eau, leur disparition rend aussi les sécheresses beaucoup plus redoutables.

• La biodiversité s'appauvrit au même rythme que les forêts. Il faut donc protéger ces dernières à la fois pour préserver directement la biodiversité, et parce qu'elles sont devenues une source essentielle de biens et de services nouveaux – qu'il s'agisse de produits pharmaceutiques, de matières premières pour l'industrie ou des revenus générés par le tourisme et le secteur des loisirs. 10 % d'espèces d'arbres ou pas loin sont d'ores et déjà menacées d'extinction au niveau de la planète, et dans bien des endroits l'invasion d'espèces allogènes pose problème.

• Les forêts stockent plus de gaz carbonique que n'importe quel autre écosystème terrestre – on estime qu'elles absorbent jusqu'à 40 % des émissions de dixoyde de carbone. L'exploitation des forêts tropicales et les feux pratiqués pour brûler les souches rejettent dans l'atmosphère de grandes quantités de ce gaz carbonique. Outre les coupes industrielles à grande échelle, l'abattage et le défrichage de superficies relativement modestes pour les besoins de l'agriculture réduisent dans des proportions significatives cette capacité d'absorption des forêts. La restauration des espaces forestiers dégradés et leur gestion selon de nouvelles méthodes sont indispensables pour assurer la séquestration d'une grande partie du dioxyde de carbone – l'une des stratégies préconisées pour lutter contre le réchauffement de la planète.

Au reste, les solutions ne manquent pas, comme le prouve le succès considérable des plantations qui produisent 20 % du bois de construction utilisé dans le monde sur 3 % seulement de la superficie couverte par les forêts. Maintes techniques d'exploitation forestière durables ont également été développées ces dernières années, et force est de constater que les plus convaincantes reposent sur la participation active des habitants, généralement des villageois mais parfois aussi des citadins, comme dans la ville indienne d'Ahmedabad. Il est par ailleurs urgent de généraliser des procédures d'homologation qui obligeraient les exploitants forestiers à respecter les impératifs du développement durable et de lutter sur le plan international contre l'abattage illégal d'arbres[27].

La déforestation fait elle aussi partie de ces problèmes qui représentent des enjeux énormes pour la planète, alors que leur solution n'est pas d'un coût exorbitant ni d'une complexité technique insurmontable. A ce jour, pourtant, ce problème reste entier, ou quasiment.

LA PÉNURIE D'EAU DOUCE

Bien des régions du monde sont plus sèches qu'autrefois, à cause du changement climatique, certes, mais aussi des exigences de l'agriculture (irrigation) et de l'industrie. Le lac Tchad est réduit au vingtième de la surface qu'il occupait en 1960[28], la mer d'Aral ne sera bientôt plus qu'un souvenir, en saison sèche le fleuve Colorado n'arrive plus jusqu'à la mer, et les marais de Mésopotamie sont asséchés à 90 %. Sur le plan mondial, ce sont 2 à 3 milliards d'êtres humains qui d'ici 2020 seront confrontés à une pénurie d'eau drastique, soit une personne sur trois alors qu'aujourd'hui une sur dix seulement est concernée. Une vingtaine de pays manquent aujourd'hui d'eau douce ; en 2020 il y en aura plus de quarante. L'Asie, l'Afrique sub saharienne et jusqu'au pourtour méditerranéen feront partie des régions les plus touchées par le phénomène. Pour l'ensemble des pays en développement, le déficit moyen devrait être de l'ordre de 15 à 20 % – et très supérieur bien sûr dans les endroits comme le Proche-Orient où la situation est déjà alarmante.

Provoquée pour l'essentiel par l'accroissement de la demande et de la pollution, la pénurie d'eau qui se profile sera de surcroît aggravée par le réchauffement planétaire.

• L'irrigation, qui représente quelque 70 % de la demande mondiale d'eau, va devenir plus gourmande encore afin de satisfaire des besoins alimentaires qui d'ici 2020 auront augmenté de 40 % environ. La quantité d'eau qu'il faut utiliser pour produire la nourriture nécessaire à une personne est mille fois supérieure à ce qu'ingère cette même personne pour se désaltérer. Et pourtant, plus de la moitié de l'eau qui circule dans les canaux d'irrigation ne parvient jamais jusqu'aux cultures, à cause des fuites ou du gaspillage. De plus, la pratique abusive de l'irrigation porte préjudice aux lacs, aux fleuves et aux marais – autant d'écosystèmes dont dépendent beaucoup de gens démunis pour se nourrir ou se procurer des matériaux. En Russie et en Asie, c'est essentiellement l'irrigation qui condamne à mort plusieurs mers intérieures, des lacs et des rivières.

• La pollution nourrit des inquiétudes de plus en plus vives. Les réserves d'eau douce de la planète sont stockées à près de 97 % dans des nappes phréatiques souterraines où elles séjournent mille quatre cents ans en moyenne, contre seize pour les cours d'eau de surface. Or, partout dans le monde les nappes phréatiques sont exploitées au-delà de leurs capacités (en Chine, en Inde, dans l'Ouest des Etats-Unis et dans bien d'autres endroits) ou gravement polluées, souvent de manière presque irréversible, par des nitrates, des pesticides et autres composés fabriqués par l'homme. Les nitrates qui s'y sont déposés rendent ainsi quasi inutilisables les nappes de certains départements du Nord-Est de la France. La situation pourrait être pire qu'on ne le pense, car le phénomène reste longtemps insoupçonné : la pollution des industries textiles du Massachusetts au XIXe siècle commence tout juste à apparaître dans les puits artésiens de Long Island.

Le manque d'eau annoncé risque donc très vite de constituer un défi planétaire majeur. Au-delà du fait que ce problème est largement tributaire du changement climatique, plusieurs raisons imposent de l'appréhender dans une perspective mondiale. D'autant que le contrôle de l'eau a tout pour devenir une cause récurrente de conflits internationaux, en particulier dans les régions où il vient se surimposer à des antagonismes de vieille date et où un pays est en mesure de réduire le débit d'un fleuve important[29]. Le nombre des bassins fluviaux communs à plusieurs pays est passé de 210, environ, à 260 au cours des vingt dernières années. Enfin la pénurie d'eau est étroitement liée aux problèmes de pauvreté et de santé des populations, qui constituent en eux-mêmes d'immenses enjeux planétaires[30].

Dans ce domaine non plus, l'humanité n'est pas à court de solutions techniques et politiques qui permettraient de régler le déficit hydrique – mais leur mise en œuvre, là encore, suppose une action énergique au niveau mondial :

• Parce qu'elle pourrait radicalement changer les choses, la généralisation des techniques d'irrigation au goutte-à-goutte, des arroseurs de précision, de systèmes d'irrigation à la fois peu coûteux et très efficaces, de variétés cultivées résistantes à la sécheresse, de nouveaux systèmes d'irrigation des rizières devrait déjà faire une priorité du partage international des avancées technologiques. La remarque vaut également pour les procédés de dessalement, toujours trop onéreux à l'heure actuelle mais qui pourront se répandre avec la mise au point de membranes et de procédés plus efficaces pour adoucir l'eau de mer.

• L'amélioration de la gestion de la ressource hydrique passe aussi par la fixation d'un barème de prix reflétant plus justement les coûts inhérents à sa production et à sa distribution. L'Institut des ressources mondiales, l'Union internationale pour la conservation de la nature (UICN) et un certain nombre d'autres organisations sont convaincus qu'une des causes principales de la pénurie d'eau et de la dégradation des écosystèmes en eau douce réside dans la sous-estimation généralisée du prix de l'eau. Il faudrait donc le réévaluer en y incluant, comme en Equateur, les frais de protection des forêts d'altitude qui alimentent les sources. D'aucuns préconisent également d'expérimenter une politique de répartition, par le biais de quotas qu'il serait possible de revendre ou d'échanger.

• Mieux gérer la ressource en eau implique par ailleurs d'aider de nombreux pays à s'équiper des techniques de gestion de pointe pour moderniser leurs systèmes d'irrigation, rentabiliser l'exploitation des bassins-versants, assurer le transport de l'eau d'un bassin à l'autre, imaginer des solutions viables pour le partage de l'eau au sein de mêmes régions – comme s'y essaient les dix pays du bassin du Nil, dont la population qui aujourd'hui avoisine les 250 millions d'habitants en comptera 400 millions en 2020[31].

• La qualité de l'eau et son assainissement réclament aussi des efforts importants : un milliard de personnes ne disposent pas d'eau propre à la consommation, deux autres milliards ont de toute urgence besoin de systèmes d'assainissement. Ces deux volets sont directement liés aux problèmes de la pauvreté et de la santé[32].

• L'un dans l'autre, les investissements à consentir dans les infrastructures et la gestion de l'eau devront plus que doubler par rapport au montant actuel de 75 milliards de dollars par an[33], ce qui ne pourra avoir lieu sans une aide massive étant donné les restrictions budgétaires auxquelles font face les gouvernements des pays en développement, et le fait que le secteur privé n'en financera qu'une infime partie (cf. chap. XIII).

D'ici dix ans tout au plus, le manque d'eau risque de poser à la planète des problèmes particulièrement déplaisants et dangereux. Il a certes suscité des initiatives internationales utiles, mais qui à ce jour ont surtout servi à alerter l'opinion et à mobiliser les esprits en vue d'une action urgente. Il est grand temps d'aller plus loin. En la matière, le monde a désespérément besoin d'une action énergique de portée mondiale, d'une part pour mettre en place les solutions techniques et réglementaires partout où cela est possible, d'autre part pour gérer au niveau local les oppositions que ne manqueront pas de susciter des mesures indispensables mais peu populaires (le juste calcul du prix de l'eau, par exemple, ou les licences d'exploitation de la ressource hydrique).

LA POLLUTION ET LA SÉCURISATION DES MERS

Les océans qui recouvrent environ 70 % de la surface terrestre sont essentiels à la vie sur notre planète. Or, sous l'effet des deux grandes forces (l'accroissement de la population et la nouvelle économie mondiale), les tensions auxquelles ils sont d'ores et déjà soumis vont s'intensifier au point d'atteindre la limite du supportable dans les décennies à venir.

En sus de l'impact global que le réchauffement planétaire aura très probablement sur le niveau des océans et les grands courants océaniques, il y a plusieurs raisons sérieuses de s'inquiéter :

• En dépit des efforts importants consentis dans le domaine de la réglementation des constructions navales et des opérations en mer, les accidents gravissimes et notamment les marées noires augmentent régulièrement. Depuis que l'*Exxon Valdez* s'est abîmé en Alaska dans le détroit du Prince William, en 1989, pas moins de trente accidents du même ordre ont eu lieu dans différentes mers du globe.

• Un nombre toujours croissant de navires relâchent leurs déchets en pleine mer sans tenir compte des nombreuses dispositions internationales, dont celles relatives au dégazage. L'essor de l'industrie du tourisme maritime est largement responsable de l'aggravation constatée. Les bateaux de croisière choisissent souvent les eaux de pays peu respectueux des réglementations en vigueur et rejettent à eux seuls 80 % du volume des déchets qui souillent les océans, ceux de leurs poubelles et de leurs cuves de vidange, sans compter le pétrole, les objets en plastique et les composés chimiques.

• Beaucoup de mers sont menacées d'asphyxie par les déchets et les polluants générés par les activités agricoles ou industrielles et les centres urbains. Un exemple parmi d'autres : la vie a quasiment disparu du fond de la mer Baltique, dont l'écosystème a toujours été particulièrement fragile et qui aujourd'hui recèle en abondance des substances chimiques parmi les plus nocives que l'on connaisse (la dioxine, par exemple).

• Les déchets dangereux (cendres toxiques, boues industrielles, matériel médical ou militaire contaminé, piles usagées, déchets radioactifs issus des réacteurs nucléaires) sont transportés par bateau en quantités toujours plus volumineuses, souvent sans autorisation et au mépris des règles de sécurité élémentaires.

• Dans de nombreux endroits de la planète, les pratiques de pêche légales ou illégales compromettent l'intégrité des écosystèmes marins. Au nombre des premiers fautifs : les filets géants utilisés pour la pêche à la traîne qui endommagent les fonds océaniques.

On pourrait naïvement penser que la pollution des mers et la sécurité du transport maritime soulèvent un des problèmes mondiaux les plus simples à résoudre. Ses divers éléments sont bien identifiés et les solutions qu'ils appellent sont tout compte fait assez simples et abordables : ainsi, la définition de sanctuaires marins en Méditerranée s'est traduite par une régénération étonnamment rapide de zones maritimes *a priori* condamnées, avec un net accroissement de la population des baleines et des dauphins. Par ailleurs, on a ici affaire à une question planétaire à laquelle s'appliquent déjà une quarantaine de traités et de conventions internationales. Il n'empêche que le retour à l'équilibre des mers et des fonds marins est tout sauf garanti. Les dispositions existantes sont lacunaires (la notion de déchets dangereux est encore sujette à des interprétations différentes, par exemple), et lorsqu'elles existent les dispositifs censés garantir leur application sont si peu dissuasifs que les infractions caractérisées sont commises en toute impunité ou presque[34]. Cette situation est malheureusement la norme pour la plupart des vingt grandes questions planétaires.

XIII

Une même humanité : les questions de société appelant une mobilisation mondiale

Les six problèmes auxquels ce chapitre est consacré sont très différents de ceux en rapport avec les biens planétaires communs que nous venons de passer en revue. Ils sont liés à des préoccupations sociales et économiques d'une telle ampleur et d'une telle urgence qu'ils requièrent rien moins qu'un engagement mondial, ou une coalition de tous les Etats. Une solidarité à l'échelle de la planète, en quelque sorte.

LA MOBILISATION MASSIVE CONTRE LA PAUVRETÉ

Réduire la pauvreté au niveau mondial est très certainement le défi majeur que l'humanité devra relever au cours des deux prochaines décennies. Pourquoi ? D'abord pour des raisons morales, dictées par la justice et l'équité. Un monde où 80 % des biens et des services produits sont consommés par 20 % de la population n'est tout simplement pas tenable – et le sera moins encore à la fin du prochain quart de siècle, quand il comptera non plus 6, mais 8 milliards d'habitants. Pour se le représenter, il faut, comme nous le conseille Martin Wolf, journaliste au *Financial Times*, "imaginer une limousine qui traverserait un ghetto urbain. A l'intérieur, il y a les régions post-industrielles d'Europe de l'Ouest, d'Amérique du Nord, de l'Australasie et du Japon, et les pays émergents de la zone Pacifique. A l'extérieur, le reste du monde[1]." L'image est d'autant plus prenante que l'élite mondiale qui se prélasse dans la limousine représentera moins de 15 % de la population mondiale en 2020 (contre 30 % en 1950).

Une autre raison engage toutefois à voir dans la pauvreté le premier des défis à relever d'urgence au niveau mondial : elle est étroitement liée à maints autres problèmes planétaires portés sur la liste donnée plus haut, et si nous échouons à la réduire substantiellement il sera encore plus difficile de venir à bout de ces autres problèmes. La pauvreté et la misère offrent un terrain favorable au développement des maladies, à la dégradation de l'environnement, aux guerres civiles, au terrorisme. A l'inverse, si elles diminuaient massivement au cours des vingt prochaines années, cela ne manquerait pas d'avoir d'innombrables retombées bénéfiques. Il s'agit à proprement parler d'une "question de fond" – ce qui est aussi le cas des cinq suivantes.

Que dire, aujourd'hui, de la pauvreté[2] ? Le tableau n'est peut-être pas aussi sombre qu'il paraît. Ainsi, l'extrême pauvreté (définie par des moyens d'existence inférieurs à 1 dollar par jour) qui en 1990 touchait 29 % de la population mondiale a été ramenée à 23 % en 1999[3]. Evidemment, un milliard d'habitants étant venus s'ajouter à la population du globe entre ces deux dates, les chiffres absolus sont moins convaincants que les pourcentages : 100 millions de personnes seulement ont vu leur niveau de vie hissé au-dessus du seuil de 1 dollar depuis 1990. La diminution du nombre de gens "extrêmement pauvres" est néanmoins incontestable. Elle tient en grande partie au taux de croissance de 7 à 8 % enregistré par la Chine dans les années quatre-vingt-dix, grâce à quoi le nombre de citoyens chinois frappés par l'extrême pauvreté est passé de 360 millions à 200 millions environ. Certains pays d'Afrique aussi ont connu une croissance exceptionnelle et réalisé des progrès significatifs : ainsi du Cap-Vert, du Mozambique, de l'Ouganda, du Botswana.

A l'évidence la pauvreté peut donc diminuer, et vite. Pour la première fois depuis des siècles, des pays ont la possibilité de doubler, voire de tripler leur niveau de vie en l'espace d'une génération, comme l'ont prouvé plusieurs Etats d'Asie, d'Amérique latine et même d'Afrique. La Corée du Sud fait à cet égard figure de championne, puisqu'en un peu plus d'une génération le revenu par habitant y est passé de 300 à 8 500 dollars. Des pays aussi divers que le Botswana, le Chili et la Thaïlande ont doublé le leur en dix ans. Plus généralement, dans l'ensemble du groupe des pays en développement l'espérance de vie a augmenté de vingt ans (soixante-cinq ans au lieu de quarante-cinq), en même temps que le taux d'alphabétisation cessait de plafonner à 55 % pour atteindre 75 % – et tout cela depuis le début des années soixante-dix. Une grande partie de ces pays ont une croissance deux à trois fois plus rapide, en moyenne, que celle enregistrée par le groupe des pays riches au milieu du XIXe siècle, avant l'essor de l'industrialisation.

L'optimisme n'est cependant pas de mise. Un milliard deux cent mille personnes vivent toujours dans une misère abjecte avec moins de 1 dollar par jour : 65 % en Asie et 25 % en Afrique, où la plupart ne disposent même pas de 0,60 dollar par jour. Près de 3 milliards de personnes (la moitié de la population mondiale) survivent péniblement avec moins de 2 dollars par jour. Partout, les plus durement touchés sont les enfants, les femmes et les personnes âgées. Plus de 800 millions d'êtres humains souffrent de la faim et de la malnutrition[4]. La profondeur et l'étendue de la pauvreté absolue sont proprement scandaleuses.

Il est désormais clair que la définition de la pauvreté ne doit pas s'arrêter à l'insuffisance des revenus : il faut aussi prendre en compte l'isolement, l'impuissance, l'insécurité, l'exclusion ou le manque d'insertion, et ce corollaire de la misère qu'est l'impossibilité de préparer si peu que ce soit l'avenir. Etre très pauvre, c'est passer chaque jour des heures à aller chercher de l'eau et du bois de chauffage pour subsister dans des conditions insalubres, c'est être en butte à la violence domestique, aux brimades des policiers et des fonctionnaires, c'est frôler en permanence la catastrophe – le risque qu'un proche tombe malade, par exemple[5].

Que pourra-t-on dire demain de la pauvreté ? La communauté internationale s'est donné pour objectif de la réduire de moitié d'ici 2015 – proportion ambitieuse au vu de cinq facteurs qui compliquent la situation :

• Compte tenu des tendances actuellement observées et du fait que l'augmentation de population (8 milliards d'habitants vers 2020-2025 au lieu des 6 milliards d'aujourd'hui) viendra à plus de 95 % des pays en développement, il est à craindre que le nombre absolu de pauvres n'augmente.

• Parce que l'augmentation du nombre de leurs habitants va encore renforcer la proportion des jeunes arrivant sur le marché du travail dans les pays en développement, pour faire reculer la pauvreté il faudrait chaque année pouvoir tabler en moyenne sur un taux de croissance économique de 5 à 6 %, très supérieur donc aux 3,5 % enregistrés en moyenne par les pays du Sud dans les années quatre-vingt-dix. Peu de gens ont encore vraiment pris conscience de cette réalité.

• L'aggravation des disparités au sein des pays – observée en Amérique latine depuis les années quatre-vingt mais qui s'est depuis beaucoup généralisée – est de mauvais augure pour la réduction de la pauvreté[6]. Ce qu'il faut, ce n'est pas simplement une croissance soutenue, mais une croissance mieux répartie, qui en s'affirmant réduira l'inégalité parce qu'elle permettra aux pauvres de tirer un meilleur parti de leur principal atout, à savoir leur force de travail[7].

• Il faut également compter avec les facteurs aggravants liés à maints autres grands problèmes mondiaux encore non résolus – en particulier les problèmes environnementaux examinés dans le chapitre précédent, qui frappent en priorité les plus pauvres.

• Même les scénarios les plus optimistes esquissent pour l'Afrique un avenir très sombre. La gravité de la situation tient notamment à l'importance du retard social et économique cumulé par de nombreux pays du continent, et à l'érosion des prix des produits qu'ils exportent. A quoi viennent s'ajouter les ravages du sida et du paludisme, les conflits ethniques, les guerres civiles qui touchent un pays africain sur cinq, l'incurie des gouvernements et la fréquente corruption des élites.

Pas besoin d'être devin pour comprendre que le défi est gigantesque et qu'il sera impossible de le relever faute d'une mobilisation massive contre la pauvreté, en particulier en Afrique. Depuis le début des années quatre-vingt-dix, les pays riches ont néanmoins choisi de réduire de près de 30 % l'aide qu'ils apportent au monde en développement. L'aide accordée à la cinquantaine de pays "les moins développés" était de 17 milliards de dollars en 1990 ; elle plafonne aujourd'hui à 12 milliards de dollars, alors qu'elle est censément destinée à des endroits du monde qui concentrent 10 % de la population mondiale et forment un des noyaux durs de la misère. En 1970, les Etats riches s'étaient engagés à consacrer 0,7 % de leur PIB à l'aide officielle au développement[8]. Dans les faits, cet effort a culminé à 0,35 % du PIB moyen en 1990, puis chuté à 0,22 % en 2000, les Etats-Unis y contribuant à hauteur de 0,1 % de leur PIB.

Il y a des tas de raisons à cela. La chute du mur de Berlin et le laisser-aller qui l'a suivie ; les doutes quant à l'efficacité de l'aide ; l'idée fausse, mais bien ancrée dans les opinions publiques – aux Etats-Unis en particulier –, que le montant de l'aide est infiniment supérieur aux sommes effectivement débloquées.

Pourtant, plusieurs éléments s'agencent pour créer un environnement qui portera l'efficacité de l'aide très au-delà des résultats mi-satisfaisants, mi-frustrants obtenus ces dernières décennies.

• L'aide internationale est actuellement repensée en fonction d'un nouveau modèle testé dans une bonne dizaine de pays où il a fait la preuve de son efficacité. Appliqué sous différents labels par diverses organisations telles que le FMI, la Banque mondiale ou les

Nations unies, ce modèle s'avère très différent de celui qui prévalait jusqu'alors. Il laisse les Etats libres de décider de leurs orientations de développement et de leurs stratégies de réduction de la pauvreté. Les gouvernements définissent ces dernières en concertation avec la société civile, les milieux d'affaires et les agences de développement. Ils les détaillent par secteur, sur un intervalle de temps couvrant plusieurs cycles électoraux, en respectant les règles de transparence et en établissant des indicateurs de performance. Ils s'emploient par ailleurs à amener les diverses agences de développement multilatérales et bilatérales, les ONG et les différentes parties prenantes à adopter une approche fondée sur la coopération et la division des tâches. Pour les encourager à travailler dans ce sens, les mécanismes de financement sont assouplis : au lieu d'être attribuées à des projets indépendants, les sommes versées au titre de l'aide entrent ainsi dans le budget national, ou dans celui d'un ministère en charge d'un grand secteur (l'éducation, par exemple). Le nouveau modèle prend également en compte une définition élargie de la pauvreté – sans la limiter à l'insuffisance des revenus – et il s'attache à renforcer l'autonomie de décision au niveau local.

• Des pistes prometteuses devraient par ailleurs permettre de mieux répartir l'aide au développement. Malgré quelques controverses, on sait aujourd'hui avec certitude qu'elle a des effets positifs sur les pays qui ont adopté des politiques saines, mais aucun, voire des effets négatifs, là où ce n'est pas le cas[9]. En fait, l'aide internationale pourrait tirer chaque année trois fois plus de gens de la misère si elle était dirigée en priorité vers les populations pauvres des pays crédibles sur le plan politique au lieu d'être allouée sans discrimination. Cela crée bien sûr de terribles cas de conscience aux organisations chargées de la répartir : que faire pour la population très misérable et démunie des pays mal gérés ? Reste qu'il est primordial de bien faire cette distinction si l'on veut réduire massivement la pauvreté, et qu'elle sous-tendra nécessairement l'effort visant à rendre l'aide plus efficace.

• L'harmonisation des mécanismes de l'aide internationale est le troisième élément à prendre en compte dans cette recherche d'une efficacité accrue : l'allègement subséquent du coût des transactions et des adjudications augmenterait d'au moins 20 % la portée des sommes données ou prêtées. Sans de tels efforts d'harmonisation, le gouvernement d'un pays africain "moyen" (la Tanzanie, par exemple) devra continuer à "suivre" en permanence quelque 600 projets, à recevoir chaque année 1 000 missions officielles et à rédiger chaque trimestre 2 400 rapports à l'intention des organisations internationales, des agences bilatérales ou des ONG qui lui servent souvent de bailleurs. Ce problème – compliqué par la coûteuse pratique qui oblige les bénéficiaires de l'aide à recourir exclusivement aux fournisseurs ressortissants du pays donateur – est aujourd'hui mieux appréhendé par les instances qui contrôlent l'aide nationale (bilatérale) et internationale (multilatérale).

• Toujours dans cette optique d'efficacité accrue, les programmes d'aide sont de plus en plus souvent alloués à des secteurs considérés comme prioritaires : la bonne gouvernance, l'environnement des affaires, l'enseignement et les infrastructures de connectivité. Ces quatre domaines agissent comme des leviers puissants sur le reste de l'activité : pour peu qu'on les traite en priorité, les autres efforts devraient porter leurs fruits. De bonnes pratiques de gouvernance et l'éradication de la corruption sont les conditions nécessaires d'un changement en mieux. Elles ont pour corollaires le fonctionnement correct des services administratifs, l'impartialité de la justice, un État de droit, la vigilance du Parlement et des instances de contrôle – sans oublier l'indépendance d'une presse libre de mener ses investigations. Quant à l'environnement des affaires, il doit être suffisamment dynamique pour assurer les taux de croissance de 5 à 6 % à la clé d'une réduction massive de la pauvreté dans la plus grande partie du monde en développement ; son amélioration implique une cinquantaine de domaines allant de la bonne santé des institutions bancaires à la réforme des services de douane en passant par la microfinance[10]. (Nous reviendrons plus loin sur les chapitres de l'éducation et de la connectivité.)

À eux tous, ces quatre éléments de changement accompagnent une refonte en profondeur des programmes d'aide internationale visant à réduire la pauvreté. Ils pourraient doubler ou tripler son impact dans les décennies à venir. Mais cette révolution tranquille n'en est encore qu'à ses débuts, et il est plus que jamais nécessaire d'agir au niveau mondial afin d'amener les milliers d'agences multilatérales et bilatérales et d'ONG à vraiment travailler de concert le long de ces pistes nouvelles, en laissant les pays en développement piloter le dispositif et assumer leurs responsabilités. Les pauvres sont en l'occurrence les meilleurs clients de ces programmes d'aide : il suffit qu'ils participent au suivi de ceux qui les concernent au premier chef pour que ces derniers donnent leur pleine mesure. En Inde, partout où les gens sont non seulement informés des sommes allouées à leurs villages par les programmes d'éducation ou de santé publique, mais invités à contrôler la façon dont elles sont dépensées, une part beaucoup plus importante de ces enveloppes est effectivement utilisée à bon escient.

Cette révolution avant tout qualitative visant à rendre l'aide internationale plus efficace ne répond cependant qu'en partie au défi mondial de la pauvreté. Son pendant quantitatif, faute duquel il serait vain d'espérer réduire la misère dans les proportions requises, impose de considérablement augmenter les montants de l'aide consentie par les pays riches aux pays en développement. L'aide officielle plafonne aujourd'hui à 55 milliards de dollars par an, ce qui est très en deçà du niveau requis pour obtenir des résultats probants même si les conditions d'attribution de l'aide la rendent plus performante.

Si, honorant leurs engagements, les pays riches lui consacraient 0,7 % de leur PIB, l'enveloppe annuelle contiendrait 100 milliards de dollars supplémentaires. Quelques pays européens qui ont le sens de la parole donnée – les Pays-Bas, la Suède, le Danemark, la Norvège et le Luxembourg, affectueusement surnommés le "Groupe 0,7" – montrent que c'est faisable en donnant plus qu'ils ne l'avaient promis. Si par ailleurs les pays riches ouvraient plus largement leurs marchés aux exportations des pays pauvres et diminuaient les subventions faramineuses qu'ils accordent à leurs agriculteurs, cela se traduirait chaque année par 50 à 100 milliards de dollars en plus pour le monde en développement – un sérieux coup de pouce pour la réduction de la pauvreté, même si bien sûr l'essor du commerce ne profite pas systématiquement à chaque citoyen pauvre.

Quand bien même le monde riche ne ferait que moitié mieux sur ces deux volets (le montant de l'aide et l'ouverture des marchés), chaque année ce serait une manne supplémentaire de 75 à 100 milliards de dollars qui irait aux pays pauvres. Avec cet ordre de grandeur, l'espoir de gagner la lutte contre l'extrême pauvreté aurait enfin des chances de se réaliser.

Pour avoir une idée plus juste de ces sommes, on peut les comparer avec :

• la réduction de la dette de 30 milliards de dollars accordées aux pays les plus pauvres et les plus endettés par le G7 et d'autres pays et dont on a abondamment parlé à l'exclusion de quasi tout le reste ;

• les "dividendes de la paix" d'un montant *annuel* de 400 milliards de dollars correspondant aux économies réalisées en matière de défense dans le monde entier entre 1987 et aujourd'hui – et qui sont à 70 % tombés dans l'escarcelle des pays riches[11] ;

• les 360 milliards de dollars que les pays riches injectent *chaque année* dans leur agriculture.

Ce problème majeur – celui des moyens à mettre en œuvre pour en finir avec la très grande pauvreté– est un enjeu véritablement mondial, qui réclame des efforts concertés de la part de tous les pays, industrialisés et en développement. Le combat qu'il s'agit de livrer n'est pas seulement un test décisif dont notre commune humanité sortira grandie ou diminuée ; ses victoires et ses revers seront également révélateurs de notre volonté de résoudre l'ensemble des grands problèmes planétaires. La pauvreté est le premier d'entre eux parce qu'elle en conditionne beaucoup d'autres. Echouer dans ce domaine serait se condamner à l'échec sur tous les autres.

LE MAINTIEN DE LA PAIX, LA PRÉVENTION DES CONFLITS ET LA LUTTE CONTRE LE TERRORISME

Les guerres entre Etats ont presque entièrement cédé la place aux guerres civiles et aux conflits armés. En 1999-2000, on en a dénombré pas moins de cinquante, qui à ce jour auront coûté la vie à 7 millions de civils. Depuis 1945, les neuf dixièmes de ces conflits concernent des pays en développement et, de plus en plus, ils font sombrer les Etats limitrophes dans la violence : la guerre civile qui a éclaté dans la république démocratique du Congo (ex-Zaïre) n'implique pas moins de sept autres pays ; les conflits qui déchirent la Sierra Leone, le Liberia, la Guinée-Bissau sont aussi largement transfrontaliers.

Leur coût est ahurissant. La guerre qui a ravagé la région du Congo fut la plus meurtrière depuis la Seconde Guerre mondiale : le nombre de morts est estimé à 2 millions de personnes au moins. L'Afrique est le théâtre de conflits si nombreux qu'un cinquième de sa population y est directement exposée. En certains endroits, la probabilité que les enfants meurent avant l'âge de deux ans s'élève à 75 %. Tandis que des années de développement sont ainsi anéanties, les bandes armées répandent le sida. Et le continent africain n'est pas une triste exception : il y a à peu près autant de conflits en Asie, et bien d'autres ailleurs, y compris dans la zone de l'ex-Yougoslavie.

Le *terrorisme* qui longtemps eut partie liée avec des conflits intérieurs est devenu dans les années soixante-dix un phénomène de plus grande ampleur, propagé par imitation en dehors du cadre des guerres intestines. Les États concernés prirent très vite des mesures pour supprimer les groupes prônant l'action violente, comme la bande à Baader en Allemagne, les Brigades rouges en Italie ou Action directe en France. Une action du même ordre est engagée contre l'organisation séparatiste basque ETA, ou l'IRA au Royaume-Uni.

Ces dix dernières années, toutefois, le terrorisme a pris une dimension mondiale qui lui permet de déjouer les dispositifs de surveillance nationaux, et ce de deux façons. Tout d'abord, comme l'a trop bien démontré le groupe terroriste Al-Qaida, il a réussi à se doter à l'échelle planétaire du type de structure horizontale organisée en réseau précisément adapté à la nouvelle ère qui commence, et que les services antiterroristes classiques et hiérarchisés ont bien du mal à contrer. Ensuite, il a trouvé refuge dans des États fragiles – l'Afghanistan, la Somalie et un certain nombre d'autres territoires qui longtemps (ou depuis longtemps) n'ont pas eu de gouvernement vraiment légitime.

La capacité d'action et de destruction du terrorisme mondial est apparue dans toute son ampleur le 11 septembre 2001. Des ressortissants de plus de quatre-vingts nations sont morts ce jour-là par milliers à New York, à Washington, en Pennsylvanie, et l'image que le monde se faisait de lui-même – et de son avenir – en reste durablement brouillée. Au-delà du tribut en vies humaines et de la destruction de bâtiments sur le sol américain, les contrecoups mondiaux qu'ont eus ces attentats sur la croissance, les prix, les recettes du tourisme et les possibilités de financement ont probablement fait passer 10 millions d'habitants des pays en développement en dessous du seuil de l'extrême pauvreté (dont la moitié en Afrique) et tué indirectement 20 000 à 40 000 enfants de moins de cinq ans, victimes du ralentissement subséquent de la lutte contre la malnutrition et les pandémies. Bref, il est clair que le terrorisme mondial a rejoint les guerres civiles et les conflits armés sur la liste des troubles destructeurs de paix dont la résolution exige la mobilisation massive de la communauté internationale.

Dans les faits, ces formes de troubles destructeurs ont suscité trois types de réactions :

• des opérations de maintien de la paix engagées par l'ONU, qui en 2000 auront enrôlé au total 40 000 soldats, observateurs et policiers, soit deux fois plus qu'en 1999. Ces effectifs en provenance de quatre-vingt-dix pays différents représentaient des nations très différentes : seul 10 % du personnel déployé est dépêché par les cinq membres permanents du Conseil de sécurité de l'ONU (Etats-Unis, Royaume-Uni, France, Chine et Russie) ;

• des guerres d'intervention, comme on les appelle désormais, dont font notamment partie l'intervention complexe, coûteuse mais finalement réussie au Kosovo, le bref épisode au Timor oriental et l'intervention plus brouillonne en Sierra Leone ;

• une mobilisation internationale contre le terrorisme mondial qui en est encore à ses débuts et s'est à ce jour traduite par une dizaine de conventions onusiennes (ratifiées par une poignée de pays seulement à la date du 11 septembre 2001) et un certain nombre de mesures nouvelles.

Voilà donc une autre grande question planétaire qui n'est elle aussi que très partiellement résolue – et ce à trois égards.

Premièrement, *le cadre des opérations de maintien de la paix et des interventions armées* est extrêmement fragile, et sa consolidation passe nécessairement par une réflexion globale autour des points suivants :

• *Les moyens.* Le montant des impayés relatifs aux opérations de maintien de la paix atteignait quelque 2 milliards de dollars à la mi-2001, ce qui a placé l'ONU au bord de la faillite. A la fin de l'année 2000, l'ONU avait tout juste les liquidités nécessaires pour assurer pendant trois mois ses opérations de maintien de la paix. Elle manque par ailleurs cruellement de personnel, de matériel, de moyens de renseignement.

• *La vitesse de réaction.* Il est plus facile de maîtriser les conflits si les forces de paix sont envoyées sur le terrain dans des délais très brefs. Pour pouvoir monter plus rapidement ce genre d'opérations, l'ONU doit étoffer les forces dont elle dispose par des listes de "réservistes" – officiers militaires, policiers, experts juridiques et même spécialistes des droits de l'homme. Une des pistes suggérées consisterait à poster dans ses quartiers généraux de petites équipes de militaires chevronnés de diverses nationalités, immédiatement mobilisables pour les missions approuvées par le Conseil de sécurité[12]. Il est tout aussi nécessaire de redéfinir les liens unissant l'ONU à des organisations comme l'OTAN, qui sont par nature plus prêtes à intervenir et jouent également un rôle important dans les opérations de maintien de la paix.

• *La technologie.* Aux Etats-Unis, les tenants d'une réforme du système militaire préconisent la création d'unités plus petites et plus mobiles qui déploieraient des attaques stratégiques sur des infrastructures vitales, en concertation avec un commandement moins hiérarchisé. Cette option paraît particulièrement adaptée aux opérations mondiales de maintien de la paix car elle rendrait les interventions plus efficaces. Elle permet aussi de résoudre le dilemme qui se pose souvent aux pays intervenants, entre d'un côté la nécessité de combattre des adversaires disposant de moyens de plus en plus étendus, de l'autre le désir d'éviter le sacrifice de vies humaines et l'engagement de sommes d'argent considérables.

• *Les principes.* Contrairement aux opérations de maintien de la paix, les guerres d'intervention ne sont pas régies par un ensemble de règles simples, évidentes et consensuelles. Mieux vaut les en doter au plus vite si elles doivent figurer demain parmi les actions prioritaires de la communauté internationale. Sinon, la situation risque de devenir ingérable[13].

Deuxièmement, la *prévention des conflits* reste indéniablement la meilleure et la plus sûre des méthodes, même si la communauté internationale n'a jamais su très bien l'appliquer. La prévention est donc aussi un domaine qui, à l'échelle mondiale, mérite un sérieux effort de réflexion et des actions concrètes. Une étude de la Banque mondiale portant sur environ quatre-vingts guerres civiles montre qu'elles éclatent en majorité dans les pays où les organisations rebelles sont financièrement autonomes. Certes, les mouvements de libération ont parfois des revendications légitimes, mais dans la grande majorité des cas ils utilisent cette couverture pour mieux s'accaparer des ressources monnayables[14]. L'étude en question révèle en fait que ce type de conflits risque surtout de surgir dans les pays :

• où le niveau de vie est bas, de même que le niveau d'instruction – ce qui confirme que la pauvreté est décidément source de bien des fléaux ;

• disposant de matières premières exportables qu'il est facile de capter et de revendre (pétrole, diamants, stupéfiants) ;

• où un groupe ethnique numériquement majoritaire en domine d'autres plus petits (dans les pays où plusieurs groupes de taille équivalente coexistent, le risque est moins grand) ;

• soutenus à l'étranger par des diasporas importantes (c'est souvent grâce à l'argent envoyé par les riches expatriés que les guerres civiles repartent de plus belle alors qu'elles semblaient finies).

Travailler directement sur ces facteurs devrait permettre d'axer les moyens sur la prévention mondiale des conflits, au lieu d'attendre que l'incendie se soit déclaré pour envoyer les pompiers. Il existe plusieurs façons d'y parvenir :

• organiser à l'échelle internationale la traque des richesses subtilisées (les diamants "suspects", par exemple) pour qu'il soit plus difficile de les écouler ;

• intensifier la lutte contre le blanchiment d'argent, en gelant sans attendre les avoirs des principaux responsables des mouvements prédateurs (à l'image de ce que les gouvernements ont commencé d'entreprendre pour démanteler les réseaux terroristes) ;

• engager mondialement des efforts particuliers pour contrôler le trafic d'armes légères vers les pays où le risque de conflit est réel parce qu'ils présentent une ou plusieurs des caractéristiques énumérées ci-dessus ;

• désamorcer les conflits éventuels et installer des observatoires des droits de l'homme dans les pays où un groupe ethnique est largement prédominant – et multiplier les pressions pour que les droits des minorités soient protégés par la Constitution.

Troisièmement, la *lutte contre le terrorisme mondial* désormais clairement inscrite à l'ordre du jour de la communauté internationale commence à peine, et elle durera des années. Qu'il s'agisse bel et bien là d'une question planétaire se démontre aisément par le nombre extraordinaire de nations (plus de cinquante) à partir desquelles le réseau d'un groupe comme Al-Qaida peut lancer ses opérations ; par sa capacité à implanter dans le tissu social des pays du monde entier des cellules peu ou pas connectées entre elles qu'il active en temps voulu ; par l'impressionnante série d'États (une bonne vingtaine) qu'il a tenté de déstabiliser en préparant des attentats (des États-Unis à la Jordanie en passant par l'Équateur et même Singapour). Le combat contre des réseaux aussi bien organisés exige une mobilisation internationale sans précédent qui doit notamment se traduire par la coopération des services secrets et des services chargés des poursuites judiciaires, ainsi que par la définition de règles et de critères opérationnels communs. Comme indiqué plus haut, une des premières choses à faire est d'intensifier la lutte contre le blanchiment d'argent et les divers canaux financiers qui alimentent le terrorisme – ce sur quoi nous reviendrons dans le chapitre suivant. D'aucuns préconisent aussi de "refonder" l'OTAN en y incluant éventuellement la Russie et la Chine, et en lui confiant plus spécifiquement le démantèlement des réseaux terroristes et des armes de destruction massive[15].

A l'instar des autres grands problèmes planétaires, la triple question du maintien de la paix, de la prévention des conflits et de la lutte contre le terrorisme mondial peut être réglée à un coût raisonnable. Au total, les opérations de maintien de la paix sous l'égide des Nations unies n'ont coûté que 30 milliards de dollars depuis leur démarrage en 1948. Non seulement les efforts à engager mondialement pour prévenir les conflits auront un prix encore moindre, mais ils épargneraient une somme de souffrances immenses et éviteraient de graves bouleversements sociétaux. Quant à la lutte contre le terrorisme mondial, bien qu'elle se paie d'un prix beaucoup plus élevé qu'on n'aurait pu le penser avant le 11 septembre 2001, c'est plus une affaire d'organisation de la communauté internationale que de dépenses astronomiques. Pour prendre un exemple, le démantèlement des réseaux financiers du terrorisme implique de s'attaquer beaucoup plus résolument que par le passé à la corruption et au blanchiment d'argent – tâche qui, même avant le 11 septembre 2001, s'avérait déjà inévitable (cf. chap. XIV).

Cela implique aussi un double changement d'attitude. Celle tout d'abord qui a amené la communauté internationale à baisser la garde après la chute du mur de Berlin, laissant pour ainsi dire le monde "sans surveillance adulte" à une époque où la technologie permet à des petits réseaux de terroristes, des seigneurs de la guerre et des factions rebelles d'agir avec un impact qui jusqu'alors était l'apanage des armées nationales. Celle ensuite qui autorise un cloisonnement sans doute excessif des spécialistes du terrorisme, du maintien de la paix, de la prévention des conflits, de la non-prolifération nucléaire et ainsi de suite – quand en fait le monde a avant tout besoin d'une conception plus unifiée de sa sécurité, d'une vision à même de créer des liens entre ces questions, et entre ces chapelles.

L'ÉDUCATION POUR TOUS

Un sixième de la population adulte de la planète ne sait ni lire ni écrire. L'analphabétisme touche environ 600 millions de femmes et 300 millions d'hommes, qui pour 99 % d'entre eux vivent dans les pays en développement. Près de 115 millions d'enfants âgés de six à onze ans (un sur cinq) ne vont pas à l'école. Le quart de ceux qui sont scolarisés sortent du système d'enseignement sans avoir suivi jusqu'au bout les cinq années du cycle primaire – alors pourtant qu'il est amplement démontré que les adultes ayant été scolarisés moins de cinq à six ans restent fonctionnellement illettrés, en ce sens qu'ils savent à peine compter et ne comprennent pas le sens de ce qu'ils lisent. L'Asie du Sud, l'Afrique et le Proche-Orient sont les trois régions de la planète où ce problème est le plus préoccupant.

Qui plus est, rares sont les pays en développement où la qualité de l'enseignement primaire, secondaire et universitaire s'avère à la hauteur des exigences de la nouvelle économie mondiale. Plus généralement, on est encore très loin de voir émerger un système d'accréditation international du savoir qui fait pourtant cruellement défaut.

Pourquoi cette question de l'éducation est-elle planétaire, puisqu'elle se pose surtout au niveau local et avec une acuité particulière dans les pays en développement ? La réponse est quadruple :

• L'éducation est essentielle à l'instauration de sociétés authentiquement démocratiques. D'un point de vue plus moral, on pourrait d'ailleurs soutenir qu'elle constitue un "droit universel", car, pour citer l'économiste Amartya Sen, elle est la condition d'expression des compétences et des talents – de la capacité fondamentale et individuelle à réfléchir, opérer des choix, orienter le cours de sa vie.

• L'éducation est à la clé du sens civique mondial que réclame la résolution des problèmes planétaires (un point qui sera développé dans la troisième partie). C'est aussi un outil précieux pour propager dans le monde entier des valeurs fondamentales propres à épargner aux prochaines générations des heurts inutiles entre civilisations.

• L'éducation est un des plus puissants instruments à notre disposition pour vaincre la pauvreté, réduire les inégalités et poser les bases d'un développement durable. Elle est étroitement liée, non seulement à la croissance de la productivité, mais aussi à la santé, au respect de l'environnement, à la stabilisation de la démographie. L'éducation des filles, par exemple, figure parmi les investissements les plus rentables enregistrés en matière de développement économique. A l'instar de la pauvreté dont elle est bien souvent indissociable, l'éducation est donc une "question de fond" par excellence. Les autres grands problèmes planétaires seront plus faciles à résoudre si cet enjeu est pleinement pris en compte au niveau mondial.

• Enfin, la somme de connaissances précises qui sous-tend la nouvelle économie mondiale exige que les systèmes éducatifs de tous les pays de la planète deviennent plus performants, du primaire au supérieur sans oublier la formation permanente et l'accréditation des compétences. Si les efforts restent cantonnés à un petit nombre de pays, les inégalités déjà flagrantes se creuseront encore davantage dans les décennies à venir. Les études effectuées sur le sujet montrent qu'aussi longtemps que la durée moyenne de scolarisation d'un pays reste inférieure à six ans il reste englué dans une économie à faible retour sur investissement, par principe peu compatible avec les règles de bonne gouvernance. Or il y a de grandes chances pour que l'essor de la nouvelle économie mondiale porte rapidement à sept ou huit ans ce seuil de six années. Globalement, donc, l'éducation peut puissamment contribuer à renforcer l'égalité ou l'inégalité.

Oui, mais que faire ? A l'échelle de la planète, un programme d'éducation pour tous comprendrait plusieurs volets.

La première et la plus urgente des tâches est de bâtir ou de restaurer l'enseignement primaire dans le monde entier. A l'exception de deux régions, l'Asie centrale et l'Afrique de l'Ouest, la part qui lui est en moyenne consacrée dans les budgets nationaux a partout augmenté au cours des vingt dernières années. On est pourtant encore loin du compte. Dans les pays en développement, la qualité de cet enseignement de base est généralement très faible à cause du manque de locaux adéquats, d'enseignants compétents, de manuels, de l'absence du soutien apporté par les parents, de l'indifférence de la collectivité. Même lorsque le nombre d'enfants scolarisés est satisfaisant, la proportion de ceux qui sortent trop tôt du système scolaire ou qui redoublent est souvent impressionnante.

Il faut donc impérativement trouver l'argent nécessaire à l'amélioration qualitative et quantitative de l'enseignement de base dispensé dans les pays en développement. Combien cela coûterait-il ? Pas très cher, si l'on se place dans une perspective planétaire : 10 à 15 milliards de dollars par an. Seulement ces sommes doivent pour l'essentiel venir de l'aide officielle. Il serait par trop régressif de demander des droits d'inscription aux élèves, et les budgets nationaux ne peuvent pas supporter seuls la charge : le Népal, par exemple, devrait augmenter de 13 à 17 % ses dépenses en matière d'éducation alors que le budget du gouvernement est déjà déficitaire.

Développer mondialement l'enseignement de base (ou assurer l'"éducation pour tous", pour reprendre une expression plus courante mais plus étroite que celle que j'utilise dans ce chapitre) ne constitue toutefois qu'une première étape. La stratégie d'ensemble doit aussi aider le plus grand nombre de pays possible à hausser le niveau de leurs systèmes d'enseignement secondaire et supérieur pour satisfaire aux exigences de la nouvelle économie mondiale. L'effort international que cela suppose serait fantastiquement payé de retour dans les deux domaines de la lutte contre la pauvreté mondiale et du recul des inégalités. Si en moyenne une année d'enseignement de base supplémentaire se traduit par 0,4 point de croissance nationale en plus, tout pays qui franchit un degré sur l'échelle des scores scientifiques (d'un écart type) ajoute 1 % à son taux de croissance[16].

En dernier lieu, il faut de toute évidence concevoir des systèmes d'accréditation réellement internationaux pour valider d'un pays à l'autre pas tant les diplômes que les compétences et les savoir-faire réels. Un mouvement en ce sens commence à s'esquisser dans des domaines très circonscrits comme la programmation informatique. Sa généralisation à de nombreux autres secteurs n'a rien de chimérique : elle est à portée de main grâce aux nouvelles technologies de l'information et de la communication. Dans un monde où la circulation des gens et des idées va en s'accélérant, cette idée importante devrait tomber sous le sens. Il s'en faut pourtant de beaucoup pour que les initiatives qu'elle a inspirées soient à la hauteur de cet enjeu planétaire[17].

Dans cette acception élargie, l'éducation pour tous est une question planétaire de premier plan qui comporte deux aspects très positifs : mondialement, la facture est plus que raisonnable, et dans ce domaine la collaboration et l'échange d'idées sur le plan international peuvent se faire naturellement. Or, le problème a été gravement négligé. Les participants à un colloque intergouvernemental organisé à Dakar, au Sénégal, en 2000, ont dû constater qu'au niveau mondial les progrès en la matière avaient été très en deçà des attentes exprimées lors d'un colloque similaire qui avait eu lieu dix ans plus tôt en Thaïlande ; pourtant, le seul thème qui y ait vraiment été traité était l'enseignement de base – un gros morceau, certes, mais qui ne représente qu'un des aspects de la question.

LA LUTTE CONTRE LES GRANDES PANDÉMIES

Le monde est brutalement confronté à une choquante recrudescence des épidémies et des maladies infectieuses. Cette crise est elle aussi largement alimentée par la pauvreté et la misère qui accablent les pays en développement. Le sida, le paludisme, la tuberculose et les pneumonies, la dysenterie et la rougeole tuent à l'heure actuelle 13 millions de personnes par an, et les chiffres ne cessent d'augmenter. Ces fléaux menacent d'anéantir des dizaines d'années de développement dans les pays les plus fragiles. Ils se jouent des frontières et se propagent à une vitesse croissante. Songez qu'à la fin de la Première Guerre mondiale l'épidémie de grippe porcine fit cinq fois le tour du globe en dix-huit mois seulement, à une époque où les liaisons aériennes commerciales n'existaient pas[18]. Aujourd'hui, la vitesse de propagation est par conséquent encore plus élevée. L'extension du sida, du paludisme et de la tuberculose est particulièrement préoccupante[19].

Le *sida*[20] touche aujourd'hui 40 millions de personnes, dont 95 % vivent dans les pays en développement (28 millions sur le seul continent africain). Depuis que cette pandémie s'est déclarée, il y a une vingtaine d'années, plus de 60 millions de personnes ont été contaminées par le virus et 25 millions en sont mortes – soit presque l'équivalent du tribut payé par l'Europe à la peste noire entre 1347 et 1352[21]. Chaque jour, 15 000 personnes sont contaminées, dont la majorité a entre quinze et vingt-quatre ans. Si la propagation du sida s'est ralentie en Afrique (le virus se répand moins vite, en partie parce que la proportion de la population indemne s'est sensiblement restreinte), elle s'est au contraire aggravée en Inde, en Russie[22], dans les Antilles et, plus récemment, en Chine[23]. En Afrique ce sont les bandes armées qui le répandent, en Russie les drogués qui se piquent par injections intraveineuses, en Inde les routiers, en Thaïlande les détenus qui s'échangent leurs seringues en prison, au Myanmar des moines assez pauvres pour devoir partager leurs lames de rasoir... La maladie trouve quantité de vecteurs, et la prostitution de même que les rapports sexuels non protégés font systématiquement partie de l'équation.

Le sida a rendu 12 millions d'enfants orphelins, chiffre qui selon les prévisions devrait grossir au point d'atteindre 40 millions en 2010. L'allongement de vingt ans de l'espérance de vie très progressivement gagné au cours des trente dernières années s'est brutalement effrité dans plusieurs endroits d'Afrique et ailleurs : moins six à sept ans en moyenne sur le continent africain, moins dix ans ou plus en Afrique du Sud et dans le Botswana voisin, pays pourtant assez bien géré. En Afrique du Sud, par exemple, le sida pourrait provoquer entre 4 et 7 millions de décès au cours des dix ans à venir si les traitements éprouvés restent hors de portée des malades[24].

Dans plus de seize pays africains, la maladie touche une proportion de la population adulte supérieure à 10 %. Quand son incidence atteint ou dépasse les 20 % (ce qui est le cas dans sept pays au moins) la perte de revenu national qui s'ensuit rogne au minimum un point de croissance du PIB ; un mouvement de spirale vers le bas s'amorce. Les plus atteints sont les jeunes gens sexuellement actifs qui représentent une part importante de la population active de demain[25]. Les services publics déjà fragiles de certains pays se vident de leurs effectifs, avec des pertes particulièrement lourdes dans le secteur de l'enseignement. En Côted'Ivoire, le sida est à 70 % responsable du taux de mortalité des enseignants ; ailleurs, il en tue chaque année un nombre équivalent aux départs à la retraite ou aux nouvelles intégrations.

Le *paludisme* est innoculé par un parasite transmis par un moustique. Les traitements de prévention existent, mais leur généralisation reste un des grands enjeux de notre temps. Le tiers de la population mondiale (2 milliards de personnes) est directement ou indirectement affecté par la malaria, l'autre nom du paludisme, et là aussi la situation s'aggrave. Le nombre de cas cliniques déclarés chaque année oscille entre 300 millions et 500 millions, dont les neuf dixièmes dans l'Afrique sub-saharienne. Un million de personnes en meurent chaque année et, en Afrique, le paludisme prélève sur les forces vives du pays un tribut plus lourd encore que celui du sida : si cette maladie avait été éradiquée, le PIB global de l'Afrique aurait accumulé 100 milliards de dollars de plus en une génération. Sur les autres continents – en Asie, en Amérique latine et même en Europe de l'Est – le paludisme provoque des ravages de plus en plus importants.

Comment expliquer cette flambée ? Elle tient d'une part à l'affaiblissement dramatique des systèmes de santé africains (lourdement grevés, en plus, par le sida), de l'autre au fait constaté partout dans le monde que le paludisme résiste de plus en plus aux médicaments.

La *tuberculose* (provoquée par une bactérie que l'on peut inhaler au contact de personnes déjà atteintes) fait elle aussi son retour, cinquante ans après la mise au point d'un traitement remarquablement efficace. Tous les pays en développement sont concernés, et elle est également en recrudescence dans les pays riches où la moitié des personnes atteintes sont d'origine étrangère. A l'échelle de la planète, on en est à 8 à 10 millions de nouveaux cas par an, avec là encore les pointes maximales dans les populations d'Afrique massivement touchées par le sida, même si, en chiffres absolus, l'Asie est le continent le plus atteint. Chaque année la tuberculose tue 2 millions de personnes et provoque mondialement des pertes de revenus à hauteur de 12 milliards de dollars. Alors que depuis près d'un demi-siècle on avait réussi à la juguler, elle regagne un peu partout du terrain et parfois prodigieusement vite, comme au Pérou.

Pourquoi ? Là encore parce que l'apparition simultanée de plusieurs pandémies terrasse les systèmes de santé nationaux, et parce que les facteurs pathogènes résistent mieux qu'autrefois aux médicaments disponibles.

Le besoin d'action internationale se décline sur plusieurs thèmes dont beaucoup ont fait l'objet de débats approfondis, mais sur le terrain l'effort demeure timide :

• Il est indispensable de renforcer les systèmes de santé de nombreux pays en développement. Eux-mêmes ne disposent pas des ressources suffisantes, et c'est là une raison supplémentaire pour que la communauté internationale voie grand, s'agissant de l'aide officielle. L'information sur la santé et la prévention des maladies sont primordiales, face à la dure réalité suivante : même ramenés aux prix de revient des médicaments, les traitements du sida restent trente fois plus chers que les 10 à 15 dollars par habitant et par an que les pays en développement les plus pauvres peuvent en moyenne consacrer à leurs systèmes de santé.

• Il faut dégager de toute urgence des financements spéciaux qui serviront à prévenir et soigner les trois principales pandémies. C'est précisément l'initiative qu'a prise le G7 en 2001 au sommet de Gênes, en s'assurant le soutien d'autres pays et de donateurs privés mais à un niveau (2 milliards de dollars environ pour une première mise de fonds) très en deçà des besoins réels. Au total, les sommes nécessaires pour enrayer la progression de ces trois maladies sont de l'ordre de 5 à 7 milliards de dollars par an pendant vingt ans, et il s'agit très probablement là d'un montant minimal[26].

• Une partie de cet argent pourrait être employée à des engagements d'achats, au niveau mondial, de produits nouveaux et plus efficaces, de façon à stimuler leur mise au point par les laboratoires. A l'heure actuelle, les incitations financières sont toutes orientées vers la recherche sur les pathologies non contagieuses qui affectent les pays riches.

• Ce pourquoi ces derniers doivent parallèlement prendre des mesures d'incitation fiscale pour encourager la recherche et les essais cliniques sur ces produits, et lever les obstacles à leur commercialisation dans les pays pauvres.

• Il va falloir sérieusement envisager de moduler le prix des médicaments en fonction du type de pays clients, et revoir les règles sur l'exploitation des brevets, afin de trouver le difficile équilibre qui, tout en rendant les produits pharmaceutiques plus accessibles, ne dissuaderait pas d'emblée les laboratoires de les fabriquer – un dilemme très représentatif de ceux que posent les droits afférents à la propriété intellectuelle (nous y reviendrons au chapitre XIV).

• Peut-être faudra-t-il aussi définir au niveau mondial une nouvelle approche de la santé publique conçue dans l'intérêt de la population mondiale en tant que telle – au-dessus, donc, et au-delà des priorités nationales et de la primauté accordée à la santé individuelle[27].

Les maladies infectieuses comptent désormais parmi les problèmes les plus urgents auxquels est confrontée la planète. C'est une course contre la montre qu'il faut livrer aux plus dangereuses de ces pandémies afin d'en maîtriser l'extension avant qu'elles aient eu raison des médicaments destinés à les combattre. Bien qu'elles touchent au premier chef l'Afrique, elles constituent bel et bien un problème intrinsèquement mondial, en même temps qu'une question de fond au même titre que la pauvreté et l'éducation : un échec dans ce domaine entraînera une série de revers sur plusieurs autres fronts. Et comme l'indiquent les chiffres cités plus haut, sa résolution reste de toute façon d'un coût raisonnable à l'aune des richesses mondiales[28].

LA RÉDUCTION DE LA FRACTURE NUMÉRIQUE

A l'instar de l'éducation, les technologies de l'information et de la communication peuvent soit instaurer des rapports plus égalitaires entre les peuples et les Etats soit creuser au contraire le fossé des inégalités. Bien qu'elles se soient étonnamment bien implantées dans certains pays en développement (cf. chap. IV), à l'heure qu'il est leur répartition reste très déséquilibrée. La "fracture numérique" qui en résulte est extrêmement préoccupante.

Les énormes investissements consacrés à ce secteur depuis quelques années ont entraîné une surcapacité incroyable des systèmes de *communication* du monde entier : si les 6 milliards d'habitants de la planète décidaient de discuter vingt-quatre heures sur vingt-quatre au téléphone pendant une année entière, leurs mots pourraient théoriquement être transmis en quelques heures sur la bande passante aujourd'hui disponible – c'est-à-dire la capacité existante qui connecte entre eux les logements, les bureaux et les fournisseurs de données du monde entier.

Reste que 2 milliards de personnes n'ont jamais passé un coup de fil de leur vie. Il y a plus de lignes téléphoniques dans des villes comme Manhattan et Tokyo que dans toute l'Afrique subsaharienne. Les réseaux de téléphonie mobile ne couvrent que

20 % de la surface terrestre et intéressent essentiellement les pays riches. Chez eux la densité téléphonique (nombre de lignes de téléphone pour cent habitants) s'établit autour de cinquante à soixante, alors qu'elle reste inférieure à deux dans les plus pauvres des pays en développement. Cette injustice se retrouve d'ailleurs au sein même du groupe que forment ces derniers : en 1999, ils étaient dix à se partager 80 % des investissements étrangers dans le secteur. Il existe de surcroît des disparités importantes à l'intérieur même des pays : au Népal, les citadins ont cent fois plus de chances que les ruraux d'être équipés du téléphone.

La *technologie informatique* est plus inégalement répartie encore. Les échanges par le biais de l'Internet entre les Etats-Unis et l'Europe sont cent fois plus importants qu'avec l'Afrique, trente fois plus qu'avec l'Amérique latine. Alors que 75 % des sites web sont en anglais, cette langue n'est accessible qu'à 10 % de la population mondiale. Les pays riches concentrent 95 % des adresses IP (Internet Protocol) ; en regard la part de l'Afrique n'est que de 0,25 %. Cet écart est lié à la faible densité téléphonique de ce continent : il est quasi impossible aux pays où moins de cinq habitants sur cent sont équipés du téléphone d'équiper leur territoire d'une infrastructure de connectivité même minimale avec l'Internet[29].

En quoi cette situation est-elle préoccupante ? Tout simplement parce que les technologies de l'information et de la communication (TIC) représentent pour les pays qui en ont le plus besoin des possibilités de bonds en avant fantastiques – et dans de si nombreux domaines qu'on voit mal, désormais, comment œuvrer sans elles au développement et à la réduction de la pauvreté :

• *Désenclavement* des zones isolées. Au Bangladesh, par exemple, il suffit d'un téléphone mobile par village pour générer une véritable activité commerciale et assurer un lien vital avec l'extérieur. Dans les Andes, les transmissions téléphoniques par satellite diminuent de façon spectaculaire le coût des communications en zone rurale et font gagner un temps précieux par rapport au système postal.

• *Education.* La formation et la mise en réseau des enseignants rendues possibles par les nouvelles technologies rehaussent la qualité de l'enseignement de base. Dans les bidonvilles indiens, les enfants apprennent à se servir d'ordinateurs encastrés dans des murs de bâtiments publics à titre expérimental. En Afrique du Sud, des écoles de commerce assurent à distance un enseignement interactif dans des centaines de localités. Autre exemple, celui de l'université Monterrey Tech cité au chapitre V.

• *Gouvernance électronique.* Cette application décisive qui gagne rapidement du terrain porte en elle la promesse d'une sérieuse amélioration des services adressés à la population et de la fin possible de l'opacité, des tracasseries administratives, des erreurs et des malversations. Le système dont s'est équipée la Mauritanie pour améliorer la gestion budgétaire a été rentabilisé en quelques mois. L'informatisation des services du gouvernement de l'Etat indien de l'Andhra Pradesh s'est traduite par un remarquable surcroît d'efficacité et de transparence.

• *Médecine.* Les applications des technologies informatiques à la santé couvrent des champs très divers – de l'information des malades à la formation des infirmières en passant par les consignes d'hygiène et même, dans certains cas, aux diagnostics à distance. Les données collectées par les capteurs installés le long des cinquante mille kilomètres du réseau fluvial africain ont permis de maîtriser la progression de l'onchocercose, une maladie parasitaire également appelée cécité des rivières.

• *Gestion du milieu naturel et développement d'une agriculture plus respectueuse de l'environnement.* Les réseaux développés sur l'Internet, la détection par satellite, l'échange des pratiques les plus efficaces peuvent induire des progrès rapides dans ces deux domaines, ainsi que le montrent de nombreux exemples.

• *Connectivité des entreprises.* Désormais, même de petites et moyennes entreprises des pays en développement ont la possibilité de se connecter directement à leurs marchés et à leurs partenaires dans les pays riches. Témoins, les couturiers marocains et le chevrier éthiopien cités aux chapitres IV et V.

Je pourrais continuer à multiplier les exemples[30], car les nouvelles technologies de l'information et de la communication comptent désormais parmi les plus puissants mécanismes d'accélération du développement et de réduction de la pauvreté, sur des modes que nul n'aurait soupçonnés il y a seulement dix ans. D'un point de vue planétaire, toute la question est de faire en sorte qu'elles contribuent à resserrer l'écart entre riches et pauvres – de veiller, autrement dit, à ce que l'inégalité qui prévaut actuellement dans leur répartition ne dégénère pas en "apartheid technologique", selon l'expression de Manuel Castells, professeur à Berkeley. Etant donné la vitesse à laquelle elles se répandent aujourd'hui dans les pays riches, il y a urgence à régler ce problème au niveau planétaire.

D'autant que les solutions, là aussi, restent raisonnables en termes de coût. Nul besoin que les généreux donateurs submergent les pays pauvres de téléphones mobiles et d'ordinateurs. Il vaut beaucoup mieux les aider à se transformer par eux-mêmes en utilisateurs avertis des nouvelles technologies. Les actions globales à envisager pour favoriser cette évolution se déclinent comme suit :

• Aider tout de suite plus de cent pays en développement à rapidement mettre en œuvre des stratégies propres à faciliter leur transformation progressive en sociétés fondées sur la connaissance, et ce sur tous les plans – de l'enseignement aux infrastructures informatiques destinées à la recherche et à l'innovation.

• Généraliser la technique qui a fait ses preuves au Chili en associant les investisseurs privés à l'extension du réseau de télécommunications afin d'assurer la couverture de tous les points du territoire, y compris les plus reculés ; un moyen d'y parvenir serait de constituer à cet effet un fonds mondial de subventions (cf. chap. III).

• Prévoir dans les programmes d'aide une part plus importante pour les infrastructures de connectivité (qui irait notamment à l'installation de centres de communication municipaux dans les petites villes et les villages), l'augmentation du parc d'ordinateurs, la familiarisation avec leur fonctionnement.

• Créer des plateformes d'échange des pratiques optimales pour toute la gamme des applications les plus prometteuses des nouvelles technologies.

• Associer le Nord et le Sud dans la création de pépinières d'entreprises et de systèmes d'assistance et de guidage rapidement fonctionnels. Ce point est important, car l'expérience d'un pays comme le Brésil démontre qu'au-delà des infrastructures de connectivité et de l'accès à l'Internet le décollage des activités liées aux nouvelles technologies passe par tout un maillage de petites entreprises, de fournisseurs de services Internet et de producteurs de contenu installés sur place.

• Promouvoir l'utilisation des nouvelles technologies dans le traitement d'autres grandes questions planétaires telles que la lutte contre les pandémies, l'éducation pour tous ou la prévention des catastrophes naturelles.

Ce train de mesures qui restent à réaliser (bien qu'elles aient été en partie discutées lors des sommets du G7 à Okinawa en 2000 et à Gênes en 2001) ne semble *a priori* pas présenter le même caractère d'urgence que le traitement des autres grands problèmes planétaires. Rien n'est plus faux. L'accès de tous aux technologies du numérique est une question de fond, à l'instar de plusieurs autres problèmes traités dans ce chapitre : sa réalisation facilitera la mise en œuvre des solutions à apporter à d'autres grands problèmes.

LA PRÉVENTION ET L'ATTÉNUATION DES CATASTROPHES NATURELLES

Au cours des années quatre-vingt-dix, on a enregistré chaque année entre cinq cents et huit cents catastrophes naturelles (inondations, sécheresses, tremblements de terre, tempêtes, cyclones, pluies torrentielles et glissements de terrain). Le coût de leurs destructions s'est élevé à plus de 600 milliards de dollars, soit un montant supérieur à la facture des quarante années précédentes. Ces dégâts trois fois plus importants que dans les années quatre-vingt et quinze fois plus que dans les années cinquante ont surtout touché l'Asie (45 %), les Etats-Unis (30 %) et dans une moindre mesure l'Europe (10 %). Ces cataclysmes ont bouleversé la vie de 2 milliards d'êtres humains et tué 400 000 à 500 000 personnes, dont les deux tiers en Asie. Les inondations, responsables de la moitié de ces décès, sont les plus meurtrières, suivies de près par les tremblements de terre.

Comment expliquer un tel déchaînement ?

• Beaucoup d'écosystèmes sont désormais trop fragilisés pour jouer leur rôle de tampon ; la déforestation et la destruction des zones humides ont à cet égard une lourde responsabilité, de même que les barrages et les digues qui en détournant le cours des fleuves rendent les sécheresses et les inondations plus dévastatrices.

• Une grande partie de la population humaine a migré de l'intérieur des terres vers les zones côtières, où le risque de catastrophe naturelle est plus grand : près de 2 milliards de personnes vivent à moins de cent kilomètres des côtes.

• La moitié de la population mondiale sera bientôt citadine, et plus les zones urbaines s'étendent, plus les cataclysmes sont destructeurs. Une grande partie des nouveaux habitants des villes vivent sur des versants fragiles ou dans des plaines inondables.

• Le réchauffement planétaire aggrave encore la situation. Les compagnies d'assurances prévoient que le changement climatique va occasionner des dommages encore plus importants que ceux déjà considérables que l'on déplore aujourd'hui.

Le problème a pris de telles proportions et il cause tant de souffrance et de détresse que la nécessité de s'organiser au niveau mondial pour prévenir les catastrophes naturelles et en atténuer les effets tombe sous le sens. Là encore, pourtant, la mobilisation internationale est très insuffisante. Résolument appliquées à l'échelle de la planète, des mesures telles celles décrites ci-dessous lui donneraient plus de consistance :

• Détection des phénomènes climatiques par les satellites et des réseaux de capteurs au sol.

• Financement international de grands travaux dans les pays qui, tel le Bangladesh, subissent des cataclysmes de façon récurrente : il faut les aider à construire des digues, des barrages, des vannes et des écluses, à engager des études sur l'occupation des sols, à monter des services de surveillance, d'alerte, d'urgence et de gestion des catastrophes. L'incidence accrue des désastres devrait également amener des pays moins exposés à intégrer la gestion des catastrophes à leurs programmes de développement. Cela suppose en particulier un partage d'expérience au niveau mondial pour définir et appliquer des procédures et des normes de construction rigoureuses.

• Application des approches développées dans les domaines du microfinancement et de la microassurance à la prévention et à l'atténuation des risques, afin de mieux protéger les populations pauvres qui sont les premières victimes des catastrophes.

• Organisation à l'échelle de la planète de la connexion entre les secours d'urgence et les systèmes de défense passive.

• Efforts mondiaux pour convaincre les compagnies d'assurances et les marchés de capitaux de s'associer davantage au dispositif d'ensemble ; par exemple en prévoyant un partage des risques financiers par l'émission d'"obligations-catastrophes naturelles" au rendement très élevé mais dont la valeur nominale serait revue à la baisse pour certaines catégories de catastrophes, ou encore en élargissant le marché à terme qui s'est constitué autour des dérivés climatiques.

La gestion des catastrophes naturelles illustre de façon exemplaire à quel point les problèmes de la planète concernent l'humanité tout entière. Ces cataclysmes ont atteint une ampleur et une fréquence telles, qu'à l'image des autres questions examinées dans ce chapitre ils engagent la responsabilité de l'ensemble de la communauté mondiale. Celles que nous allons aborder au chapitre suivant ont une tout autre nature.

XIV

Les mêmes règles pour tous :
questions relevant d'une approche juridique mondiale

La plupart des activités humaines n'ont nul besoin d'être réglementées, ou le sont suffisamment dans les cadres définis par les Etats-nations. D'autres, en revanche, appellent une réglementation applicable à l'échelle de la planète entière pour décourager les tricheurs et les resquilleurs prompts à déceler les vides juridiques. Celles-là concernent des domaines que le monde a tout intérêt à encadrer juridiquement, sachant que pour être efficace cet encadrement doit être validé par tous les Etats-nations. A défaut, en effet, les activités qu'il s'agit de réglementer se délocaliseront massivement vers les pays qui n'ont pas voulu se soumettre à ces règles. Pire, ces derniers pourraient le cas échéant tirer un juteux parti de leur mépris des codes communs et lézarder ainsi le dispositif d'ensemble.

Les grandes questions classées dans cette troisième catégorie sont beaucoup moins faciles à exposer et résumer de façon claire que les précédentes. Il y a à cela deux raisons : les activités qu'il s'agit de réglementer sont subreptices par nature, ou encore très subtiles ; et la définition d'un cadre réglementaire s'avère souvent d'une grande complexité. Aussi, dans la plupart des cas, je m'en suis donc tenu à une présentation générale.

LA REDÉFINITION DES RÈGLES FISCALES POUR LE XXIe SIÈCLE

On voit mal comment le monde pourrait continuer à tourner sans une refonte internationale de la fiscalité à laquelle il faut s'atteler d'urgence. Quatre grandes considérations l'imposent.

Premièrement, la *nouvelle économie mondiale*, à cause des changements rapides qu'elle impulse et de la part croissante qu'y prennent les processus virtuels, délocalisés, place les systèmes fiscaux nationaux devant des difficultés quasi insurmontables ; contrairement à elle, en effet, ils sont lents, gourmands en papier et très rigides, en partie à cause de leurs limites territoriales. On a ici affaire à une véritable bombe à retardement qui menace les taxes professionnelles, les impôts sur le revenu, les impôts indirects, et pratiquement toutes les redevances et contributions directes et indirectes.

• Les sociétés assujetties à l'impôt sont plus mobiles qu'autrefois, et elles enregistrent de préférence leurs profits dans des zones où elles sont faiblement taxées. Souvenez-vous des médecins de Washington qui dictent au téléphone leurs notes à des dactylos travaillant en Inde : l'entreprise qui assure ce service peut au choix déclarer ses bénéfices plutôt en Inde ou plutôt aux Etats-Unis. Depuis quelque temps, beaucoup de maisons de jeu britanniques montent des opérations offshore en ligne. Plus généralement, dans la mesure où les entreprises fonctionnent de plus en plus autour d'équipes dispersées dans plusieurs pays, ces derniers ont plus de mal à recouvrer la part de l'impôt sur les bénéfices qui leur revient à chacun. Il n'est pas surprenant que certains paradis fiscaux se présentent ouvertement comme des centres de commerce électronique. Pour compliquer encore la situation, la rapidité de réaction des entreprises et leur empressement à délocaliser vont attiser la concurrence fiscale : l'Irlande, par exemple, a démontré qu'une politique de très bas prélèvements fiscaux sur les sociétés était un moyen sûr d'attirer des entreprises industrielles ou commerciales du monde entier.

• Les contribuables individuels ont eux aussi gagné en mobilité et sont devenus plus insaisissables. Cette évolution est potentiellement lourde de conséquences : aux Etats-Unis, une proportion négligeable de salariés (1 %, mais les mieux payés) contribuent à raison de 30 % aux recettes fiscales. L'Internet donne lieu à des échanges de services imposables, mais il est tout sauf simple de déterminer l'identité et l'adresse des personnes qui en tirent des revenus. En outre, les individus peuvent assez aisément transférer leurs déclarations dans des endroits où les impôts sont notoirement peu élevés ; la chose est beaucoup plus facile qu'autrefois, surtout en ce qui concerne l'impôt sur les capitaux. Tant et si bien que les contribuables les plus riches qui sont aussi les plus mobiles profitent des failles du système au détriment des contribuables moins mobiles et moins cosmopolites.

• En regard des transactions classiques, celles qu'occasionne le commerce électronique sont un vrai casse-tête pour les percepteurs, entre autres parce qu'elles se passent sans intermédiaires (lesquels jouent un rôle important dans le recouvrement de l'impôt et les vérifications). Si vous achetez un livre à New York, vous paierez une taxe de 8,25 % ; commandez-le sur Amazon.com et vous ferez l'économie de cette taxe. Autre exemple : une entreprise britannique qui vend en ligne un produit à un client allemand devrait théoriquement majorer son prix du taux de TVA en vigueur en Allemagne – mais qui va aller le vérifier, sinon les autorités britanniques qui ont sûrement d'autres chats à fouetter ?

Ces problèmes dont la liste est loin d'être exhaustive iront en s'accentuant au fur et à mesure que la nouvelle économie mondiale va prendre de l'ampleur, en même temps que le secteur du commerce électronique, qui à son tour entraînera dans son sillage de nouvelles formes de paiement électronique (voir ci-dessous)[1]. Ils surgissent en outre à un mauvais moment, dans une conjoncture où les gouvernements ont de gros soucis à se faire pour les rentrées fiscales à cause du vieillissement de la population et du poids croissant des retraites dans leurs budgets. Cela seul impose de repenser les règles de la fiscalité.

La deuxième raison qui appelle cette réflexion touche à la *protection de l'environnement de la planète*. Nous avons vu plus haut que le nouveau profil énergétique à définir pour essayer de contrer le réchauffement planétaire doit être épaulé par un dispositif fiscal convaincant – ou dissuasif. Il est tout particulièrement urgent d'entamer une réflexion sur la taxation des émissions de dioxyde de carbone afin de pousser le monde vers de plus grandes économies d'énergie, et de s'attaquer simultanément à la "décarbonisation" du système énergétique (laquelle passe entre autres par l'utilisation de sources d'énergie renouvelable). De manière plus générale, l'aggravation prévisible de nombreux problèmes environnementaux dans les décennies à venir signifie qu'il faudra tôt ou tard en passer par des "écotaxes" prenant en compte le coût écologique des biens de consommation manufacturés.

La troisième raison de repenser la fiscalité concerne ses *objectifs* et sa *structure*. La réflexion doit s'articuler autour de plusieurs points. Ainsi, les écotaxes ou les taxes carbone sont sûrement des mesures nécessaires, mais qui vont alourdir le poids des contributions indirectes (prélevées sur la consommation) par rapport aux contributions directes (prélevées sur le revenu). Les tentatives qui seraient faites pour contrebalancer la difficulté accrue de saisir les revenus risquent fort, elles aussi, de se traduire par une augmentation des impôts sur la consommation qui aggraverait ce déséquilibre. Selon certains, la voie de l'avenir passerait d'ailleurs par la taxation de la consommation (définie comme la part de revenu non consacrée à l'épargne) plutôt que du revenu lui-même – idée qu'il convient de rattacher à une piste de réflexion plus ancienne récemment exhumée par Paul O'Neill, secrétaire du Trésor américain, qui préconise de renoncer à exiger l'impôt sur les entreprises car il revient à taxer deux fois les revenus.

Certains de ces changements ne pourront pas être longtemps différés. Il est clair, cependant, que l'alourdissement des contributions indirectes qu'ils vont entraîner lèsera les contribuables les moins bien payés – et cette injustice requiert à son tour la mise en place de taxes négatives sur les revenus, par exemple sous la forme du crédit d'impôt. On devine aisément, à partir de là, que la réflexion sur la fiscalité peut déboucher sur le meilleur ou le pire étant donné la rare complexité des problèmes qu'elle soulève. D'autant que c'est à peine si j'ai effleuré ici une partie des idées qui circulent actuellement, telle la proposition de taxer les flux de capitaux (mieux connue sous le nom de taxe Tobin), ou encore les ventes d'armes pour faire d'une pierre deux coups : les freiner en mettant "du sable dans les rouages", et allouer les sommes ainsi prélevées à de grandes causes internationales[2].

La quatrième et dernière raison de revoir la fiscalité a trait aux *méthodes* de taxation. Aux Etats-Unis (de même qu'aux Philippines et en Erythrée), les impôts sont exigibles sur la base de la nationalité et les ressortissants vivant à l'étranger doivent donc les acquitter. Dans tous les autres pays, les impôts sont exigibles sur la base du lieu de résidence et seules les personnes résidant sur le territoire national y sont assujetties. La coexistence de ces deux systèmes complique évidemment l'harmonisation des principes fiscaux à l'échelle mondiale, et l'imbroglio n'est pas près d'être résolu. Le principe de la taxation en fonction de la citoyenneté séduit en effet de plus en plus de pays en développement désireux de mettre à contribution leurs émigrants qualifiés, formés chez eux et à leurs frais. L'échange automatique d'informations fiscales entre juridictions est un autre aspect très débattu du problème de la méthodologie fiscale de l'avenir[3]. De tels échanges iront forcément en se généralisant, puisqu'ils permettent de faire d'une pierre... trois coups : grâce à eux, la concurrence fiscale ne serait plus un phénomène nocif mais sain ; ils permettraient de repérer plus facilement des flux de capitaux potentiellement déstabilisants ; enfin, les circuits internationaux du blanchiment de l'argent et des capitaux du terrorisme deviendraient plus lisibles (quelqu'un a parlé à ce propos d'"éclairer les rouages" plutôt que de "mettre du sable dans les rouages").

Les questions liées à la fiscalité sont suffisamment complexes pour que *toute* idée nouvelle en la matière trouve des défenseurs et des adversaires acharnés. Une chose est sûre, cependant : les changements inéluctables que réclame la nécessaire refonte des méthodes de taxation ne peuvent pas uniquement être opérés dans quelques pays, car ce serait le meilleur moyen d'accroître la confusion existante. Le monde a tout à gagner à la définition préalable d'un cadre de réflexion international sur la fiscalité à instaurer pour le XXIe siècle[4]. Mieux vaudrait qu'elle ait lieu au plus vite : les grands changements sont déjà en cours et, telles qu'elles ont été parachevées au XXe siècle, les conceptions classiques et purement territoriales de la fiscalité sont bien mal adaptées à ce qui se prépare.

LA RÉGLEMENTATION DES BIOTECHNOLOGIES

Il y a seulement vingt ans, les biotechnologies étaient largement méconnues du grand public, mais le nombre spectaculaire de découvertes réalisées en l'espace de quelques années les place désormais parmi les grandes questions appelant un cadre réglementaire minimal. Ce domaine tout neuf en est encore aux balbutiements, d'où les innombrables interrogations sans réponse qu'il soulève, mais on sent déjà clairement qu'il a besoin d'être régi par un minimum de règles universelles – même si leur contenu reste encore relativement flou.

Plusieurs de ses applications viennent spontanément à l'esprit. Toutes dérivent des progrès décisifs réalisés dans le décryptage du code fondamental du vivant (l'ADN, l'ARN et les protéines qu'ils induisent), au cours d'une révolution scientifique qui a révélé qu'en dernière analyse tous les organismes vivants sont des machines de traitement de l'information. Ces possibles applications n'en présentent pas moins des caractéristiques très différentes, comme en témoignent les trois exemples suivants :

• *Végétaux et animaux transgéniques.* La modification volontaire d'espèces animales et végétales par le biais de l'élevage ou de la culture et de l'hybridation est un lent processus depuis longtemps pratiqué par l'homme. La nouveauté, en l'occurrence, réside dans le fait qu'il est désormais possible d'intervenir directement sur leur patrimoine génétique, avec des résultats beaucoup plus rapides et plus importants. De par le monde, les agriculteurs ensemencent chaque année cinquante millions d'hectares avec des plantes vivrières génétiquement modifiées (soja, maïs, coton, colza) ; 98 % de ces champs se trouvent aux Etats-Unis, au Canada et en Argentine, le reste est réparti entre une dizaine d'autres pays. Les trois quarts de cette superficie sont consacrés à des cultures conçues pour résister aux pulvérisations d'herbicides, le quart à des plantes modifiées pour produire leurs propres insecticides ou pour telle ou telle autre caractéristique. Certaines de ces propriétés sont de fait séduisantes. Au Bangladesh, des légumineuses du genre *Lathyrus* qui résistent aussi bien à la sécheresse qu'aux inondations ont été modifiées de façon à perdre leur toxicité lorsqu'elles sont par force consommées en grandes quantités dans les périodes de famine, et les chercheurs essaient d'adapter d'autres plantes aux sols très salins. Ils commencent à développer des plantes, mais aussi des animaux et des bactéries transgéniques, dont on tire des matières premières (des plastiques, des protéines donnant une soie résistante) ou qui ont la capacité de nettoyer des sites pollués. Certains organismes génétiquement modifiés pourraient même se nourrir de gaz naturel, et il existe déjà des saumons génétiquement modifiés qui grossissent plus et plus vite que les saumons "normaux".

• *Cellules souche et autres applications du clonage.* Les "cellules souche" sont des cellules indifférenciées qui servent de base à des cellules plus spécialisées. Elles peuvent être prélevées sur l'embryon, le fœtus, le cordon ombilical, voire sur l'organisme adulte, et à condition d'être correctement stimulées sur le plan biochimique elles donneront différents types de cellules adultes. La technologie dont relève le clonage dit thérapeutique pourrait être utilisée pour produire en quantités illimitées du sang exempt de virus, des cellules spécialisées dans la fabrication de dopamine pour les personnes souffrant de la maladie de Parkinson, des greffons cellulaires sur mesure qui ne seraient pas rejetés par les patients, et ainsi de suite. Les variations sur ce thème sont infinies et pour le moins impressionnantes. Certaines applications d'un autre type de clonage, dit reproductif, semblent droit sorties d'un film sur Frankenstein[5].

• *Révolution dans le traitement des maladies grâce à une connaissance fine du génome humain.* Le décryptage du génome humain (30 000 gènes au total) survenu au tournant du siècle dernier est en réalité une première étape. La variété et la complexité de la vie ne dépendent en effet pas tant de l'ADN et de l'ARN que des mystérieuses interactions entre les protéines qu'ils induisent. La connaissance du génome ouvre cependant des possibilités hallucinantes : précision accrue des diagnostics et mise au point de médicaments agissant du premier coup et sans effets secondaires ; études prédictives pour déterminer longtemps avant l'apparition des premiers symptômes quelles pathologies risquent d'affecter tel ou tel individu ; capacité de pronostiquer la virulence d'un virus à partir de sa structure génétique. La connaissance du génome pourrait bien sûr avoir des effets bénéfiques similaires pour les animaux domestiqués.

Pourquoi faudrait-il légiférer sur ces questions ? Plusieurs arguments plaident dans ce sens :

• Des *raisons morales*. Certaines applications des biotechnologies – celles par exemple qui impliquent de détruire des embryons pour disposer de cellules souche variées – heurtent des principes moraux et religieux très forts. A cause de ce conflit, depuis 2001 le gouvernement des Etats-Unis limite sévèrement la recherche en ce domaine. Les autorités de plusieurs autres pays sont tout aussi mal à l'aise.

• *La mise en danger des écosystèmes et d'autres espèces*. A l'instar des variétés hybrides qui ont permis d'augmenter les rendements des cultures vivrières pour accompagner la croissance démographique, les cultures transgéniques ont un rôle majeur à jouer pour aider la planète à se nourrir dans les décennies à venir. Leur culture s'assortit cependant de menaces particulières. Ainsi, elles pourraient provoquer des mutations irréversibles en fécondant avec leur pollen des plantes d'espèces voisines ; les variétés génétiquement modifiées pour résister aux insectes pourraient à plus ou moins long terme entraîner l'extinction de ces insectes qui ne sont pas seulement nuisibles, et d'autres qui sont en fait très utiles ; et s'ils s'échappaient de leurs réserves, les séduisants mais stériles saumons génétiquement modifiés compromettraient la reproduction de leurs frères de race restés "nature". A la fin de l'année 2000, on a enregistré plusieurs cas d'allergies à une variété de maïs modifié ; les choses ne sont pas allées très loin, mais ce fut un signal d'alarme.

• *Risques sociaux*. La connaissance du génome risque enfin de créer des problèmes jusqu'alors inconnus et difficiles à résoudre. La carte génétique individuelle pourrait en effet servir à plusieurs usages : s'il n'y a pas d'inconvénients à l'intégrer aux bases de données médicales, la pratique ne va pas de soi pour des bases de données juridiques ou même privées, constituées à l'insu des personnes. Abusivement utilisées, de telles bases de données permettraient de refuser un contrat d'assurance vie ou l'adhésion à une mutuelle de santé, conditionneraient les décisions en matière d'embauche, ouvriraient la voie à des recherches de paternité à l'insu des intéressés – finiraient éventuellement par créer "une nation de suspects", selon l'expression d'un militant des libertés civiles.

Prétendre qu'il est inutile d'édicter des règles sur les biotechnologies est de la folie pure, et on ne se facilitera pas la tâche en laissant aux Etats-nations le soin de définir le cadre réglementaire de leur choix : les exemples et les dangers énumérés ci-dessus montrent clairement qu'il faut en la matière un minimum de règles internationales, fût-ce à titre provisoire. Les frontières n'arrêteront ni la pollinisation croisée ni les autres modes de propagation risqués et, dans l'intérêt général, il faut donc effectuer des tests préalables dans des conditions de sécurité définies selon des critères universels. Autre raison pour coordonner l'action à l'échelle de la planète : à quoi sert-il de limiter la recherche sur les cellules souche embryonnaires aux Etats-Unis si des règles similaires ne sont pas partout appliquées ? Certaines firmes américaines envisagent déjà de s'installer au Royaume-Uni[6]. Ou encore, pourquoi le Royaume-Uni ou la Suède, disons, obligeraient-ils les exploitants de bases de données privées à obtenir le consentement des intéressés avant d'entrer dans leurs fichiers des informations génétiques "confidentielles", si ces données sont disponibles dans le cyberespace, ou si pour faire faire un test sur un quelconque quidam il suffit d'expédier dans le pays d'à côté une rognure d'ongle lui appartenant ?

L'ARCHITECTURE FINANCIÈRE INTERNATIONALE

Cette question complexe comprend de nombreux volets. Simplifiée à l'extrême, elle se ramène à quatre grands secteurs dont les problèmes doivent être résolus dans le cadre d'une réflexion mondiale : la gestion des crises financières internationales ; le renforcement des systèmes financiers dans leur ensemble ; les moyens à engager contre les utilisations délictueuses des systèmes financiers ; les conséquences en partie prévisibles de la généralisation prochaine de la monnaie électronique. Malgré les progrès enregistrés, ces dernières années surtout, sur les trois premiers points, aucun d'entre eux n'est encore réglé de manière convaincante et rassurante.

La gestion des crises financières internationales. Loin d'être aussi facile à contenir qu'on pouvait le penser à l'époque, la crise qui toucha la Thaïlande en août 1997 s'est rapidement généralisée, au point qu'en l'espace de deux ans elle a durement éprouvé, non seulement les économies émergentes de l'Est asiatique, mais aussi de la Russie et du Brésil. A la fin de 1998, on put même craindre qu'elle ne déstabilise d'autres marchés. Les observateurs les plus chevronnés furent sidérés par la rapidité et la multiplicité des vecteurs de la contagion : fuite des capitaux ; retrait par les banques de leurs lignes de crédit ; chute des prix des denrées de base ; réajustements brutaux des portefeuilles boursiers aux dépens des économies émergentes ; subits mouvements de marche arrière des fonds d'investissements spéculatifs lourdement endettés. Cette crise a provoqué des dégâts considérables, particulièrement en Indonésie, en Thaïlande, en Corée du Sud, aux Philippines et en Malaisie ; les pauvres, eux surtout, la subirent de plein fouet.

En 1997-1998, le FMI et d'autres organisations montèrent un vaste plan de sauvetage visant à "renflouer" les pays affectés ; en 1998, 57 milliards de dollars furent ainsi dégagés pour la seule Corée du Sud. Comme dans le cas du Mexique quelques années plus tôt, cette opération suscita des critiques virulentes. De nombreuses voix s'élevèrent pour affirmer que les sommes débloquées par la communauté internationale inciteraient en fait les investisseurs privés à poursuivre au mépris des risques une politique d'investissements à hauts rendements (le fameux problème du "risque moral").

Aujourd'hui encore, les avis sont loin d'être unanimes quant aux moyens à adopter face à ces cataclysmes capables de balayer l'économie d'un pays. Deux grandes approches sont théoriquement possibles. La première consiste à amener les bailleurs de fonds (tel le FMI) à mettre des sommes importantes à la disposition des pays touchés par la crise aussi longtemps qu'elle se prolonge. La seconde préconise l'interruption du paiement des arriérés de la dette et sa renégociation. En dépit des débats serrés qui se poursuivent depuis près de cinq ans sur ces deux options, elles soulèvent l'une et l'autre bien des interrogations :

• Les pays riches – et la nouvelle administration aux commandes des États-Unis – sont plus que jamais réticents à verser des sommes d'argent importantes dans les plans de renflouement. La décision prise en 2001 d'allouer des fonds d'urgence à la Turquie et à l'Argentine fut précédée par une interminable valse-hésitation sur les principes à la clé de cette politique[7].

• Un temps, les pays riches ont pensé que la solution consistait à repenser la gestion des crises sur une base plus systématique, en créant au FMI des lignes de crédits accordées à titre préventif. Les pays désireux d'en bénéficier doivent présenter certaines garanties, qui indiquent aux investisseurs privés la hauteur maximum des montants consentis. Reste que ce mécanisme de financement n'a pas encore trouvé d'utilisateur.

• Pour certains, le meilleur remède serait de déceler au plus vite les faiblesses des systèmes financiers nationaux, et d'attribuer au FMI un vrai rôle de système d'alarme. Cela aurait toutefois l'inconvénient de le placer dans une position où il pourrait finir par déclencher lui-même des mouvements de panique chez les investisseurs et les opérateurs boursiers.

• Les plans de sauvetage à hauteur de dizaines de milliards de dollars ont beau ne pas susciter un grand enthousiasme, rares sont les défenseurs de l'autre approche, encore toute théorique, qui permettrait la suspension provisoire du remboursement de la dette et sa renégociation à la baisse. L'idée parallèle d'amener les bailleurs de fonds et les investisseurs privés à ne pas se retirer précipitamment en cas de crise – et à contribuer au renflouage – n'a à ce jour guère suscité qu'un débat très général qui a d'ailleurs fait long feu vers le milieu de l'année 2000. Bref, il n'y a toujours pas, pour les pays endettés, d'équivalent du chapitre XI de la loi américaine sur les faillites, qui permet aux débiteurs en difficulté de suspendre temporairement le remboursement de leurs emprunts ; depuis que l'Argentine est en cessation de paiement, il semble toutefois que l'idée suscite plus d'enthousiasme, tant parmi les fonctionnaires européens ou américains qu'au sein du FMI[8].

Depuis 1997, il y a eu des centaines de débats, de propositions, de commissions – et même un effort particulier d'un groupe de pays appelé le G20 sur lequel je reviendrai dans la troisième partie. Ces années de discussion et de tourmentes financières successives n'ont pourtant pas abouti à un ensemble structuré de règles et de mécanismes qui faciliteraient la gestion globale des crises. L'approche au cas par cas est apparemment le seul grand principe que toute cette agitation a permis de dégager. Sans doute y a-t-il eu des progrès indéniables dans quelques domaines, mais l'un dans l'autre, comme le constatait il y a peu l'économiste Joseph Stiglitz, "la montagne a accouché d'une souris". Deux rapports publiés à l'automne 2001, l'un signé d'anciens responsables de banques centrales et de ministères des Finances des pays émergents, l'autre commandité par le secrétariat du Commonwealth, soulignent également l'insuffisance des progrès enregistrés au cours des trois années précédentes[9].

Le renforcement des structures financières nationales. Au fil des quatre dernières décennies, le monde a connu au total plus de cent crises financières internes. Plusieurs se sont produites dans des pays riches – aux Etats-Unis, en Espagne, en Suède, plus récemment au Japon, pour n'en mentionner que quelques-unes des plus specta-culaires. Le coût de ces séismes, récurrents dans certains pays, donne le vertige : jusqu'à 40 % du PIB dans certains pays en déve-loppement, et 5 % tout de même du PIB aux Etats-Unis, à la suite du naufrage des caisses d'épargne et de crédit. Les faiblesses du système bancaire ont parfois déclenché une contagion internatio-nale des crises, telle celle qui a secoué l'Asie en 1997-1998, et dans le meilleur cas elles ont toujours eu un effet au moins amplifica-teur. En ce sens, le renforcement des structures financières natio-nales est aussi un problème de dimension mondiale[10].

Là aussi, il reste beaucoup à faire. En dépit des efforts massifs engagés par le FMI et la Banque mondiale, trop de pays souffrent encore de l'accumulation des créances douteuses dans un secteur bancaire aux activités souvent peu supervisées, de la mauvaise gouvernance des entreprises, du faible développement du mar-ché des valeurs (qui s'il était plus affirmé pourrait contrebalancer les dérapages trop souvent incontrôlés du secteur bancaire). Le renforcement des structures financières nationales est à lui seul un chantier immense et difficile, d'autant que les gouvernements n'aiment en principe pas trop qu'on braque les projecteurs sur leurs systèmes bancaires. La tâche à accomplir en l'occurrence dans une bonne centaine de pays passe donc nécessairement par la formulation de directives mondiales contraignantes, fondées sur des principes universellement reconnus[11].

Cette action d'envergure ne doit d'ailleurs pas rester circons-crite au renforcement des structures financières des pays pris indi-viduellement. Il faut également prendre en compte un certain nombre de problèmes systémiques à l'échelle de la planète, dont voici quatre exemples :

• Les discussions se poursuivent à propos des règles internatio-nales fixant le seuil minimum du capital risque des banques. Un comité constitué sous l'égide de la Banque des règlements inter-nationaux (BRI) a renvoyé aux oubliettes la formule autrefois en vigueur du "ratio de capital" pour la remplacer bientôt par un nouveau système dont la description court sur des centaines de pages – et alimente bien des controverses. La tâche est loin d'être achevée.

• Les règles comptables des institutions financières restent étrange-ment floues sur plusieurs points. L'opacité des secteurs bancaires et leur capacité à garder longtemps le secret sur des problèmes graves tiennent entre autres au fait que les prêts continuent d'être comptabilisés à leur valeur initiale. Une règle de bon sens comptable devrait au contraire imposer aux banquiers de réévaluer constamment les prêts en fonction des mouvements des taux d'intérêt ou de l'état du crédit des emprunteurs. Cette pratique n'est peut-être pas des plus simples, mais elle est faisable : les banques danoises en sont la preuve. Curieusement, le principe en a d'ailleurs été appliqué aux transactions financières dérivées (les *swaps*) portant sur l'échange d'obligations entre deux parties, ce qui provoque une vraie pagaïe dans la mesure où les prêts ne sont pas traités de la même façon[12]. A tous égards, il reste encore beaucoup à faire pour assainir les bases comptables des opérations bancaires.

• Les fonds spéculatifs (*hedge funds*, en anglais) sont des créatures financières dont on connaît mal le comportement et qu'il faudrait contrôler de plus près. Le grand public a découvert leur existence à l'occasion de la débâcle essuyée à la fin de l'année 1998 par le fonds Long-Term Capital Management (cf. chap. VII), et depuis ils font régulièrement parler d'eux. Ils sont constitués par des investisseurs privés qui empruntent quinze à trente fois le montant réuni, et finissent ainsi par s'assurer des positions souvent très influentes par le biais de produits à terme, d'options et autres dérivés –autrement dit des instruments financiers sophistiqués qui leur permettent de parier sur le prix ou les écarts de prix d'autres valeurs. Alors que son capital garanti n'atteignait pas les 5 milliards de dollars, le fonds Long-Term Capital Management a pu de la sorte détenir des positions supérieures à 1 000 milliards de dollars. Les fonds spéculatifs s'occupent essentiellement de traquer d'infimes aberrations de prix entre deux actifs financiers quasi identiques, et de les exploiter au maximum en jouant à fond sur l'effet de levier. Parfois, ils se contentent de parier directement sur la hausse ou la chute prévisibles du cours d'un actif financier. En 1997, l'un d'entre eux a ainsi misé sur le baht thaïlandais à hauteur de 20 % des réserves de la banque centrale thaïlandaise. Un des cas qui a le plus défrayé la chronique est celui de la compagnie américaine Enron, dont le dépôt de bilan a révélé en décembre 2001 qu'elle abritait dans ses entrailles un important fonds spéculatif. Il existerait 6 000 à 7 000 fonds spéculatifs de par le monde (compte non tenu de ceux qui restent larvés, comme celui d'Enron), contrôlant à eux tous des actifs nets d'une valeur globale de 500 milliards de dollars[13]. Il serait donc temps de définir des principes donnant aux gouvernements les moyens de surveiller plus étroitement ces fonds et d'anticiper leurs activités potentiellement déstabilisatrices, mais on en est encore aux travaux préliminaires.

• Les faillites soudaines qui ont récemment conduit à la liquidation de plusieurs grandes entreprises (Enron, Global Crossing et bien d'autres, aux États-Unis et ailleurs) ont mis au jour les immenses lacunes des procédures internationales de comptabilité et d'audit appliquées aux entreprises. On s'est par exemple aperçu que des fonds obtenus à partir d'emprunts étaient maquillés pour apparaître comme du cash-flow ; que certaines dettes étaient cachées dans des entités créées à cet effet ; qu'une série de coûts exceptionnels avaient tout simplement été omis dans le calcul des résultats finaux – et que les compagnies d'audit travaillaient parfois dans des situations de graves conflits d'intérêt. La perte de crédibilité subséquente montre à quel point le monde a besoin de se doter d'un ensemble de principes unifiés en ce qui concerne la préparation et la présentation des rapports financiers, aujourd'hui établis selon des recettes propres à chaque Etat. Aux États-Unis, par exemple, l'élaboration des rapports comptables et financiers repose sur d'innombrables règles extrêmement détaillées – ce qui amène les entreprises à respecter la loi à la lettre, quitte à en bafouer l'esprit. A l'inverse, des pays comme le Royaume-Uni appliquent des principes plus généraux et subjectifs qui privilégient la substance économique effective des activités de l'entreprise ; chaque société doit notamment publier le détail des activités de toute filiale sur laquelle elle a une influence significative. Bref, le monde aurait bien besoin de principes comptables universellement applicables, inspirés des pratiques qui se sont avérées les plus fiables dans les pays ayant le plus d'expérience en la matière.

Le blanchiment d'argent et autres pratiques financières délictueuses. Le blanchiment de l'argent sale ou des bénéfices dérivés d'activités éminemment suspectes à travers le système financier international porte sur les sommes astronomiques de 500 à 1 500 milliards de dollars par an – entre 1,5 point et 5 points du PIB mondial. L'argent de la drogue, les détournements opérés par certains groupes rebelles, les sommes captées sur les budgets des Etats par les élites kleptocrates, les retombées de la fuite des capitaux ou de l'évasion fiscale, les fonds gérés par les réseaux terroristes, tous ces flux financiers se mélangent sans discrimination à l'argent "propre" dans l'énorme machinerie financière de la planète. Au nombre des rouages qui, à dessein ou non, facilitent le lavage de l'argent sale il faut citer les places offshore, dont le développement s'explique avant tout par le secret bancaire ; les banques qui ne sont que des "écrans" ou des prête-noms sans véritable existence physique ; et les consignes "motus et bouche cousue" qui caractérisent les pratiques de *private banking* dans de nombreux pays. Le gigantesque maillage des liaisons de correspondance de banque à banque – grâce auquel, se jouant des frontières et des distances, l'argent circule en quelques secondes entre les établissements bancaires des différentes régions du monde sans qu'ils soient nécessairement au courant de la véritable nature de la banque située à l'un ou l'autre bout de la transaction – joue bien sûr un rôle au moins passif dans cette histoire. Les plus grosses banques de la planète pouvant avoir au bas mot entre 5 000 et 10 000 liens de correspondance de ce type, il devient aussi facile de masquer les opérations frauduleuses qu'il est difficile de les repérer.

Constitué à l'initiative du G7 en 1989 et placé sous l'égide de l'Organisation de coopération et de développement économiques (OCDE), le Groupe d'action financière internationale (GAFI) dont font partie vingt-neuf pays et deux organismes multilatéraux a établi une liste de quarante critères relatifs à la régulation financière, l'application des textes de loi et la collaboration internationale. Ces critères lui ont dans un premier temps permis d'épingler une bonne douzaine de pays (de la Russie à Israël ou aux îles Marshall) suspects de tolérer le blanchiment d'argent. En l'espace d'un an, un remarquable "effet de réputation" sur lequel nous reviendrons plus loin dans ce livre convainquit la moitié d'entre eux de se refaire une vertu en se dotant d'une législation plus stricte. La liste a depuis été revue par le GAFI, mais dix-neuf pays y figuraient encore récemment, et d'autres viendront sans doute s'y ajouter.

Bien que remarquable, cette initiative du GAFI demeure néanmoins très en deçà du type d'action mondiale que réclame l'éradication du fléau de l'argent sale. Des problèmes importants demeurent en suspens. Les énormes transferts de capitaux qui ont lieu *via* le système de correspondance entre banques, par exemple. En mars 2001, il s'est avéré que quinze banques du Royaume-Uni, pas moins, contrôlaient les risques de blanchiment de façon si laxiste qu'elles avaient laissé 1,3 milliard de dollars circuler entre différents comptes appartenant, nommément ou non, à la famille de l'ancien dirigeant nigérian Sani Abacha. La même année, on a appris que les Etats-Unis eux-mêmes ne satisfaisaient pas à vingt-huit des quarante critères du GAFI. Et les événements du 11 septembre 2001 ont clairement mis en lumière l'impuissance de la communauté internationale à surveiller les fonds susceptibles de financer des activités terroristes et à détecter les menaces d'attentats à partir de mouvements de capitaux suspects.

Le financement du terrorisme pose une difficulté particulière : au fond, c'est une sorte de "blanchiment à l'envers", car il s'appuie sur des activités apparemment légitimes ou des œuvres caritatives dont il réinjecte les recettes dans des opérations terroristes. Ce pourquoi il est extrêmement difficile à déceler. Les seules parades envisageables sont de demander aux banques du monde entier de soigneusement vérifier l'identité des déposants ; d'obtenir qu'elles fassent circuler entre les différentes juridictions les renseignements dont elles disposent et qu'elles autorisent les enquêtes de police internationales sur les comptes suspects ; d'interdire les mouvements de fonds occultes, tels ceux qui circulent par l'intermédiaire du système *hawala* que les terroristes utilisent eux aussi[14]. Enfin, il est impératif d'étoffer généreusement les structures de surveillance internationales : au début du mois de septembre 2001, le secrétariat du GAFI n'employait pas dix personnes.

Sous leurs différentes formes, les pratiques financières délictueuses ont partie liée avec quantité d'autres plaies qui affligent la planète du trafic de drogue au financement des réseaux terroristes en passant par la "kleptocratie" gouvernementale. Il s'agit bien, par conséquent, d'une question intrinsèquement mondiale : faute d'être copiées par les juridictions de tous les Etats du monde, les mesures prises à l'encontre des banques dans tel ou tel pays auront pour seul résultat de rendre ces banques et ces pays non compétitifs dans la nouvelle économie mondiale. Le problème ici posé est par excellence celui du resquillage et de la fraude qui complique la plupart des grandes questions mondiales rangées dans la troisième catégorie.

La préparation à l'usage de la monnaie électronique. Malgré son côté futuriste, il s'agit là d'un élément important dans la conception de l'architecture financière dont la planète a besoin. A l'heure actuelle, le contrôle exercé par les banques centrales sur les taux d'intérêt repose sur la nécessité dans laquelle se trouvent les ménages et les entreprises d'avoir de l'argent pour acheter et vendre – et sur le fait que les établissements bancaires ne peuvent créer d'argent que s'ils disposent de réserves suffisantes à la banque centrale. Tout laisse cependant à penser que dans les vingt ans à venir la nouvelle économie mondiale va favoriser l'éclosion de moyens de paiement électroniques – autrement dit d'une forme de monnaie "privée" qui dans les transactions de gré à gré pourrait notablement réduire le rôle de la monnaie classique, et par voie de conséquence celui des banques centrales. Elle circulera virtuellement au moyen de cartes électroniques prépayées dont le montant disponible sera enregistré sur une puce, et de systèmes de paiement informatisés contrôlés par des sociétés privées émettrices d'argent électronique. Pour acheter et vendre, les particuliers et les entreprises s'en remettront donc aux comptes de compensation tenus en temps réel par ces sociétés, ce qui réduira d'autant les flux circulant par l'intermédiaire des banques, et par voie de conséquence le contrôle assuré par les banques centrales.

Dans ce nouvel univers monétaire, chacun pourra opter pour la devise de son choix, et le lien entre les Etats-nations et la monnaie utilisée sur leurs territoires respectifs deviendra de plus en plus ténu[15]. Cela ne manquera pas d'avoir des conséquences retentissantes sur la politique monétaire des banques centrales, et même sur leurs fonctions de prêteurs de dernier recours. La prophétie est tout sauf hasardeuse : voilà des années que Singapour réfléchit à des modes de paiement électroniques destinés à remplacer à terme les transactions en liquide et par chèque, dans l'espoir d'éliminer d'ici 2008 la circulation des pièces de monnaie et des billets de banque[16]. Quand bien même Singapour n'arriverait pas à respecter ce délai, la question n'est pas de savoir si la monnaie électronique va s'imposer, mais *quand*. Elle répond en effet à une logique implacable, liée à la suppression du laps de temps entre une transaction et son règlement définitif, de telle façon que les vendeurs n'auront plus à s'inquiéter de l'éventuelle insolvabilité des acheteurs. Or, en supprimant ce délai on supprime du même coup la raison d'être de la monnaie traditionnelle et de la médiation assurée par les banques avec toutes les conséquences que cela pourrait comporter, y compris sur les fonctions de régulation de l'activité économique assurées par les banques centrales.

On pourrait à partir de là imaginer que la monnaie électronique est au cœur de débats de fond et de préparatifs minutieux, mais ce serait se tromper lourdement. Dans ce domaine où le temps se compte pourtant en "années chien", la réflexion est encore aussi embryonnaire que celle à mener sur la réforme de la fiscalité.

Avec ses quatre volets, le défi que constitue en soi la consolidation de l'architecture financière de la planète représente une question mondiale à régler au plus vite : d'abord à cause des possibilités qu'offrirait aux resquilleurs un système non universel ; ensuite parce que si elle n'est pas résolue la nouvelle économie mondiale dans son ensemble s'en trouvera sérieusement affaiblie[17]. Malgré les efforts indubitables engagés en la matière depuis la crise financière de 1997-1998, elle est pourtant loin d'être définitivement réglée.

LA LUTTE CONTRE LE TRAFIC DES STUPÉFIANTS

Avec des ventes dont le montant se chiffre à 150 milliards de dollars par an, et qui impliquent 200 millions de consommateurs environ, le trafic de drogue est le plus gros marché illicite du monde. Certaines sources estiment qu'il serait plus important encore et porterait chaque année sur des sommes avoisinant les 400 milliards de dollars, toutes opérations incluses. Même en termes relatifs, il s'agit donc d'un marché gigantesque : il pèse presque moitié aussi lourd que le marché des médicaments, et à peu près autant que ceux de l'alcool et du tabac qui chacun tournent autour des 200 milliards de dollars par an. A eux seuls les Etats-Unis et l'Europe, qui représentent de très loin ses plus gros débouchés, contribuent à raison de 60 milliards de dollars chacun au total estimé à 150 milliards de dollars. Si, aux Etats-Unis, le nombre des consommateurs semble stabilisé depuis les sommets que l'usage du crack, de la cocaïne et de l'héroïne a connus dans les années soixante-dix et quatre-vingt, les plus dépendants d'entre eux ont recours à des doses plus fortes et plus dangereuses. Dans certains autres pays riches, le Royaume-Uni par exemple, le nombre de consommateurs réguliers ou occasionnels continue d'augmenter.

C'est également le cas en Russie et en Europe de l'Est de manière générale, en Asie et jusqu'en Afrique, à présent : depuis 1995, l'usage du crack s'est rapidement répandu en Afrique du Sud, le pays africain sans doute le plus touché par le problème de la drogue. On oublie par ailleurs trop souvent que le Pakistan, la Thaïlande, la Chine et l'Iran sont toujours les principaux débouchés de l'héroïne produite sur la planète. Le trafic de drogue concerne désormais cent soixante-dix pays.

A l'inverse, la production reste concentrée à quelques-uns seulement. En 2000, près des deux tiers de l'opium utilisé pour la fabrication de l'héroïne venaient d'Afghanistan, et le reste, pour l'essentiel, du Myanmar. Quant à la cocaïne, elle est pour les deux tiers produite en Colombie. S'agissant des drogues de synthèse, les Pays-Bas et certains pays de l'Europe de l'Est (en particulier la Pologne) figurent parmi les plus grands producteurs mondiaux d'ecstasy, tandis que les méthamphétamines sortent surtout de laboratoires installés près de la frontière américano-mexicaine ou dans des sites comme le Myanmar. Il n'y a que le cannabis, plus volumineux et générateur de moins gros profits, qui soit cultivé un peu partout, à proximité des lieux où il s'écoule. Cela étant, les produits de synthèse peuvent eux aussi être fabriqués à peu près n'importe où et on assiste en ce moment à une extension rapide du phénomène[18].

A l'instar de nombreuses autres activités, le trafic de drogue a commencé à se réorganiser selon les principes de la nouvelle économie mondiale et il devient en conséquence plus efficace que jamais, notamment en ce qui concerne la distribution des produits. Aujourd'hui, les fournisseurs colombiens s'associent avec des passeurs mexicains disposant de moyens logistiques puissants ; les petits avions, les systèmes de positionnement global (GPS) et les téléphones mobiles font partie de leur équipement de base ; des gestionnaires de haut niveau sortis de prestigieuses écoles de commerce s'occupent de faire fructifier l'argent des trafiquants et d'assurer les opérations de blanchiment. En Espagne, des entreprises insérées dans de banals secteurs d'activités jouent un rôle clé dans l'importation de cocaïne en Europe. La mafia israélienne contrôle une bonne partie des transferts d'ecstasy des Pays-Bas vers les Etats-Unis. Et ce sont souvent des communautés immigrées étroitement soudées, parlant des dialectes inconnus des services de police nationaux, qui se chargent de la distribution : au Danemark, ce sont les Gambiens, en Autriche, les Vietnamiens. Cette efficacité accrue des réseaux de distribution et d'acheminement est parmi les principaux facteurs à l'origine de la chute des prix de l'héroïne et de la cocaïne (aux Etats-Unis, ils ont été divisés par deux).

La nocivité du trafic de drogue se fait sentir à plusieurs niveaux :

• Dans les pays pauvres producteurs des substances de base, les revenus de cette activité illicite servent fréquemment à alimenter les conflits internes (cf. chap. XIII) et à installer au sein de la police, de l'armée et des cercles du pouvoir le genre de corruption massive à même de réduire à néant les capacités de développement national, et avec elles l'espoir de vaincre la pauvreté. Ces revenus qui viennent pour partie grossir les caisses de groupes terroristes servent aussi parfois à financer les Etats voyous. A l'échelle de la planète, ce sont ainsi entre 80 et 100 milliards de dollars qui sont engloutis dans des causes abjectes. Les recettes que l'Afghanistan retire du trafic de drogue ont sans doute, pour une part au moins, profité au réseau Al-Qaida[19].

• Dans les pays consommateurs, les questions de santé publique viennent au premier plan des préoccupations. L'héroïne tue, directement ou indirectement : le partage de seringues usagées est pour partie responsable de la progression du sida et de l'hépatite B. Le cannabis, bien que plus inoffensif, peut affecter des fonctions cérébrales, et certains lui imputent une fréquence accrue des accidents de la route. Tout le monde ou presque s'accorde pourtant à penser que l'usage des drogues est dans l'ensemble beaucoup moins nocif pour la santé que la consommation de tabac et d'alcool. Le cannabis, notamment, induit probablement une dépendance moins forte et il s'avère de manière générale moins dangereux pour la santé que le tabagisme ou l'alcoolisme. Exception faite de l'héroïne, la consommation de drogue est assez rarement mortelle.

• Toujours dans les pays consommateurs, les effets les plus pernicieux sont en fait dus aux activités délictueuses entourant le trafic de drogue : aux vols à la tire, aux cambriolages, à la prostitution de drogués devenus "incontrôlables", s'ajoute le cercle vicieux qui pousse vers la marginalisation toute une population appartenant en règle générale aux catégories les plus pauvres – celles qui paient le plus lourd tribut au trafic de stupéfiants. Au Royaume-Uni, les délits suivis d'arrestation sont à près de 30 % provoqués par l'impérieux besoin de se procurer l'argent nécessaire à l'achat de crack ou de cocaïne. Aux Etats-Unis, la consommation de drogue est moitié plus élevée dans les foyers qui vivent de l'aide sociale ; dans ce même pays, la quasi-totalité des interpellations en lien avec la revente de produits stupéfiants concerne le menu fretin des petits dealers, qui pour les trois quarts d'entre eux sont issus des minorités non blanches défavorisées : autant de réalités qui comptent pour beaucoup dans le fait qu'il y a plus de jeunes Noirs dans les prisons que dans les universités américaines.

La lutte contre le trafic de drogue donne-t-elle les résultats escomptés, à l'échelle de la planète ? Bien que très onéreuses, les mesures qu'elle a inspirées s'avèrent souvent décevantes, car elles sont presque exclusivement ciblées sur l'offre. Les Etats-Unis y consacrent plus d'argent que quiconque. Il leur en coûte à peu près 30 milliards de dollars par an, soit en gros la moitié des ventes au détail des stupéfiants. Les trois quarts de ce montant sont consacrés à tenter de réduire l'offre à l'aide d'opérations de traque et de démantèlement des filières de production et de distribution qui amènent les policiers à intervenir aussi bien dans de lointains pays que dans les rues et les lieux de rencontre fréquentés par les revendeurs et leurs clients.

Cette stratégie a malheureusement fait la preuve de ses limites :

• En l'absence d'une puissante coalition mondiale, les efforts visant à interdire la production de stupéfiants dans les pays exportateurs ont plus fréquemment entraîné la délocalisation et la réorganisation des structures de production que leur anéantissement. La baisse spectaculaire de la culture de coca constatée dans les années quatre-vingt-dix au Pérou et en Bolivie fut ainsi largement contrebalancée par l'augmentation massive de la production de coca colombienne. Autant le trafic de drogue est lucratif, autant la production elle-même est bon marché, et facilement transposable.

• Le transport des stupéfiants est lui aussi tellement rentable que chaque fois qu'un réseau est prétendument démantelé en tel endroit il resurgit sous une autre forme ailleurs. Un pilote qui exige d'être payé 500 000 dollars pour transporter 250 kilos de cocaïne gonfle de 2 % seulement le prix de vente au détail, de l'ordre de 100 000 dollars le kilo ; s'il lui faut plus tard abandonner son avion, le coût de l'opération ne sera jamais que doublé (4 % du prix final). Et on peut faire confiance aux transporteurs pour choisir les routes les plus sûres : l'Afrique est depuis quelque temps devenue une plaque tournante de l'acheminement de la drogue en provenance d'Asie ou d'Amérique latine vers le marché européen. Ce commerce est de plus suffisamment juteux pour que les trafiquants n'aient pas trop de mal à convaincre les fonctionnaires de police et des douanes de fermer les yeux, au départ comme à l'arrivée.

• Le démantèlement des réseaux de distribution est encore plus difficile. Ils sont une centaine à couvrir le territoire des Etats-Unis ; que l'un disparaisse suite à une enquête couronnée de succès, il est aussitôt remplacé par un autre. Sur cent personnes arrêtées aux Etats-Unis pour un délit en relation avec la drogue, quarante le sont simplement parce qu'on les a trouvées en possession de cannabis, et moins de vingt parce qu'elles distribuaient ou fabriquaient des produits stupéfiants (héroïne, cocaïne ou autre). Contrairement aux autres crimes et délits, ici le vendeur et l'acheteur agissent de leur plein gré et aucun témoin ne dénonce la transaction ; pour agir, les policiers peuvent uniquement s'appuyer sur des informateurs plus ou moins fiables, sur les écoutes téléphoniques et autres procédures clandestines – avec le risque, ce faisant, de porter atteinte aux libertés civiles.

Comment s'en sortir ? Quelques pistes nouvelles se dessinent, mais très controversées. Le raisonnement est en gros le suivant : l'écart considérable entre les prix à l'origine et les prix de détail des stupéfiants est responsable au premier chef, non seulement de la plupart des dégâts que le trafic de drogue provoque partout dans le monde, mais aussi de l'impossibilité de mettre un terme aux très rentables activités de production, de transport et de distribution des produits stupéfiants. Un exemple : fin 2000, les paysans pakistanais ou afghans tiraient 90 dollars d'un kilo d'opium, alors que le kilo d'héroïne (fabriquée à partir de 10 kilos d'opium) se vendait sur place 3 000 dollars, prix qui grimpait à 80 000 dollars pour les trafiquants qui écoulent la marchandise aux Etats-Unis, et s'envolait à 290 000 dollars pour les consommateurs.

Un tel écart de prix, si l'on poursuit le raisonnement, favorise en dernier ressort les Etats voyous, le terrorisme, la criminalité, la corruption – et conduit à marginaliser des communautés et des individus pauvres qui participent au système faute de mieux. C'est lui, aussi, qui rend excessivement ardue la lutte contre les trafiquants, et ses succès trop souvent dérisoires. Paradoxalement, pourtant, cet écart abyssal est le fruit des efforts forcenés des pays riches pour assécher l'offre.

A partir de ce raisonnement, un certain nombre de gens et jusqu'à certains gouvernements estiment que pour obtenir des résultats au niveau mondial il faudrait arriver à une réduction concertée de cet écart des prix entre la production et la consommation. Comment ? En définissant une politique qui viserait non plus – ou non plus seulement – l'offre, mais aussi et surtout la demande. En pratique, cette démarche comporterait deux aspects :

• Elle se traduirait tout d'abord par une prudente libéralisation des lois relatives à la possession et à la vente des produits stupéfiants dont on sait qu'ils induisent une moindre dépendance. Ce, dans le triple objectif de notablement diminuer la rentabilité d'un large pan du trafic de drogue ; de soustraire les consommateurs de drogues douces au contact des revendeurs de drogues dures ; de moins marginaliser les utilisateurs de produits stupéfiants. Sans aller jusqu'à la légalisation pure et simple, le Royaume-Uni lui-même a récemment fait un pas dans ce sens. Les tenants de cette nouvelle politique s'appuient sur des études montrant que le tabac vient largement en tête des substances qui installent la dépendance (80 % des fumeurs sont toxicomanes), alors que 40 à 50 % des consommateurs d'héroïne et 90 % des cocaïnomanes arrivent à "décrocher" et qu'il n'est pas prouvé que le cannabis et les amphétamines créent une dépendance psychologique. Ils avancent également des arguments qui remettent sérieusement en question la théorie du "premier pas qui compte", selon laquelle le fait de goûter aux drogues douces mène inévitablement à la consommation de drogues dures.

• En second lieu, soutiennent les partisans de la nouvelle approche, il conviendrait d'aborder la dépendance à la drogue plus sous l'angle de la santé publique et de la marginalisation sociale que de la criminalité qu'elle provoque localement. En Suisse, les chercheurs commencent à constater que même s'agissant des drogues à fort effet d'accoutumance, comme l'héroïne, les programmes de "maintien avec suivi" financés sur l'argent public et soigneusement contrôlés s'avèrent plus concluants que les cures de désintoxication, très chères pour un taux de réussite décevant, ou même que les traitements par substitution comme l'administration de méthadone. En France, des initiatives novatrices ont été prises vis-à-vis des jeunes des banlieues qui ont abandonné l'école, qui sont des proies faciles pour les trafiquants de drogue et se laissent trop souvent convaincre de participer à leurs activités criminelles. Les "écoles de la deuxième chance", gérées en partenariat avec les entreprises, offrent à ces jeunes un programme de rattrapage intensif qui doit leur permettre d'acquérir un savoir-faire professionnel ; la méthode est probante, et d'un bon rapport coût-efficacité étant donné le gain qu'elle représente pour la collectivité[20].

Le trafic de drogue concerne au total plus de cent soixante-dix pays, et en cela il s'agit indubitablement d'une question qui se pose à l'échelle de la planète. Elle a beau avoir suscité un certain nombre de conventions et d'efforts internationaux, en la matière il serait difficile de nier que le monde piétine. Or, pour trois raisons au moins, il est urgent qu'il passe à l'action au niveau global.

La première est que la nouvelle piste de réflexion décrite ci-dessus (réduire l'écart des prix entre la production et la consommation, axer les financements publics et les politiques sur la demande plutôt que sur l'offre, en se concentrant sur les questions de santé publique et de marginalisation sociale) prête peut-être à controverse – ne serait-ce que parce que ses partisans passent un peu vite sur le risque que la consommation de drogue augmente si les prix chutent –, mais plusieurs gouvernements y voient déjà la solution de rechange aux politiques décevantes poursuivies depuis des décennies. Certains de ces gouvernements, en Europe notamment, ont d'ailleurs fait un bout de chemin dans ce sens et obtenu des résultats encourageants quant aux chiffres de la délinquance, par exemple. Il y a pourtant un hic : les expériences menées aux Pays-Bas et en Suisse, surtout, montrent que les pays qui s'écartent ainsi de la ligne suivie par les autres deviennent en fait des exportateurs nets de drogues. Pour le dire autrement, les politiques appliquées par les plus gros pays importateurs – les Etats-Unis, parmi d'autres – limitent la marge de manœuvre des pays qui souhaiteraient s'orienter dans des directions *a priori* plus prometteuses.

Il est donc impératif d'entamer la réflexion et l'action dans une structure de concertation planétaire, car ou bien tous les Etats s'entendent sur la nouvelle approche à adopter, ou bien, dans l'intérêt général, mieux vaudra renoncer à traduire ces idées neuves dans la pratique. Qui plus est, *si* le monde décide à l'unanimité qu'elles méritent d'être essayées, il faudra de toute façon prévoir une sorte de cadre global pour y arriver : en effet, à défaut de pouvoir invoquer des principes universellement acceptés, les hommes politiques qui sur le plan national défendraient tout ou partie de la nouvelle démarche seraient promptement accusés par leurs opposants de permissivité à l'égard de la drogue – et cela serait à coup sûr fatal au processus.

La deuxième raison pour laquelle une action mondiale s'impose a trait à la production. S'il n'est certainement pas simple de mettre un terme à la production d'héroïne ou de cocaïne, c'est cependant moins compliqué que d'éradiquer les réseaux d'acheminement et de distribution, entre autres parce que les zones de production sont plus concentrées géographiquement. Il est vrai que la chose a déjà été tentée, parfois sur le plan international, plus souvent bilatéralement, comme dans le cas des moyens engagés par les États-Unis en Colombie. Mais jamais il n'y a eu d'action planétaire massive et concertée, de même qu'il n'y a pas de programme d'accompagnement suffisamment ambitieux pour aider les pays producteurs à trouver des alternatives viables à la culture du pavot ou de la coca. Bien d'autres arguments plaident en faveur d'un effort de ce genre, même si les considérations très nouvelles exposées ci-dessus ne font plus de l'offre la priorité absolue : ils tiennent au lien évident entre ces activités de production et un certain nombre de problèmes de dimension planétaire, tels que le financement des réseaux terroristes, le blanchiment d'argent, les capitaux venus alimenter les caisses des États voyous. On atteint là une dimension qui va au-delà des enjeux du trafic de drogue en tant que tel, et qui le rattache spécifiquement aux autres grandes questions planétaires. Les événements qui ont marqué la fin de l'été 2001 ont révélé combien il était urgent d'aider l'Afghanistan à remplacer ses champs de pavot par d'autres cultures, et ce thème a effectivement été abordé dès le mois de décembre 2001 avec le gouvernement provisoire. D'autres pays sont concernés de la même façon.

La troisième raison a trait à l'essor préoccupant des stupéfiants de synthèse. Ces produits posent à la planète un problème inédit, plus épineux peut-être que les drogues fabriquées à base de plantes. Généralement élaborés à partir de substances non prohibées, ils échappent aux systèmes classiques de contrôle des narcotiques, et en outre leur aspect inoffensif conduit souvent leurs utilisateurs à en sous-estimer les dangers. La réflexion sur les mesures à prendre à l'échelle internationale relativement au contrôle des précurseurs de ces composés, à l'information et à la mise en garde sur leur nocivité en est encore à ses prémices. Tous les ingrédients d'une nouvelle question planétaire gravissime sont ici réunis, d'où la nécessité de s'y attaquer sans tarder, et mondialement.

LA RÉGULATION DU COMMERCE, DES INVESTISSEMENTS ET DE LA CONCURRENCE ÉCONOMIQUE

Cette grande question planétaire est une *cause célèbre**, ne serait-ce que parce qu'elle est, plus que les dix-neuf autres, la cible privilégiée des mouvements de contestation. Elle comprend en fait trois volets : un à traiter au plus vite, celui de la régulation des échanges commerciaux, et deux autres un peu moins urgents qui portent sur les investissements internationaux et les règles de la concurrence. Ces trois aspects sont souvent présentés comme un tout, ce qui ne fait qu'ajouter à la confusion.

La régulation des échanges commerciaux. L'argument est on ne peut plus simple. A l'issue de la Seconde Guerre mondiale, les pays riches ont entrepris de libéraliser les échanges et d'abaisser leurs tarifs douaniers, à travers l'accord du GATT (General Agreement on Tariffs and Trade). Les résultats furent stupéfiants : entre 1950 et 2000, la production mondiale a quintuplé tandis que le volume des exportations était multiplié par dix-huit.

Les pays en développement restèrent en marge de ce mouvement jusque dans les années quatre-vingt, époque où leurs économies commencèrent à s'ouvrir aux échanges sous l'effet, notamment, de la révolution économique dont nous avons vu qu'elle représentait l'un des deux moteurs de la nouvelle économie mondiale (cf. chap. III). Pour eux aussi les résultats furent extraordinaires : rien que dans l'intervalle de la dernière décennie, la part de leurs exportations de marchandises (pétrole excepté) qui jusque-là représentait 18 % du total mondial est passée à 25 %. Depuis quelque temps, ils exportent aussi avec beaucoup de succès des services (rappelez-vous la performance de la ville de Bangalore avec ses services d'assistance informatique et les autres exemples cités au chapitre IV). Les pays en développement assurent désormais le quart du commerce international des services.

---

* En français dans le texte. *(N.d.T.)*

C'est là un des facteurs essentiels à l'origine du taux de croissance moyen de 3,5 % qu'ont connu les pays en développement dans les années quatre-vingt-dix, surpassant ainsi la moyenne des pays riches. Ceux d'entre eux qui ont le plus ouvert leurs marchés – le Mexique, le Brésil, la Chine, l'Inde, la Malaisie, le Bangladesh, le Viêtnam, la Hongrie et même quelques Etats africains – ont particulièrement bien réussi sur le double plan de la croissance économique et de la réduction de la pauvreté. Dans vingt-quatre de ces pays en développement "mondialisateurs" (où vivent 3 milliards de personnes), le revenu par habitant a augmenté en moyenne de 5 % par an au cours de la décennie quatre-vingt-dix, chiffre à comparer à la baisse de 1 % par an enregistrée par les autres pays du Sud (2 milliards de personnes) qui n'ont pas pris en marche le train de la nouvelle économie mondiale[21]. Ce dernier groupe inclut entre autres la cinquantaine des "pays les moins développés", qui à eux tous ont vu leur part d'exportations chuter à moins de 1 % du total mondial, alors qu'elle était en moyenne de 3 % dans les années cinquante. De nos jours, l'isolement économique mène droit à l'appauvrissement – et avec lui à la progression des maladies, de la dégradation de l'environnement et de ce désespoir qui pousse les citoyens à se défier de leurs institutions[22].

La nécessité d'une libéralisation accrue des échanges ne devrait donc pas prêter à discussion. Les projections démontrent en effet que si on abaissait encore davantage les tarifs douaniers le gain au niveau de la production mondiale se compterait chaque année en centaines de milliards de dollars, et que pour les pays en développement cela se traduirait par un supplément de ressources annuelles de 50 à 100 milliards de dollars au moins – ressources qui, on le sait, sont cruellement nécessaires pour réduire la pauvreté.

Mais l'affaire se complique : la tentative engagée dans ce sens par les quelque cent quarante Etats réunis au sein de l'Organisation mondiale du commerce (l'OMC, créée en janvier 1995 pour relayer au plan mondial l'action du club plus fermé et plus riche des pays signataires du GATT) a suscité des polémiques et des difficultés sans nombre. Ces complications, apparues même avant le fiasco de la conférence de Seattle en novembre 1999, sont d'autant plus étonnantes que les adhésions à l'OMC ont régulièrement augmenté – ainsi, l'entrée récente de la Chine et de Taiwan a d'un seul coup élargi d'environ 20 % la portée du système de libéralisation du commerce[23]. Il est cependant probable qu'elles se manifesteront avec une vigueur accrue dès que débutera la phase de négociation de trois ans à laquelle doit participer l'ensemble des membres de l'OMC, puisque lors de la rencontre organisée en novembre 2001 à Doha ils ont réussi à s'entendre sur le lancement d'un nouveau cycle de négociations autour d'un programme clairement axé sur les pays en développement.

D'où viennent ces complications, si tant de bienfaits sont à attendre de la libéralisation du commerce et si la prochaine phase doit effectivement donner la priorité au développement ? En schématisant un peu les choses, on peut les attribuer à trois grandes causes.

Tout d'abord, malgré les progrès incontestables réalisés dans beaucoup de pays en développement, l'émergence d'un certain nombre d'asymétries laisse craindre à beaucoup d'entre eux que les pays riches ne tirent des avantages disproportionnés de la libéralisation future. Plusieurs font ainsi valoir qu'ils ne disposent toujours pas des ressources et des capacités requises pour la mise en œuvre d'accords antérieurs – celui signé au terme de l'Uruguay Round, par exemple, qui en 1994 a prévu la libéralisation de secteurs comme les télécommunications et les services. Ils soulignent par ailleurs qu'ils ne pourront avoir accès à ce marché théoriquement plus ouvert que si on les aide à lever les "obstacles internes" que représentent, notamment, les déficiences des installations portuaires, du réseau routier et des infrastructures en général, l'inadéquation du système douanier, l'insuffisance des contrôles de qualité et des contrôles sanitaires. Enfin ils craignent à bon droit que certaines des nouvelles règles, telles celles relatives à la propriété intellectuelle, les désavantagent par rapport aux pays riches étant donné les exigences scientifiques et techniques de la nouvelle économie mondiale. Autant de points si recevables qu'ils justifient qu'un programme d'action global soit élaboré au plus vite. La tâche est immense : les vingtaines de propositions pratiques émises en la matière par les pays en développement depuis 2001 n'ont peu ou pas été suivies d'effets. On comprend leur déception.

La deuxième grande source de complications tient aux exportations agricoles. La quasi-totalité des pays en développement – en particulier ceux qui disposent d'un bas revenu par habitant et, surtout, se rangent dans le groupe des pays "les moins développés" – dépend pour beaucoup de ses exportations agricoles pour sortir ses peuples de la misère. Or, non seulement les pays riches n'ont à ce jour pas sérieusement entrepris d'abaisser les barrières douanières qui pénalisent les importations de ce secteur, mais ils continuent de surcroît à subventionner leur propre agriculture à raison de 1 milliard de dollars par jour, maintenant ainsi les prix mondiaux à un niveau trop bas (par exemple ceux du coton) et empêchant de diverses manières les pays pauvres de rivaliser avec eux. Rien qu'en Europe, ces subventions coûtent chaque année 200 dollars à chaque habitant – adultes et enfants compris. Elles sont également de règle au Japon, ainsi que dans bien d'autres endroits de la planète, et il y a peu les Etats-Unis ont augmenté les leurs de manière significative[24].

Bien que la population agricole des pays riches ne représente qu'une toute petite partie de leur électorat, la réduction des aides à la production agricole, et *a fortiori* leur suppression, demeure une question politique explosive. Pour qui sait lire entre les lignes, elle fut très probablement à l'origine du grave revers essuyé par l'OMC à Seattle à l'automne 1999. Et elle conditionne de façon trop cruciale les réponses propres à diminuer la pauvreté mondiale pour qu'on puisse en ajourner la résolution. Pourtant, au vu du style contraint et torturé des passages de la déclaration de Doha qui s'y réfèrent, tout laisse à penser que certains pays riches traîneront longtemps des pieds avant de s'y attaquer sérieusement[25].

La troisième et dernière grande source de complications a trait aux exportations de produits manufacturés en provenance des pays en développement. S'il est pour eux vital d'écouler leurs productions agricoles sur les marchés étrangers, ils exportent aussi beaucoup plus de produits manufacturés qu'autrefois, et leurs perspectives de croissance sont particulièrement bonnes dans le domaine des industries légères grandes consommatrices de main-d'œuvre comme le textile. Les promesses non tenues des pays riches dans le secteur du textile, justement, et leur pratique souvent abusive des procédures d'antidumping sont pour beaucoup dans la rancœur et l'exaspération exprimées par les pays en développement.

Le problème, toutefois, est à la fois plus vaste et plus profond, en ce sens qu'il se rapporte aussi à une angoisse perceptible à tous les niveaux dans les pays riches. Relayées par la classe politique, les dirigeants syndicaux et d'autres porte-voix, leurs populations redoutent que si les produits manufacturés dans les pays en développement trouvent plus de débouchés à l'exportation, les conditions de travail et les normes environnementales souvent peu contraignantes qui y ont cours leur permettent de rivaliser avantageusement avec les producteurs des pays riches, et que cette concurrence entraîne un "nivellement par le bas" des législations du travail. Notons, cependant, que personne n'a encore pu démontrer que les pays en développement qui améliorent leurs échanges commerciaux et leurs performances de croissance y arrivent en relâchant leurs normes et leurs réglementations, ou qu'ils se transforment au besoin en "paradis pour les pollueurs". Ce problème politique aussi explosif que le précédent n'en a pas moins apparemment conduit les Etats-Unis et l'Union européenne à s'efforcer de relier les questions du travail et de l'environnement à des questions de pur commerce international lors du sommet de Seattle – et c'est là la deuxième grande raison qui explique, et le fiasco, et les protestations virulentes des pays en développement. Pourquoi cette proposition les a-t-elle tellement irrités ? Parce que la plupart d'entre eux estiment que toute sanction commerciale appliquée pour de semblables motifs servirait en définitive d'excuse protectionniste pour fermer les marchés à leurs produits – et que dans ces conditions le groupe des riches continuera comme à son habitude à plus faire pression sur les petits pays que sur les grands.

Telles sont les principales difficultés soulevées par la nécessaire révision des règles du commerce international. Leur grande complexité technique ne doit pas faire perdre de vue les énormes enjeux qu'elles recouvrent, dont le plus important est la réduction de la pauvreté. En l'occurrence, c'est sur pièces qu'il faudra juger, surtout en ce qui concerne les subventions agricoles.

Quoi qu'il en soit, ces complications permettent aussi de comprendre pourquoi le malaise autour de la résolution des grands problèmes mondiaux semble d'une certaine façon se cristalliser sur ce point. Au vrai, les échanges commerciaux ne sont pas seuls en cause ; plus exactement, ils ont deux domaines corollaires tout aussi complexes.

La régulation des investissements. Pendant que d'un bout à l'autre du globe la libéralisation des échanges commerciaux agite les esprits, un autre phénomène commence à peser en force sur l'intégration élargie que réclame la nouvelle économie mondiale. Les investissements étrangers, puisque c'est d'eux qu'il s'agit, ont décollé plus vite encore que le commerce international au cours des dernières décennies : leur essor est presque trois fois plus rapide. Entre 1980 et 2000, le montant total des investissements étrangers est passé de 4 à 12 % de la moyenne des différents PIB du monde, mais c'est dans les pays en développement que sa croissance a été la plus spectaculaire avec un saut de 4 à 16 % du PIB.

On dénombre désormais 63 000 multinationales qui ont à elles toutes 800 000 filiales à l'étranger. En 2000, les ventes réalisées dans le monde par ces filiales se montaient à 14 000 milliards de dollars, chiffre considérablement plus élevé que le total des exportations mondiales qui cette année-là atteignait 7 000 milliards de dollars. C'est souvent avec des pièces détachées fabriquées aux Etats-Unis que les voitures japonaises ou allemandes sont assemblées sur des chaînes de montage américaines, par exemple. En d'autres termes, les investissements étrangers qui s'élèvent maintenant à 1 000 milliards de dollars par an (un tiers dans les pays en développement, les deux tiers restants dans les pays riches) sont les grands vecteurs du système de production mondialisé au cœur de la nouvelle économie mondiale (cf. chap. III et IV). S'agissant de la fourniture des biens et des services aux marchés étrangers, ces investissements sont d'ores et déjà plus importants que le commerce international proprement dit.

S'il existe en matière de commerce des règles mondiales dont l'application est confiée à l'OMC, il n'existe rien d'équivalent pour les investissements étrangers : au lieu d'un cadre homogène, on a quantité d'accords ou de traités bilatéraux, souvent promus par l'Union européenne. Leur nombre qui était de 400 environ en 1980 tourne aujourd'hui autour de 2 000, et ils impliquent plus de 170 pays[26]. Cela seul (bien qu'il y ait aussi d'autres raisons) fait de la régulation des investissements une question d'importance mondiale à laquelle il faudra s'attaquer un jour, et dans les meilleurs délais : les investisseurs n'arrivent plus à se repérer dans le maquis des accords bilatéraux dont la prolifération joue probablement au détriment des pays en développement. Beaucoup semblent cependant estimer que cette question doit passer après celle des échanges commerciaux, à en juger par les nombreuses voix qui protestent contre son inclusion dans le programme déjà très chargé des négociations sur la régulation du commerce.

Les règles de la concurrence. Il s'agit du dernier venu parmi ces problèmes. En 1999, le montant des sommes en jeu dans les fusions d'entreprises a dépassé les 3 000 milliards de dollars, ce qui est d'ailleurs un autre signe de la restructuration massive de la production mondiale en dehors du commerce international. En elles-mêmes, ces fusions ne soulèvent pas de questions proprement planétaires, hormis le problème créé par le nombre de pays (une soixantaine) où elles doivent franchir le parcours d'obstacles des dispositions législatives nationales sur la concurrence (les lois anti-trust). Quand, à la fin 2000, le groupe Alcan a essayé de s'associer avec Péchiney et Alusuisse (tentative qui pour finir ne s'est pas concrétisée), il a dû constituer des dossiers en huit langues et les déposer dans seize pays différents, ce qui représentait quatre cents boîtes d'archives et un million de pages[27].

Les "détails" de ce genre ne devraient pas tarder à conférer à la question une dimension internationale, au même titre que la régulation des échanges commerciaux et des investissements. Faut-il chercher à renforcer la convergence des diverses approches en essayant d'harmoniser les définitions de la libre concurrence, les réglementations et les critères qu'elles ont inspirés ? Comment les autorités nationales chargées d'appliquer les lois antitrust doivent-elles traiter les dossiers d'entreprises dont les activités réelles ou virtuelles débordent largement leur juridiction territoriale ? Que peuvent-elles devant les monopoles qui se constituent en un rien de temps dans certains secteurs de la haute technologie ?

En résumé, cette question mondiale en trois volets sur la régulation internationale du commerce, des investissements et des règles de la concurrence appelle une action mondiale déterminée. La tâche la plus rude, en l'occurrence, consistera à diminuer les énormes subventions agricoles des pays riches – et bien sûr à lever les autres complications surgies autour du volumineux et brûlant dossier des échanges commerciaux internationaux. L'urgence, ici, crève les yeux : il s'agit de donner aux pays en développement des chances sérieuses d'atteindre au cours des prochaines décennies les taux de croissance de 5 à 6 % indispensables pour résoudre la plus grave de toutes les questions mondiales : celle de la pauvreté.

LA PROTECTION DE LA PROPRIÉTÉ INTELLECTUELLE

La protection des droits sur la propriété intellectuelle (brevets, marques déposées, copyrights, secrets industriels, etc.) n'est plus, depuis maintenant deux décennies, une obscure question technique relevant de réglementations nationales, mais un problème mondial au centre de débats passionnés. Il s'agit d'un problème avec de nombreuses facettes, difficile à présenter en quelques lignes. Une chose est sûre, cependant : derrière toutes ces facettes se trouve un phénomène propre à la nouvelle économie mondiale.

Nous avons vu dans les premiers chapitres de ce livre que la nouvelle économie mondiale est friande de connaissances et d'innovations permanentes, autrement dit tout sauf statique. C'est bien là, d'ailleurs, que le bât blesse : dans une économie statique, il serait somme toute logique d'accorder à la propriété intellectuelle une protection moindre qu'à la propriété matérielle. Pourquoi ? Tout simplement parce que l'objet dont se sert X ne pouvant pas être simultanément utilisé par Y, le législateur doit préciser les droits sur la propriété des biens matériels afin d'éviter la guerre de tous contre tous. A l'inverse, si X écoute une chanson ou regarde un film, Y peut en faire autant pour un coût supplémentaire nul ou quasi nul ; dans ces conditions, exiger l'acquittement de droits de propriété intellectuelle n'aurait pour résultat que de dissuader inutilement des consommateurs potentiels.

Mais la nouvelle économie mondiale est tout sauf statique, et, de même que les droits de la propriété matérielle doivent être protégés, de même il faut protéger les droits de la propriété intellectuelle si l'on veut inciter les individus à concevoir des logiciels, des médicaments, des chansons, des films nouveaux. En fait, cette protection est plus nécessaire que jamais, étant donné le coût de production souvent très lourd de ces créations – il faut engager des milliards de dollars pour mettre au point certains médicaments, produire un film coûte souvent une fortune et des marques déposées mettent parfois des dizaines d'années avant de s'imposer en labels de qualité. Les sommes à engager augmentent, tandis que parallèlement les nouvelles technologies simplifient toujours plus la copie et la diffusion gratuite des produits. La nouvelle économie mondiale a porté à son maximum la tension entre ces deux facteurs[28].

D'où les nombreuses ramifications de cette question et l'extrême fluidité du domaine qu'elle recouvre. Témoins ces trois aspects, choisis parmi bien d'autres :

• *Les logiciels informatiques.* Emboîtant le pas aux États-Unis et au Japon, divers pays s'orientent semble-t-il vers la protection de logiciels au moyen de brevets. Ceux qui dénoncent cette évolution avancent qu'un logiciel ne mérite en soi pas plus d'être breveté qu'une formule mathématique, et que vouloir le protéger de la sorte freinera l'innovation en informatique[29]. Pour donner un exemple de la hauteur des enjeux de ce débat, des sociétés commerciales nouvelles, telle Ximian, ont tenté de reformuler les règles du commerce des logiciels en mettant gratuitement à disposition des logiciels de traitement de texte, de tableurs, de courrier électronique, etc., créés par leurs soins mais qui reprennent la présentation et l'esprit des produits signés par Microsoft. Pourtant, si Microsoft a un chiffre d'affaires annuel de 25 milliards de dollars, c'est précisément parce qu'il estime que ses logiciels et leurs composants lui appartiennent et font partie de la marque déposée[30]. Les adversaires de cette position soutiennent par ailleurs que le fait d'étendre la protection des brevets aux logiciels risque de conduire les groupes les plus puissants à constituer des monopoles – pointant ainsi le danger d'un conflit entre l'encouragement de la libre concurrence (rôle de la législation antitrust) et l'encouragement de l'innovation (rôle des lois sur la propriété intellectuelle, qui ont pour but de protéger suffisamment long-temps les inventeurs de la concurrence pour les inciter à créer[31]).

• *Les biotechnologies.* Aujourd'hui, on met sous brevet des organismes vivants, ce qui soulève une multitude de questions : morales et religieuses pour un certain nombre de gens, relatives aux risques que cela implique pour l'environnement pour d'autres (voir plus haut, dans ce chapitre), et, pour les pays en développement, liées à l'inquiétude de voir bientôt les multinationales dominer le mar-ché des semences des variétés nouvelles. Sur les quelque 920 bre-vets d'ores et déjà déposés pour des variétés de riz, de maïs, de soja, de blé et de sorgho, 70 % l'ont été par des multinationales[32]. Cette tendance est préoccupante à deux titres : rien n'exclut que de plus en plus de brevets soient déposés pour des variétés dont on ne sait pas en quoi elles innovent ; et à terme les agriculteurs qui se ser-vent de semences brevetées pourraient n'avoir d'autre choix que d'accepter un système de réversion de royalties qui limiterait leur traditionnelle liberté de mettre de côté les graines de leurs récoltes pour les semer, les échanger ou les revendre comme bon leur semble. Autre problème qui se pose lui aussi de façon pressante : le dépôt de brevets sur des séquences de gènes décodées, à l'origine de controverses délicates. L'entreprise Human Genome Sciences alimente une de ces polémiques : ayant eu la prévoyance de faire breveter la séquence CCR5 qui, dans ses fonctions de récepteur, semblait une cible prometteuse pour les médicaments contre le sida, elle est théoriquement en mesure d'exiger que les autres compagnies pharmaceutiques lui reversent des droits si elles met-tent au point des médicaments agissant sur ce récepteur[33].

• *Menace de conflit entre le monde développé et le monde en développement.* Bien qu'elles n'aient qu'un lien assez indirect avec le commerce international, de nouvelles dispositions relatives à la propriété intellectuelle ont été avalisées par l'OMC *via* un accord à l'intitulé éloquent : l'Accord sur les aspects commerciaux des droits de pro-priété intellectuelle – ou TRIPs selon son acronyme anglais (pour Trade-Related Aspects of Intellectual Property Rights). La plupart de ces mesures ne seront applicables aux pays en développement qu'aux alentours de 2005, mais l'angoisse monte car ils vont devoir corriger les faiblesses de leurs codes de propriété intellectuelle, et notamment : renforcer les normes et les conditions d'application des brevets ; consolider, voire créer, les systèmes assurant la pro-tection du copyright, des marques déposées et du secret industriel ; reconnaître alors qu'ils s'y refusent souvent aujourd'hui la validité des brevets protégeant par exemple des produits pharmaceutiques, des composés chimiques agricoles, des dérivés de la biotechnologie, de nouvelles variétés végétales. Beaucoup de ces pays voient les choses de la manière suivante : sans nier que l'amélioration des mécanismes d'incitation à l'innovation et à la création aura des retombées globalement positives, ils estiment qu'elle freinera leur capacité à imiter les productions et les technologies étrangères. Ils craignent aussi d'être doublement mis à contribution, car en sus des dépenses très lourdes entraînées par la réforme des systèmes qu'ils appliquent actuellement à la propriété intellectuelle, il leur faudra sans doute payer plus cher (à raison de 20 milliards de dollars par an) les produits brevetés. Il n'y a pas si longtemps, ce problème a provoqué des débats houleux autour du prix des traitements anti-sida et de la protection que leur assurent les brevets ; et chacun a pu mesurer à quel point le problème est réel pour des pays pauvres lorsque même le Canada et les Etats-Unis se sont dits outrés par les prix des médicaments utilisés contre le bacille du charbon et ont même brandi un temps la menace de passer outre la législation sur les brevets en raison de la menace bioterroriste[34].

Ces trois aspects d'une question qui en comprend bien d'autres devraient suffire à rendre palpable l'urgence qu'il y a à imaginer des solutions mondiales aux problèmes complexes que posent les droits de la propriété intellectuelle. La question est trop cruciale et trop vaste, et les lois nationales qu'elle a inspirées sont trop divergentes pour qu'on la leur abandonne : en dehors de l'Union européenne, il n'est pas deux pays qui aient en la matière une législation identique. Elle est de plus trop importante pour être purement et simplement annexée aux négociations en cours sur le commerce international, déjà fort âpres et qui n'ont qu'un lointain rapport avec elle. Son urgence, enfin, vient de ce que la réalité a changé beaucoup plus vite que les systèmes de protection de la propriété intellectuelle existants. Remarque qui vaut également pour la question que nous allons aborder maintenant.

LA RÉGULATION DU COMMERCE ÉLECTRONIQUE

Il y a, à l'heure actuelle, deux façons de se représenter le commerce électronique. La première met l'accent sur les turbulences qui ont récemment secoué le secteur des sociétés "point.com", dont l'envolée en beauté et l'atterrissage brutal furent en grande partie liés aux aléas du commerce électronique : vu sous cet angle, ce dernier apparaît alors comme un assez piètre équivalent de la vente par correspondance, plus particulièrement destiné aux transactions entre entreprises mais d'une portée somme toute restreinte. La seconde est bien différente. Imaginez que dans un avenir relativement proche un milliard d'ordinateurs seront connectés les uns aux autres en tous les points du globe, et qu'au lieu de simplement former une sorte de communauté en ligne ils vont susciter l'émergence d'un "septième continent" – un continent virtuel où ni les fuseaux horaires ni les frontières n'auront cours, où il sera possible de commercer et de négocier vingt-quatre heures sur vingt-quatre, sept jours sur sept, de voyager à l'aide de passeports qui indiqueront moins l'identité des individus que celles de leur matériel informatique et de leur mode de connexion à l'Internet[35].

Cette deuxième représentation est la plus réaliste. Alors qu'il portait sur à peine quelques milliards de dollars au milieu des années quatre-vingt-dix, le commerce électronique a brusquement décollé : il a atteint le palier de 250 milliards de dollars en 2001, et selon plusieurs prévisionnistes il pourrait dépasser les 3 000 milliards de dollars aux alentours de 2005. On nous prédit aussi qu'en 2010 sa part dans le commerce de détail s'établira autour de 15 à 20 %. Précisons, pour ceux qui trouveraient ces estimations exagérées, que les ventes par correspondance sur catalogue papier constituent tout de même 10 % du commerce de détail aux Etats-Unis. A ce jour, cependant, le gros du commerce électronique concerne moins la vente au détail en direction des consommateurs que les transactions entre entreprises, qui représentent 80 % du total. Ses perspectives d'expansion restent donc considérables, surtout compte tenu des marchés qui s'offrent à lui en dehors des Etats-Unis, lesquels concentrent toujours 70 % de son activité.

Pourquoi tant d'optimisme, demandera-t-on ? Parce que, malgré des débuts un peu difficiles, le commerce électronique présente des avantages énormes qui l'imposeront forcément comme un des plus gros phénomènes de société de demain :

• Il a d'emblée une portée mondiale et n'est pas limité par le manque de place en rayons ou en entrepôt – ce qui est un sérieux atout par rapport au commerce "réel".

• Le choix y est plus vaste et il est facile de comparer les prix (on se souvient de la métaphore sur la "nudité" de l'économie évoquée au chapitre V).

• Les coûts inhérents au suivi et à la conclusion des transactions y sont sensiblement moins élevés.

• Les marchandises peuvent être acheminées par envois groupés, ou dirigées vers l'entrepôt le plus proche.

Comme si cela ne suffisait pas, le commerce électronique a aussi le mérite de rassembler avec une extraordinaire efficacité des acteurs disséminés aux quatre coins du globe ; eBay, par exemple, attire des enchérisseurs du monde entier et dame le pion aux salles des ventes locales[36]. Il est de plus très facile de lui adjoindre des informations qui intéressent directement le consommateur, ce qu'illustrent les suggestions automatiques d'Amazon.com renvoyant à d'*autres* livres similaires à celui sur lequel porte la demande, ou les services de commerce électronique comprenant l'intervention d'opérateurs téléphoniques. S'agissant des échanges entre entreprises, il permet à toutes celles qui y ont recours de coopérer plus étroitement entre elles, avec leurs fournisseurs et même leurs clients – processus qui profite à tout le monde et rend chacun plus avisé (cf. chap. IV).

Ce succès prévisible et annoncé est toutefois porteur d'une question de dimension mondiale qu'il faudrait traiter au plus vite. Le risque est gros, en effet, que le commerce électronique, de pair avec les contrats électroniques et la monnaie électronique qui sont ses proches cousins, excède bientôt la capacité des instances internationales à l'encadrer au moyen d'un minimum de règles partout valables. Voici à titre d'exemples quelques-uns des problèmes à résoudre rapidement, en les abordant dans une perspective planétaire :

• *La taxation.* Ce thème, déjà discuté plus haut, est complexe et sérieux.

• *Le fatras des législations nationales.* Le commerce électronique crée une tension énorme entre d'une part le "septième continent" sans frontières et, de l'autre, le caractère territorial des législations des Etats-nations (mouvement qui relève d'un conflit plus général évoqué au chapitre VII). *Via* l'Internet, n'importe qui peut, de n'importe où, acheter, vendre et entrer en contact avec n'importe qui d'autre se trouvant n'importe où ailleurs. Mais le Danemark interdit les publicités adressées aux enfants, la France les publicités en anglais, l'Allemagne les publicités comparatives. Lors d'un procès célèbre, Yahoo ! fut poursuivi en France pour héberger des sites web qui affichaient et vendaient des objets nazis ; peu de temps après, un tribunal fédéral américain statuait que Yahoo ! pouvait parfaitement ne pas tenir compte du jugement rendu en France[37].

• *L'arbitrage des litiges.* Un certain nombre de pays, dont ceux de l'Union européenne, estiment qu'en cas de litige à propos d'une transaction en ligne les clients devraient pouvoir s'en remettre à la juridiction du territoire où ils résident, et non à celle du fournisseur qui peut être localisé n'importe où. D'autres pays sont de l'avis contraire. Il y a en fait deux issues possibles à ce type de blocage. Des solutions techniques telles que le filtrage ou le suivi des utilisateurs au moyen de l'"adresse IP" permettraient sans doute aux Etats-nations d'appliquer leurs législations respectives, mais leur mise en œuvre reste problématique[38]. Et puis, il y a le Graal plus ou moins ragoûtant du commerce électronique : un système (inexistant et qui ne verra peut-être jamais le jour) où chaque utilisateur aurait une identité numérique permanente précisant son âge, son sexe, sa citoyenneté, sa résidence fiscale, son statut professionnel – et qui permettrait aux Etats-nations de reconquérir du terrain de manière encore plus systématique[39]. Si des solutions techniques acceptables ne sont pas bientôt trouvées, les nations devront sortir de l'impasse en harmonisant bon gré, mal gré, leurs législations – ce dans des domaines comme la publicité, l'hébergement des sites web ou les questions juridictionnelles.

• *La fiabilité et la sécurité du commerce électronique.* Les nations seraient également bien avisées de réfléchir collectivement à toute une série de points non prévus par le droit, tels que la signature et l'authentification des documents électroniques, les règles relatives à la conservation de ces documents, les règles précisant les critères du consentement, les règles sur le copyright des documents électroniques, les principes de base de la protection des consommateurs en ligne, et, très important, les règles sur les données à caractère privé, leur transfert et leur codage. Le commerce électronique étant encore tout neuf, le moment est on ne peut plus propice pour que les pays s'accordent sur la formulation de ces règles. Si cette occasion n'est pas saisie, d'autres blocages ne manqueront pas de surgir ; on en a déjà un avant-goût avec ce qui se passe aux Etats-Unis, où quarante Etats ont en toute indépendance adopté autant de réglementations différentes sur les signatures électroniques. Il suffit d'extrapoler la situation aux quelque cent quatre-vingt-dix Etats-nations qui coexistent sur terre pour se rendre compte que la vie sur le septième continent pourrait devenir franchement infernale.

• *La protection des personnes, des entreprises et des sociétés contre les cyber-délits.* Pour que la fréquence des problèmes spécifiques à l'Internet – hacking, escroqueries sur les cartes de crédit, virus – n'entrave pas le développement du commerce électronique, il faut sans attendre s'y attaquer résolument sur le plan mondial. Dans ce domaine, les possibilités d'utiliser la technologie à des fins malintentionnées dépassent de loin la capacité des nations à assurer la protection de leurs citoyens[40]. Tout spécialement préoccupantes sont à cet égard la cryptographie, autrement dit la commercialisation de systèmes inviolables dont les services de sécurité gouvernementaux n'auraient pas le code d'accès, ou la stéganographie, qui permet de dissimuler de manière quasi indécelable des données, des messages et des images dans des images Internet en elles-mêmes anodines. (Il y a de bonnes raisons de penser que les agents d'Al-Qaida ont utilisé cette technique[41].)

Ce résumé par trop succinct rend mal justice à la variété et à la complexité du commerce électronique. Sa seule ambition est de faire sentir combien il est urgent de régler avant qu'il soit trop tard cette question mondiale qui n'a pas encore donné sa pleine mesure. Il y a bien eu des tentatives dans ce sens, mais prises par des groupes loin d'avoir une envergure planétaire – de l'OCDE au moins influent Conseil de l'Europe (avec ses quarante Etats membres), en passant par des alliances régionales plus restreintes. Pendant ce temps, les législateurs nationaux veillent sur un maquis de lois internationalement incompatibles et portant sur des points que personne ne comprend très bien.

LA PROTECTION DES TRAVAILLEURS
ET LES MIGRATIONS INTERNATIONALES

Cette question se situe précisément à la confluence des deux grandes forces décrites dans la première partie. La force que constitue la nouvelle économie mondiale exige de prêter une attention redoublée au droit du travail tel qu'il est diversement appliqué par les économies nationales, car leurs sphères d'influence respectives empiètent de plus en plus les unes sur les autres. Quant à la force démographique, elle soulève maintes interrogations relatives aux mouvements migratoires. On voit mal comment, dans vingt ans, la planète pourrait continuer de tourner faute d'une réglementation conçue pour un marché du travail mondial : de toute évidence, ce marché est d'ores et déjà en voie d'élaboration.

Les questions touchant à la *réglementation du travail* sont à la fois anciennes et toujours renouvelées. Anciennes, parce qu'elles relèvent d'une des plus vieilles institutions internationales, le Bureau international du travail (BIT), en place depuis 1919. Toujours renouvelées, aussi, parce qu'en la matière les choses changent très vite : les modes de travail ne sont plus les mêmes qu'autrefois, désormais le travail indépendant alimente souvent plus la croissance que l'emploi salarié, les syndicats sont en perte de vitesse. De plus, la nouvelle économie mondiale accroît l'interdépendance entre les pays, et cet état de fait impose de renforcer et d'élargir le cadre de référence du droit du travail. Pour schématiser, l'effort à engager devrait porter sur quatre niveaux :

• *Les droits fondamentaux.* Le monde reconnaît déjà quatre "principes fondamentaux", réaffirmés en 1998 par une convention à laquelle de nombreux pays ont souscrit : la prohibition de l'esclavage et du travail forcé ; l'interdiction des discriminations de toute nature dans le domaine de l'emploi ; l'interdiction du travail des enfants en deçà d'un âge minimum (et d'un certain nombre d'autres conditions), assortie de l'engagement à en combattre les formes les plus abjectes telles que la prostitution enfantine, la vente et le trafic d'enfants, l'enrôlement des enfants dans des troupes armées, etc. ; la reconnaissance à tous les travailleurs de la liberté d'association et de négociation collective. La gageure, en l'occurrence, n'est donc pas de préciser ou de définir ces principes mais d'obtenir qu'ils soient universellement respectés[42].

• *L'extension des droits du travail.* Pour le XXIe siècle, ce domaine élargi pourrait inclure des clauses sur la santé, la sécurité, le minimum exigible en matière de conditions de travail, la couverture obligatoire par les réseaux de protection sociale, les modalités de résolution des litiges, la reconnaissance des droits du travail aux actifs non salariés dont le nombre augmente rapidement dans la nouvelle économie mondiale.

• *La notion de travail "décent".* Un courant d'idées nouvelles est en train de déplacer la conception des droits du travail, jusque-là essentiellement axée sur les interdits (prohibition du travail forcé, des discriminations, etc.), vers des perspectives plus ouvertes sur l'égalité des chances[43]. Le langage s'est enrichi de l'expression "droit à l'initiative économique[44]" – et de nombreuses voix s'élèvent pour recommander que les travailleurs et les syndicats soient associés à l'élaboration des mesures et des institutions devant orienter la société dans ce sens. D'aucuns estiment que le niveau des créations d'emplois devrait partout être considéré comme un indicateur important du bien-être social. La notion de travail décent est également à mettre en rapport avec le souci d'associer la recherche de croissance économique qui doit permettre aux pays en développement de réduire la pauvreté à la recherche d'une croissance juste et durable – susceptible de conférer aux plus pauvres les moyens de tirer le meilleur parti de leur atout principal, à savoir leur force de travail (cf. chap. XIII[45]).

• *Un nouveau mode de travail.* Dans tous les pays du monde les gens seront de plus en plus nombreux à travailler pour plusieurs employeurs à la fois, à distance et en ligne selon les modalités du télétravail (aux Etats-Unis, il concerne déjà 30 millions de personnes). Ils devront sans cesse renouveler leurs compétences et leur savoir à l'aide de formations proprement continues, poursuivies tout au long de la vie. Et il faudra qu'ils puissent passer d'un régime de retraite à un autre. Cela suppose d'imaginer toute une série de mesures inédites et créatives, universellement applicables, pour accompagner cette réinvention d'un espace professionnel élargi aux dimensions du globe. (Une de ces mesures, évoquée au chapitre XIII, consiste à prévoir un système d'accréditation internationale des compétences.)

Le premier de ces quatre niveaux a bien été appréhendé mondialement, mais la réflexion s'essouffle sur les trois autres, et de plus en plus au fur et à mesure qu'on progresse dans la liste. La fermeté des positions internationales sur les quatre droits fondamentaux est payée de retour : des pays comme le Myanmar, trop enclins à tolérer le travail forcé et le travail des enfants, commencent à céder et à se mettre en conformité avec le droit international[46]. Ces principes sont également pour beaucoup dans l'adoption de quelque sept cents codes de bonne pratique par les entreprises multinationales.

Ce succès reste malheureusement isolé, et s'agissant des trois autres niveaux les idées brassées sur la planète sont loin d'être aussi limpides et fermes. Ici comme avec le commerce électronique et les biotechnologies, le phénomène qui les relie (l'émergence d'un marché du travail mondial) dépasse largement la capacité des instances internationales à établir un ensemble minimal de règles universelles pertinentes, utiles et globalement cohérentes. C'est l'inverse, en fait, que l'on observe : la récente tentative d'associer les principes fondamentaux relatifs au travail aux règles régissant la concurrence internationale n'a eu d'autre effet que d'accroître la confusion autour de ces thèmes – et les pays en développement y ont tout de suite vu un nouveau stratagème visant à fermer les marchés des pays riches aux produits fabriqués chez eux[47].

La régulation des flux migratoires témoigne peut-être d'une confusion pire encore. Pour Samuel Huntington, l'auteur du *Choc des civilisations*, les migrations internationales sont la grande question de notre époque[48]. Ainsi que nous l'avons vu au chapitre II, tandis que les pays riches sont dès à présent confrontés au vieillissement et au rapide déclin de leurs populations, le monde en développement sera en butte pendant vingt ans encore à des défis considérables, tant sur le plan démographique que dans la lutte contre la pauvreté. Responsables à plus de 95 % de l'augmentation à venir de la population mondiale, les pays en développement vivront dans la crainte de ne pas pouvoir dégager suffisamment d'emplois ; quant aux pays riches, ils s'inquiètent à l'idée de ne bientôt plus avoir assez d'actifs pour payer les pensions versées aux retraités. Sans l'immigration, l'Italie qui a un taux de natalité parmi les plus bas du monde verrait sa population chuter de 58 millions à 40 millions d'habitants au cours du prochain demi-siècle. En 2020, pour simplement maintenir ses effectifs en main-d'œuvre l'Allemagne aura chaque année besoin d'un million d'immigrés en âge de travailler[49].

Les chefs de gouvernement sont plus nombreux que par le passé à comprendre que ces deux problèmes pourraient être résolus de manière complémentaire si l'on arrivait à réguler, à l'aide de mesures internationales adéquates, les mouvements migratoires des pays pauvres vers les pays riches. L'Allemagne qui a ouvert la voie en imaginant un système de visa particulier pour les informaticiens a franchi un pas supplémentaire en envisageant d'adopter une politique encourageant l'immigration permanente. Le Royaume-Uni s'emploie également à réviser ses lois d'immigration, et l'Espagne cherche à rajeunir sa population en s'adressant aux pays d'Amérique latine.

Ces premières initiatives restent toutefois trop modestes en regard de l'intensification déjà sensible des flux migratoires. Toute la question est de savoir si la communauté internationale réussira au plus vite à énoncer en la matière des règles universellement applicables, ou si elle va laisser ce chantier en plan et attendre que les dégâts soient considérables pour réagir dans l'affolement. Les quelques aspects suivants illustrent la gravité du problème :

• *La traite d'êtres humains.* Ce phénomène en pleine expansion, très contrôlé par la mafia, concerne chaque année 5 millions de personnes qui abandonnent au total quelque 10 milliards de dollars aux passeurs clandestins. On a ici affaire à l'un des secteurs les plus florissants de la criminalité internationale. La nécessité d'une réglementation mondiale s'impose d'autant plus que la traite d'êtres humains n'est pas seulement alimentée par la pauvreté, mais aussi par les restrictions récemment apportées à l'immigration légale par de nombreux pays riches. Dans les cinq dernières années, le durcissement de ces mesures a ainsi entraîné une baisse de 25 à 30 % de l'immigration légale aux Etats-Unis et en Europe. L'absence de règles communes maintient par ailleurs à un niveau minimal le risque pour les réseaux mafieux d'être découverts et poursuivis, car elle va de pair avec l'insuffisance de la coopération internationale, l'inconsistance des conditions d'octroi des visas et des contrôles aux frontières, le manque de rigueur des sanctions et, parfois, la corruption. Il s'agit là d'une question mondiale urgentissime : pas une semaine ne se passe sans que survienne une tragédie humaine révoltante.

• *Le droit d'asile.* Les pays riches dotés des législations les plus généreuses en matière de droit d'asile finissent par porter une charge beaucoup trop lourde par rapport aux pays moins généreux – d'où le besoin de coordonner les normes nationales.

• *La régulation des flux migratoires.* Alors qu'en 1970 une quarantaine de pays accueillaient des immigrés, on en dénombre aujourd'hui environ soixante-dix. Dans le même laps de temps, les pays d'émigration sont passés de trente à cinquante-cinq. Enfin une quinzaine de pays relèvent des deux catégories. Un marché du travail mondial est en train de se constituer sous nos yeux, et pourtant, à ce jour, les Etats n'ont entrepris de libéraliser que les échanges commerciaux et les flux d'investissement, en laissant de côté les mouvements migratoires. Dans les faits, les législations nationales sur l'immigration sont devenues plus complexes et plus restrictives, et ce pour peu de résultats, en dehors de l'épanouissement des réseaux mafieux. L'autre solution qui consisterait à aider les pays d'émigration à freiner l'hémorragie est restée lettre morte (on se souvient que le montant de l'aide apportée par les pays riches est aujourd'hui moins élevé qu'en 1990). Dans ces conditions, il devient plus que jamais nécessaire d'organiser une réflexion mondiale sur un programme de mesures positives auxquelles chacun – les pays d'émigration comme les pays d'immigration – aurait tout à gagner, de façon à renouveler enfin un débat jusqu'à présent essentiellement négatif[50].

• *La fuite des cerveaux.* Certains pays tirent des bénéfices substantiels de l'exil de leurs ingénieurs et de leurs scientifiques ; en Inde, par exemple, cette exportation des compétences est en passe de devenir une activité nationale. Mais la Jamaïque ne garde qu'un cinquième des médecins formés dans ses universités et au Bostwana, un pays où 38 % de la population sexuellement active (la tranche d'âge des quinze à quarante-neuf ans) est séropositive, chaque année ce sont sept cents infirmières qui émigrent au Royaume-Uni où les salaires sont plus alléchants[51]. Il est grand temps d'engager une réflexion mondiale sur le problème, en s'intéressant notamment à son volet fiscal. Certains pays en développement voudraient exiger des émigrants, qualifiés ou non, qu'ils acquittent une "taxe de sortie", mais la mesure pose un problème du point de vue des droits de l'homme. Une autre idée consisterait à généraliser le régime d'imposition américain fondé sur la citoyenneté, ce qui pourrait aider les pays d'émigration à récupérer une partie au moins des frais d'enseignement engagés pour leurs exilés, même lorsque ceux-ci sont établis à l'étranger[52].

Comme les dix-neuf autres problèmes mondiaux que nous avons successivement passés en revue, celui que soulèvent les droits des travailleurs et la régulation des flux migratoires se résume au fond à un message fondamental : le vaste monde est devenu tout petit, et ce rétrécissement qui le rend plus enchevêtré et plus complexe qu'autrefois révèle la dimension planétaire de toute une série de problèmes plus urgents les uns que les autres. Nous ne pouvons pas nous permettre de les laisser en souffrance – pas le moindre d'entre eux.

Troisième partie

PENSER TOUT HAUT :
DE NOUVELLES PISTES POUR LA RÉSOLUTION
DES PROBLÈMES AU NIVEAU PLANÉTAIRE

XV

Il n'y a pas de pilote dans l'avion

La liste des vingt problèmes intrinsèquement mondiaux examinés dans les chapitres précédents n'est ni complète ni définitive. Ainsi n'y ai-je délibérément pas inclus ceux qui relèvent de la sécurité défensive et que posent, par exemple, les arsenaux d'armes biologiques, chimiques, nucléaires ou le trafic d'armes. Ces classiques questions de sécurité ne sont pas exactement de même nature que celles que j'ai moi-même retenues – la prévention des conflits et la lutte contre le terrorisme, entre autres –, mais pour être vraiment complet il faudrait bien sûr les intégrer à la liste d'ensemble.

D'autres problèmes mériteraient peut-être d'y figurer : ceux qui ont trait aux polluants majeurs, à la sécurité nucléaire et à la prolifération des installations nucléaires, ou encore les questions parallèles de l'énergie durable et de l'agriculture durable. A vrai dire, je pensais d'ailleurs traiter ces deux dernières en tant que telles, puis il m'a semblé que leurs aspects intrinsèquement mondiaux apparaissaient assez clairement dans d'autres rubriques de la liste, notamment le réchauffement climatique et la pauvreté. Le fond du problème, c'est moins la production alimentaire que la faim, elle-même étroitement liée à la question de la pauvreté. S'il n'y a pas lieu de craindre que la planète soit à court d'énergie dans les prochaines décennies, l'utilisation à tout va de cette dernière a des conséquences écologiques alarmantes, dont au premier chef le réchauffement planétaire.

Enfin, tout le volet des questions touchant à la criminalité internationale, aux crimes contre l'humanité et, sur un plan plus positif, à la définition d'un concept plus large des droits de l'homme pourrait à lui seul justifier l'ajout d'une quatrième catégorie portant sur le partage de *valeurs universelles*.

Bref, je suis le premier à admettre que la liste abrégée présentée dans ce livre appelle la critique. Peut-être n'y a-t-il au fond qu'une quinzaine de problèmes *vraiment* mondiaux, certains de ceux que j'ai cités ne méritant pas d'être considérés comme tels. Ou, plus probablement, peut-être leur nombre s'établit-il autour de vingt-cinq. Et peut-être faudrait-il effectivement ajouter une quatrième catégorie à la liste. Soit dit en passant, il y a très peu de recherches conceptuelles sur ces questions de catégorisation, ce qui est passablement alarmant car ce déficit d'analyse est en soi un obstacle à l'élaboration de nouvelles pistes pour la résolution des grandes questions planétaires[1].

L'essentiel, toutefois, n'est pas là. En fait, tous les problèmes que nous venons de passer en revue présentent plusieurs caractéristiques communes :

• Ils sont planétaires en ce sens que certains, s'ils ne sont pas résolus, auront des conséquences potentiellement catastrophiques pour l'avenir de l'humanité, et que tous ne manqueront pas de formidablement compliquer les rapports entre les Etats-nations si nous continuons à les négliger.

• Cet aspect mondial se double d'un caractère d'urgence. Pour nombre de ces problèmes, chaque année perdue à l'étape de la prise en compte diffère de plusieurs années le moment où l'on peut espérer les contrôler (rappelez-vous l'image des "années chien", avec leur multiplicateur de valeur sept). Leur règlement exige une action puissante, délibérée, en profondeur – comparable aux forces à mettre en œuvre pour dévier la course d'un pétrolier ou arrêter une locomotive lancée à plein régime. Pour ces deux raisons, il faut qu'ils soient résolus ou en passe de l'être dans un délai de vingt ans maximum – pas dans trente ou quarante ans, car alors il sera trop tard.

• Leur traitement n'est pas excessivement cher si on le rapporte au revenu d'ensemble de la planète. Nous avons vu que la lutte contre le réchauffement climatique coûterait moins de 1 % du PIB mondial, que la mise au point d'une rotation des zones interdites à la pêche avait en fait un effet positif sur le renouvellement de la ressource halieutique, que l'aide internationale consacrée à la lutte contre la pauvreté peut devenir trois fois plus efficace pour peu qu'on conçoive autrement ses mécanismes et sa distribution, qu'une prévention plus systématique des conflits armés est possible. Point plus important encore, les sommes à engager pour régler les problèmes mondiaux sont relativement dérisoires comparées aux dépenses considérables qu'il faudra y consacrer à long terme, faute d'avoir agi à temps.

• Tous ces problèmes sont éminemment ardus. Certains plus que d'autres, il faut bien le reconnaître – en particulier, mais pas seulement, ceux qui sont politiquement complexes. Les plus compliqués sont sans doute ceux dont la résolution se traduira par des gains importants au niveau mondial et des pertes importantes au niveau local, ou encore ceux qui réclament des solutions relativement coûteuses à court terme alors que leurs bénéfices ne se feront sentir que pour les générations futures. Ainsi, les émissions de gaz à effet de serre (le réchauffement planétaire) sont nettement plus malaisées à traiter que la régulation du commerce électronique, par exemple. Tous ces problèmes ne présentent pas non plus le même niveau de difficulté technique. Les plus épineux, à cet égard, sont sans conteste la nécessaire réforme des systèmes fiscaux ou la réflexion à mener sur les droits afférents à la propriété intellectuelle. Reste que, sur le plan politique comme sur le plan technique, aucun des problèmes inscrits sur la liste n'est simple. L'amincissement de la couche d'ozone aurait pu être cet oiseau rare ; c'est la raison pour laquelle il n'est pas porté sur la liste (ou plus exactement en a été retiré).

• Enfin, en dépit de progrès enregistrés çà et là, pas un seul de ces grands problèmes n'a suscité un effort de résolution probant de la part du système international aujourd'hui en place. Nous allons bientôt découvrir pourquoi.

Autre point qui mérite d'être souligné : à un niveau très profond, ces vingt problèmes urgents sont aussi ceux qui, partout sur la planète, suscitent une anxiété de plus en plus palpable – et il y a gros à parier que cette anxiété va continuer à augmenter au fil des vingt ans à venir.

Les mouvements de contestation pressentent souvent mieux que les gouvernements les dangers inhérents à ces problèmes – même s'ils pratiquent par trop l'obstruction et se sont plus focalisés sur les échanges commerciaux internationaux que sur d'autres questions. Les contestataires n'ont pas tout à fait tort de penser que les choses vont à la dérive et qu'"il n'y a pas de pilote dans l'avion". Bien qu'ils n'aient pas plus de solutions à proposer que les dirigeants politiques, leur activisme même leur donne sur eux une longueur d'avance. Comme le disait Lori Wallach, responsable de l'association Public Citizens' Global Trade Watch et l'un des principaux organisateurs des manifestations qui ont marqué le sommet de l'OMC organisé en 1999 à Seattle : "Comment faire pour aboutir à une responsabilisation de la gouvernance et à des normes universellement applicables ? Ou bien il y aura des règles internationales là-dessus, ou bien nous allons tout simplement nous en occuper nous-mêmes. Un point c'est tout[2]."

XVI

Un système international
loin d'être à la hauteur de l'enjeu

La complexité des grands problèmes mondiaux et le fait qu'ils se jouent des frontières s'accordent mal avec le caractère territorial et hiérarchique des institutions censées les régler au premier chef, à savoir les Etats-nations[1]. Ils en sont d'ailleurs conscients, et historiquement ils ont essayé d'y répondre au moyen de traités et de conventions. Puis ils sont allés plus loin et ont créé trois outils supplémentaires : les conférences intergouvernementales, les groupements de pays de type G7, et une ribambelle d'institutions internationales que j'appelle "multilatérales mondiales", au nombre d'une quarantaine.

TRAITÉS ET CONVENTIONS

Si les traités et les conventions s'avèrent parfois efficaces pour traiter les questions bilatérales ou régionales, leurs résultats sont plus mitigés s'agissant des problèmes planétaires. En outre, les procédures minutieuses qui font traîner en longueur l'élaboration et la ratification de ces textes ne sont plus adaptées aux sujets brûlants d'aujourd'hui – dont beaucoup ne se prêtent de toute façon pas à ce mode de règlement.

Les traités signés à propos de la première catégorie de problèmes intrinsèquement mondiaux (relatifs à l'environnement et à l'espace public mondial) ont parfois été suivis d'effets, mais beaucoup n'ont jamais été ratifiés (dont le protocole de Kyoto, qui ne l'est toujours pas au moment où j'écris ces lignes, et ne le sera de toute façon pas par les Etats-Unis). D'autres, dûment ratifiés et appliqués, perdent toute efficacité parce que certains pays restent à l'écart – tel ce traité sur la gestion des espèces pêchées en mer, effectivement entré en application en décembre 2001 mais sans avoir été ratifié par quinze des vingt principaux pays pratiquant la pêche[2]. Plus grave, un nombre important des traités et des conventions dont la ratification est chose acquise ne sont en réalité portés par aucun engagement sérieux, ou bien leur mise en œuvre est trop lente et trop peu rigoureuse[3]. Les secrétariats prétendument constitués pour veiller à l'application des traités internationaux manquent cruellement de moyens, quand leur existence n'est pas purement nominative, et rares sont ceux qui peuvent s'acquitter de leur mission. Sans compter les nombreux domaines cruciaux où l'effort de résolution reste superficiel ou par trop partiel : la triste histoire du protocole de Kyoto n'est hélas pas un cas unique. Plus généralement, il existe un contraste criant entre les progrès insuffisants ou inexistants sur pratiquement toutes les questions de notre première catégorie, et le nombre impressionnant de traités et de conventions dont elles relèvent (deux cent quarante environ, pour la plupart mis en branle au cours des quarante dernières années).

La situation s'inverse avec les problèmes mondiaux de la deuxième catégorie – ceux en rapport avec des questions socio-économiques si urgentes et graves que leur résolution passe nécessairement par des engagements ou des coalitions planétaires : ils ont inspiré étonnamment peu de traités et de conventions. Quelques-uns, par-ci, par-là, mais au total ils brillent surtout par leur absence. Et les engagements présentés comme tels – par exemple la promesse faite par les pays riches en 1970 de consacrer 0,7 % de leurs PIB à l'aide internationale – demeurent trop souvent à l'état de vœux pieux. Les accords, lorsqu'il y en a, tardent à se concrétiser : chacun a pu s'en apercevoir au lendemain du 11 septembre 2001 à propos des douze conventions internationales sur le terrorisme, inappliquées parce que insuffisamment ratifiées.

Quant à la troisième catégorie de problèmes (ceux qui requièrent une approche réglementaire globale), près de la moitié n'ont jamais été pris en compte au niveau international. Quelques-uns font sur certains points l'objet de traités ou de conventions, mais qui soulèvent de telles difficultés politiques que les résultats s'en font parfois longtemps attendre : des conventions signées il y a plus de vingt ans sur les droits des travailleurs n'ont toujours pas été ratifiées ni appliquées. Une grande partie de ces problèmes classés dans la troisième catégorie sont exacerbés par les changements souvent fulgurants survenus dans les domaines auxquels ils sont liés : il n'est que de penser au commerce électronique, aux biotechnologies, à l'obsolescence dont sont soudain frappés des pans entiers des systèmes de fiscalité, à l'essor foudroyant des drogues de synthèse, à ces défis d'une complexité inouïe que sont la révision des droits sur la propriété intellectuelle ou la refonte de l'architecture financière internationale, à l'ampleur sans précédent des flux migratoires et aux besoins qu'ils traduisent. Certains des champs ainsi ouverts appartiennent si véritablement au XXIe siècle que l'idée de leur appliquer des traités laborieusement conçus selon des méthodes héritées du XIXe siècle a de quoi laisser rêveur.

Le dispositif international actuellement prévu pour résoudre les questions intrinsèquement mondiales n'est pas à la hauteur de l'enjeu...

- Traités et conventions
  Trop lents au vu de l'urgence des problèmes

- Conférences intergouvernementales
  Trop ponctuelles pour un suivi efficace des intentions affichées

- Groupements de type G7, G8, Gx...
  Quatre limites majeures :
  1. la méthodologie   3. l'expertise limitée
  2. le caractère exclusif 4. la distance avec les opinions publiques

- Multilatérales mondiales
  Incapables en l'état de traiter par elles-mêmes les grandes questions planétaires

---

Figure XVI.1. Le dispositif international existant.

Deux développements plus généraux et assez récents sont d'ailleurs de mauvais augure quant à la capacité des traités et des conventions à remédier promptement aux problèmes mondiaux. D'abord, le peu de goût de la nouvelle administration américaine pour les accords internationaux, en particulier ceux dont les termes doivent être approuvés par le Congrès – le protocole de Kyoto et le Tribunal pénal international sont des cas d'école, mais loin d'être uniques. Ainsi a-t-elle repoussé le possible amendement d'une convention trentenaire sur les armes biologiques, au profit d'une action directe pour laquelle elle n'a pas besoin d'obtenir l'approbation du Congrès[4].

Vient ensuite la tendance qui, de plus en plus, conduit les pays à user à dessein d'un langage flou pour montrer à leurs opinions publiques, presque à tout prix, qu'ils ont réussi à parvenir à un accord. Résultat, ils produisent trop souvent des textes aux exigences minimales qui doivent ensuite être précisés par des négociations détaillées. Ce processus en deux étapes est illustré par la déclaration de Doha, où la question de la réduction des subventions agricoles fait l'objet d'une phrase si alambiquée que c'est un modèle du genre. L'accord auquel l'Union européenne est arrivée à l'issue du sommet de Nice (nous y reviendrons au chapitre XVII) comprenait tant de détails insuffisamment clarifiés que sur un certain nombre de points personne n'était sûr de ce qui avait été décidé. Les amendements récemment apportés au protocole de Kyoto lors de la conférence de Marrakech ne précisent nullement si les pays qui dépasseraient le seuil d'émissions autorisé encourent des pénalités juridiquement contraignantes ou de simples sanctions politiques[5].

Etant donné l'urgence des grands problèmes mondiaux contemporains, ces deux développements sont pour le moins déplorables[6]. Au demeurant, ces limites et la lenteur de l'élaboration des traités sont pour beaucoup dans la place désormais accordée, essentiellement depuis la seconde moitié du XXe siècle, à trois autres outils internationaux : les conférences intergouvernementales, les groupements de pays de type G7 et les multilatérales mondiales. A y regarder de plus près, toutefois, aucun ne semble en soi assez puissant pour venir en vingt ans à bout des vingt grands problèmes mondiaux.

LES GRANDES CONFÉRENCES INTERGOUVERNEMENTALES

Au cours des trente dernières années, l'ONU a mené d'héroïques combats d'arrière-garde en convoquant à un rythme soutenu de grandes conférences intergouvernementales tour à tour consacrées à un thème d'importance mondiale. L'ensemble des Etats-nations y participe, chacun de leurs représentants disposant en règle générale d'un temps de parole limité à quelques minutes. L'exercice dure environ une semaine et s'achève sur la publication d'une déclaration dont les grandes lignes ont été tracées à l'avance. Dans le souvenir, ces grands-messes restent associées aux villes qui les ont accueillies : Rio et Kyoto pour l'environnement, Copenhague et Genève pour les questions de société, Le Caire pour la population, et ainsi de suite.

Ces prestigieuses réunions qui se succèdent les unes aux autres présentent cependant des faiblesses évidentes. Trop ritualisées, elles sont aussi trop brèves pour déboucher sur autre chose que des déclarations générales, et ne prévoient pas non plus de véritable suivi des intentions – lequel se limite généralement à la promesse de refaire le point de la situation cinq ans plus tard (Kyoto, c'était déjà Rio + 5, et le sommet organisé de 2002 à Johannesburg correspond à Rio + 10). Les débats houleux et les accusations réciproques sur ce manque de suivi qui précèdent presque toujours le prochain rendez-vous sont de nature à renforcer les doutes quant à l'utilité de ces conférences intergouvernementales. En bref, si elles contribuent utilement à attirer l'attention, au moins pour un temps, sur des problèmes mondiaux, leur efficacité quant aux solutions à leur apporter n'est pas démontrée. A cet égard, les choses ne vont d'ailleurs pas en s'arrangeant : la conférence sur le racisme organisée en septembre 2001 à Durban s'est achevée sur un tel imbroglio qu'il aura fallu un délai supplémentaire de quatre mois pour arriver à un accord sur un texte définitif.

LE G7 ET LES GROUPEMENTS DE PAYS DU MÊME TYPE

Le G7 et les groupements de pays similaires ne sont pas plus en mesure de s'attaquer fermement à la plupart des problèmes auxquels est confrontée la planète. Depuis la seconde moitié des années soixante-dix, les Etats-Unis, le Royaume-Uni, la France, l'Allemagne et le Japon se rencontrent pour discuter "des grandes questions économiques et sociales qui touchent leurs sociétés et la communauté internationale dans son ensemble[7]". Un peu plus tard, le Canada et l'Italie sont venus grossir le groupe qui devint alors le G7. Le mandat qu'il s'est lui-même fixé lui confère des pouvoirs étendus, qui lui permettent de mobiliser ses membres afin d'agir sur tel ou tel problème : au cours des dernières années, le G7 a ainsi œuvré à l'allègement de la dette des pays les plus pauvres, pris position contre le blanchiment d'argent et largement contribué à la résolution de la crise au Kosovo.

Seulement, le champ de ses attributions est trop vaste. Obligé de reconnaître dans les années quatre-vingt que son mandat était à la fois trop étendu et trop imprécis, le G7 a entrepris de se démultiplier en forums interministériels, commissions et groupes de travail. L'entrée plus ou moins informelle de la Russie à la décennie suivante le transforma en G8 en 2002, et en 1999 il accoucha même d'un corps spécialisé, le G20, dans l'intention avouée d'inclure certaines économies émergentes (celles, entre autres, de la Chine, de l'Inde, du Mexique, de la Turquie et du Brésil) afin de mieux contrer les crises financières internationales.

L'évolution est à certains égards positive, mais le modèle a toutefois ses limites :

• *Première limite : la méthode.* Les gouvernements qui, en 1944, ont décidé la constitution de la Banque mondiale et du FMI suivirent une démarche bien différente de celle qu'adopte le G7 lorsqu'il crée des commissions et des groupes de travail ou publie des communiqués et des documents divers : lui agit presque toujours à chaud sur des problèmes déjà matérialisés. En 1944, la conférence de Bretton Woods, dans le New Hampshire, à l'origine de la création des deux institutions financières internationales, réunissait les représentants de quarante-quatre nations riches et pauvres (John Maynard Keynes en parlait avec scepticisme comme de "la plus monstrueuse des cages à singes assemblée depuis des années[8]").

Les échanges de vues et l'effort de réflexion qu'elle suscita n'en furent pas moins sincères et ils témoignent d'une belle capacité d'anticipation. Ils furent poursuivis aussi longtemps que nécessaire – deux semaines pleines à Bretton Woods, suite à plusieurs rencontres préliminaires tenues à Atlantic City et ailleurs – et mobilisèrent de grands esprits : Keynes, mais aussi Harry White, Edward Bernstein, Roy Harrod, Pierre Mendès France. La Seconde Guerre mondiale n'était pas achevée, et pourtant c'est avec un sentiment d'urgence que les visionnaires de Bretton Woods s'attelèrent à stabiliser les relations internationales, restaurer l'ordre du monde et assurer la reconstruction. A cette fin, ils imaginèrent des solutions à des problèmes qu'ils ne faisaient que pressentir[9], créant de la sorte la *capacité* à répondre aux difficultés à venir.

Le G7 et ses divers avatars ont sans doute d'autres mérites, mais pas celui-là. Ici, ceux que l'on appelle les "sherpas" négocient les déclarations préliminaires à la virgule près, plusieurs mois avant que débutent des sommets qui font la part trop belle aux cérémonials et aux séances de photo officielles pour favoriser des réflexions et des discussions vraiment prospectives. Sur ce point, les choses se sont d'ailleurs plutôt détériorées ; alors que dans les années soixante-dix les premiers sommets du G7 avaient l'allure de réunions privées propres à favoriser un authentique échange de vues entre les dirigeants, depuis quelque temps ils se transforment en gigantesques rassemblements auxquels participent des milliers de personnalités et de fonctionnaires. Le très contesté sommet de Gênes, en juillet 2001, aura coûté plus de 100 millions de dollars – mais le débat pourtant crucial sur l'économie planétaire n'y a duré qu'une heure et demie en tout et pour tout.

• *Deuxième limite : le caractère exclusif.* C'est là une faiblesse à laquelle il est bien difficile de remédier. La Chine aurait ainsi refusé de participer au sommet du G7 qui a eu lieu à Okinawa à l'été 2000, et même des forums aussi larges que le G20 ont un côté sélectif choquant. Dans l'esprit des responsables du G7, le G20 devait permettre "d'élargir le dialogue sur les grandes questions économiques et financières à d'autres économies d'importance systémique" – ce pourquoi des pays comme le Brésil ou l'Arabie Saoudite, par exemple, y furent conviés[10]. D'autres, en revanche, en furent exclus, comme la Suisse ou les Pays-Bas, et il est d'autant plus compréhensible que cela les ait froissés que le programme du G20 portait essentiellement sur la prévention des crises financières et l'architecture financière de la planète. Quant aux pays les plus pauvres, estimant que les organisateurs de ces sommets les tiennent à l'écart, ils se rabattent sur des groupements dont ils se sentent plus proches, tel le G77. Quoi qu'ait pu en penser Keynes, au moins la conférence de Bretton Woods aura utilisé une approche plus inclusive.

• *Troisième limite : l'expertise.* Etant donné l'extrême complexité de la plupart des grandes questions mondiales, les fonctionnaires dépêchés dans ces réunions par leurs gouvernements respectifs ne peuvent pas avoir une maîtrise suffisante des sujets sans le concours de la société civile et des milieux d'affaires (cf. chap. VII). Le G7 n'a toujours pas trouvé la formule qui lui permettrait d'associer ces secteurs à la réflexion : quand la présidence du groupe échut à l'Italie, elle entreprit vaillamment de consulter les associations de la société civile pour préparer le sommet, mais avec un succès pour le moins mitigé.

• *Quatrième limite : la distance.* Au vrai, c'est presque un gouffre qui sépare les opinions publiques des dirigeants et des fonctionnaires qui participent à ces réunions : entre ces deux mondes, le dialogue est inexistant, ainsi que chacun a pu le constater lors du sommet de Gênes. Cette disjonction a fait l'objet de nombreux débats depuis, et ils sont loin d'être conclus[11].

LES MULTILATÉRALES MONDIALES

Ces institutions, c'est-à-dire celles parmi les organisations internationales dont les mandats s'étendent à toute la planète et qui incluent tous les pays, ne sont pas, elles non plus, équipées pour venir seules à bout des problèmes mondiaux. Elles regroupent l'ensemble des agences et des programmes de l'ONU (une quarantaine au total, dont le Programme des Nations unies pour le développement, le Bureau international du travail ou le Haut-Commissariat aux réfugiés), la Banque mondiale et le FMI (les institutions de Bretton Woods), et l'Organisation mondiale du commerce. Cette liste pourrait être étendue à l'Organisation de coopération et de développement économiques (OCDE), assez proche par son fonctionnement des multilatérales mondiales, même si ce n'en est pas une à proprement parler puisqu'elle ne représente qu'une trentaine de pays parmi les mieux nantis.

Conçues en fonction de l'ordre mondial rêvé dans l'immédiat après-guerre, ces institutions multilatérales disposent de moyens importants pour traiter les grands problèmes – entre autres et surtout parce que les opérations d'envergure planétaire qu'elles mènent depuis maintenant des décennies en ont fait des réserves de connaissances spécialisées qui n'ont nulle part leur équivalent. Cela étant, leurs missions et les rapports qui les lient à leurs mandants et superviseurs (les quelque cent quatre-vingt-dix Etats-nations du globe) les empêchent d'assumer un rôle de premier plan dans la résolution des problèmes mondiaux. Elles ne peuvent tout simplement pas passer outre les tensions et les désaccords qui divisent les gouvernements dont elles dépendent.

Qui plus est, leur pouvoir réel est très en deçà de celui qu'on leur prête trop souvent. Les multilatérales mondiales ont généralement des ressources budgétaires modestes (moins de 80 millions de dollars pour le budget annuel de l'OMC, par exemple), et elles tournent presque toutes à la limite de leurs capacités. Et le moral de leurs personnels est plutôt bas, par les temps qui courent.

Elles sont d'ailleurs devenues la cible de critiques permanentes qui sapent leur crédibilité au moment précis où la complexité des grands problèmes mondiaux alimente des inquiétudes de plus en plus vives : il faut dire que ce sont des boucs émissaires tout désignés, à une époque où il n'est pas facile d'identifier les vrais responsables. La manière dont les gouvernements restent la plupart du temps sans réactions devant les attaques qu'elles subissent a d'ailleurs de quoi laisser perplexe, quand on sait que ce sont eux qui tiennent les rênes. Bien qu'elle vienne en partie d'une méconnaissance des missions et des responsabilités qui leur incombent vraiment, la remise en question de la légitimité de ces institutions n'arrange rien. Tous ces éléments vouent par avance à l'échec les tentatives des multilatérales de jouer à elles seules un rôle central dans la résolution de l'un ou l'autre des grands problèmes planétaires.

Bref, aucune des quatre composantes du dispositif international actuel ne peut prétendre être à la hauteur des vingt défis planétaires à relever d'ici vingt ans. Non qu'elles n'aient aucune utilité, mais le fait est que ce dispositif n'a pas été conçu pour assurer le traitement en urgence des grands problèmes mondiaux.

L'instauration d'un gouvernement mondial serait une autre piste possible. Voyons tout de suite pourquoi il vaut mieux ne pas s'y engager : l'examen, en effet, permet de dégager une voie plus prometteuse.

XVII

Pas de salut dans un gouvernement mondial

Les états d'âme qui continuent à s'exprimer au sein de l'Union européenne démontrent pourquoi un gouvernement mondial reste inenvisageable. Malgré des avancées incontestables, le processus d'élargissement dans lequel s'est engagée l'Union européenne pour intégrer un nombre toujours plus important de pays soulève des interrogations majeures sur sa structure et son identité politiques. Reprenant les propositions avancées par Jacques Delors, Valéry Giscard d'Estaing, Helmut Schmidt et d'autres, le ministre allemand des Affaires étrangères Joschka Fischer a lancé en 2000 un débat de fond autour de l'éventuelle transformation de l'Union en une sorte de fédération dotée d'une Constitution, d'un Parlement bicaméral, d'un exécutif – le tout reposant sur un "principe de subsidiarité" grâce auquel les Etats-nations inclus dans cet ensemble politique ne perdraient rien de leur spécificité. Le débat, loin d'être clos, donne lieu à des échanges très vifs.

Si séduisante que puisse paraître cette formule renforcée (et je suis de ceux qui estiment que l'Europe aurait sans doute beaucoup à y gagner), elle se heurte à des obstacles de taille :

• La complexité des modalités d'accord, dès lors que quinze, puis probablement vingt-cinq, et pour finir vingt-huit Etats membres ou plus joueront des coudes pour défendre leur influence et leur représentation au sein de la nouvelle entité.

• La distance, qui même avec un mode de scrutin au suffrage universel s'instaurera inévitablement entre les peuples et le nouvel exécutif, creusant davantage le fossé déjà profond entre les citoyens des Etats membres et Bruxelles.

• L'explosion prévisible des marchandages par lesquels les pays essaieront de placer leurs représentants à des postes de décision stratégiques.

• La concentration d'un nombre excessif de problèmes au sommet du nouvel édifice, l'effet de surcharge ainsi créé venant s'ajouter au besoin d'arbitrer en permanence entre les administrations des pays membres tout en ménageant les susceptibilités nationales.

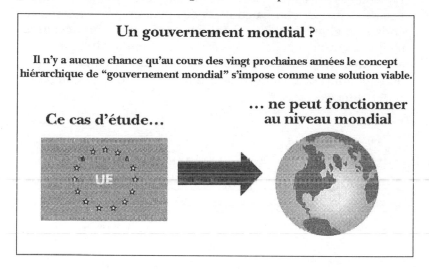

Figure XVII.1. Un gouvernement mondial ?

Le dilemme de l'Europe montre combien il serait difficile d'instaurer un gouvernement mondial au cours des deux prochaines décennies. Dans sa forme actuelle, l'Union européenne ne compte que quinze Etats membres, alors qu'un gouvernement mondial devrait en rassembler pas loin de cent quatre-vingt-dix. Or, au niveau de l'Union européenne déjà, aucun des arrangements conclus n'a su satisfaire à la fois les grands et les petits pays. Témoins, les débats houleux sur les modes de scrutin et un certain nombre d'autres thèmes, qui ont entaché le sommet de Nice en décembre 2000. Il est aisé d'imaginer ce que cela donnerait à l'échelle de la planète. On peut sans grand risque affirmer que le degré de complexité de ce genre d'assemblages de pays croît proportionnellement au carré du nombre des Etats membres – et la règle vaut vraisemblablement aussi pour la lassitude de leurs citoyens. De Gaulle traitait l'ONU de "machin". Il y a gros à parier qu'un gouvernement mondial aurait vite fait de se transformer en "grand machin".

Et puis il y a aussi les questions de légitimité et de citoyenneté, qui provoquent déjà des interrogations entre les quinze membres actuels de l'Union européenne, pourtant proches par leur histoire commune, leurs structures sociopolitiques et leurs ambitions. Pouvons-nous sérieusement nous imaginer dans la peau de "citoyens du monde" placés sous la houlette d'un gouvernement mondial[1] ?

De toute façon les délais sont trop courts pour que la chose soit simplement réalisable. L'Europe, elle, a du temps ; après tout, il s'agit de sa propre construction, et elle peut encore s'y employer pendant quelques dizaines d'années en sus des cinq décennies qu'elle y a consacrées jusqu'à présent. L'ensemble du monde n'a pas ce luxe : le caractère explosif des questions planétaires qu'il doit régler impose de leur trouver une solution d'ici les vingt prochaines années.

XVIII

Pour une gouvernance en réseau :
éléments d'une solution

A partir des difficultés évoquées plus haut, se dessine *a contrario* une idée qui pourrait accélérer la résolution des grandes questions mondiales. Elle doit satisfaire deux exigences.

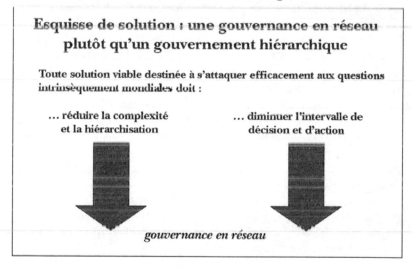

Figure XVIII.1. Une gouvernance en réseau plutôt qu'un gouvernement hiérarchique.

Il importe en premier lieu de réduire le niveau de complexité et de hiérarchisation, exigence qui entraîne plusieurs conséquences. Pour ce faire, chaque grand problème planétaire devrait d'abord être confié à une unité fonctionnelle spécifiquement chargée de sa résolution ; cette façon de dissocier en ses différentes composantes le défi global qu'il s'agit de relever permettrait d'assurer ce que les scientifiques appellent la "distribution de l'intelligence". Ensuite, les participants de ces unités fonctionnelles devraient être sélectionnés en fonction du problème à régler, sur la base des connaissances qu'ils ont en la matière, de façon à éviter les effets d'inertie dus à l'accumulation des incompétences et des procédures formelles. Enfin, ces unités devraient se caractériser avant tout par une ouverture et une souplesse à l'inverse de l'architecture hiérarchisée qui crée une distance entre les individus et reste assez fermée aux idées qui circulent en dehors d'elle. Il est capital d'écouter, et d'entendre, ceux qui peuvent intelligemment contribuer au règlement de tel ou tel problème particulier.

En deuxième lieu, il faut réduire l'intervalle de temps qui sépare le diagnostic de la prise de décision, et cette dernière de son exécution, exigence qui à son tour a plusieurs conséquences. Les grands problèmes mondiaux sont trop aigus pour être laissés en suspens le temps de négocier et de ratifier les traités, ce qui peut prendre des décennies. Qu'en serait-il alors, dans dix ans, du réchauffement planétaire ou de l'épuisement des ressources de la pêche ? C'est pourquoi il ne serait pas raisonnable de confier à nos unités fonctionnelles un véritable travail de législation mondiale, ce qui les condamnerait elles aussi à opérer dans un espace politique où le temps s'écoule lentement. Ces structures doivent opérer dans un espace-temps politique plus contracté : celui de la production des normes et des "effets de réputation" (un point qui sera détaillé plus loin). Pour aller plus vite, elles devront en outre tabler sans vergogne sur les institutions existantes, c'est-à-dire tirer le meilleur parti des compétences, des connaissances et de la capacité des gouvernements et des multilatérales mondiales existantes. Le temps presse trop pour qu'on puisse envisager de créer beaucoup de nouvelles institutions.

S'agissant de sujets qui intéressent la planète entière, ces deux grandes exigences conduisent à s'en remettre à des formes de "gouvernance en réseau" plutôt qu'aux modèles classiques de gouvernement hiérarchisé[1].

XIX

Les réseaux de traitement des questions mondiales

Les deux préalables que nous venons d'évoquer et l'idée de la gouvernance en réseau qui en découle laissent entrevoir plusieurs solutions encore à l'état conceptuel. L'une d'entre elles consisterait à ouvrir un espace politique d'un nouveau type, maillé par des réseaux dont chacun serait spécifiquement orienté vers le traitement d'un des grands problèmes figurant sur notre liste. Il faudrait donc concevoir une vingtaine de ces réseaux de traitement des questions mondiales (ou RTQM, acronyme peu élégant mais assez clair).

Comment se représenter la chose ? Plutôt que de théoriser à partir d'un concept encore embryonnaire, il est sans doute plus productif de décrire le mode de fonctionnement général de ces réseaux constitués chacun en vue d'une question mondiale donnée. A ce stade, l'imagination est plus utile que la théorie.

Pour entrer tout de suite dans le vif du sujet, un réseau ferait un parcours en trois temps :

• une phase de constitution, correspondant à l'assemblage et au lancement du réseau ;

• une phase d'évaluation rigoureuse des options et des alternatives, débouchant sur la définition de critères et de normes ;

• une phase de mise en œuvre à partir de laquelle le réseau s'appuierait sur l'appareil de ses critères et de ses normes pour fonctionner comme une sorte d'agence de notation et pour faire jouer des effets de réputation.

Il est important que ces réseaux soient conçus dans la durée et que le nombre de leurs participants, nécessairement limité au départ, augmente régulièrement à chaque étape[1], puis continue ensuite à progresser au rythme de la vie du réseau qui pourrait rester en fonction pendant des dizaines d'années.

LA PHASE DE CONSTITUTION

Cette première étape (figure XIX.1) prendrait environ un an, soit sensiblement le même laps de temps que le processus de Bretton Woods évoqué au chapitre précédent. Elle serait officiellement lancée à l'occasion d'un événement particulier – une conférence intergouvernementale, ou, plus judicieusement de façon à ne pas perdre de temps, une réunion moins formelle convoquée par la multilatérale mondiale la plus spécialisée, par ses attributions et ses moyens, dans le grand problème qu'il s'agit de régler. Cette institution – une des agences de l'ONU, par exemple – aurait en l'occurrence un rôle de facilitateur, mais ne serait pas en tant que telle chargée d'apporter les solutions.

En sus de la multilatérale à qui serait confié le lancement du réseau, trois catégories de partenaires interviendraient dès le départ :

• Des gouvernements des pays développés et en développement que le problème en cause intéresse ou concerne au premier chef, et qui seraient prêts à détacher pour une période nécessairement longue des fonctionnaires très compétents dans le domaine. Le poids respectif de chaque Etat serait de la sorte déterminé par l'expérience et l'expertise, et non par le PIB.

• Des organisations internationales issues de la société civile, ou des réseaux internationaux d'ONG, qui comptent dans leurs rangs des individus particulièrement bien avertis de la question, et qui sont suffisamment représentatifs, à cette première étape, des autres secteurs de la société civile.

• Des entreprises ayant elles aussi une longue pratique du problème, pouvant de même en représenter d'autres à ce stade, et susceptibles d'affecter des cadres ou des techniciens expérimentés à l'effort de résolution.

Plus précisément, chacun des réseaux de traitement comprendra dès le départ trois facilitateurs : l'institution multilatérale qui aura lancé le réseau également chargée de piloter le projet[2], un facilitateur choisi parmi les représentants de la société civile et un autre choisi parmi les participants du monde de l'entreprise. Il leur incombera de sélectionner et d'engager ensemble les membres du premier cercle (tâche éminemment délicate), de préparer les premières réunions, de rassembler les premiers financements et d'organiser le système d'information du réseau. En tant que facilitateurs, ils seront d'emblée placés au cœur de ce qu'on appelle, dans le monde de l'Internet, un "projet ouvert", à charge pour eux

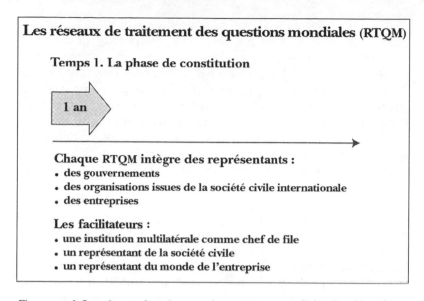

Figure XIX.1. Les réseaux de traitement des questions mondiales. Première phase.

de structurer et de modérer les contributions que ce projet réclamera des uns et des autres pendant autant d'années que nécessaire.

Lors de la phase de constitution, chaque réseau s'attachera aussi à définir son propre code de conduite (voir ci-dessous les éléments proposés à titre d'exemples), et à établir des relations avec les autres réseaux constitués sur d'autres grands problèmes mondiaux, de façon à échanger avec eux les pratiques les plus efficaces en matière d'organisation, de fonctionnement et de communication.

LA PHASE NORMATIVE

Lors de la deuxième étape du processus (figure XIX.2), le réseau s'ouvrira à un plus grand nombre de membres et s'engagera dans la définition de normes, de directives ou de recommandations. Selon la nature de la question à traiter, cette phase pourrait durer deux ou trois ans, plus longtemps le cas échéant. Quelques mots, avant tout, sur la *méthodologie* à observer au cours de cette phase.

Le principal défi que devront relever les réseaux de traitement des problèmes mondiaux sera de prendre en compte les différentes dimensions du problème et les diverses perspectives dans lesquelles il se présente, ce de telle sorte que ses membres se sentent tenus de contribuer à cet examen en apportant des éléments de réponse tangibles et substantiels. Ce principe doit être rigoureusement appliqué. Les participants qui se contenteraient d'énoncer leurs positions sans vouloir ou pouvoir s'engager plus avant dans l'effort de réflexion collectif et dans l'analyse des options envisageables viendraient à s'exclure du réseau où ils avaient eu leur place au départ. De même, bien que chaque participant ait été intégré en tant que représentant du monde de l'entreprise, d'un gouvernement ou de la société civile, sitôt nommé il devra se mettre à penser et à agir en citoyen du monde, pas en défenseur acharné des intérêts d'un groupe particulier. Il s'agit là d'un point de discipline à inscrire en toutes lettres dans le code de conduite du réseau, et que les facilitateurs devront appliquer à la lettre.

Si discipline il y a, il s'agit en l'occurrence moins de l'expression d'une sévérité inflexible que d'une rigueur destinée à amener les membres du réseau à donner le meilleur d'eux-mêmes. Pour créer cette atmosphère, le réseau doit sans cesse en appeler à des valeurs universelles – expression à comprendre ici non pas au sens large que lui conférait Kant, mais par rapport aux exigences précises qui conditionnent la capacité du réseau à résoudre la question mondiale à l'origine de sa création. Ses membres devront exprimer leurs opinions publiquement, et scrupuleusement veiller à ce que leurs déclarations se rapportent au processus de traitement en cours. Est-ce un rêve d'imaginer que dans un tel cadre les êtres humains se conduiraient en citoyens du monde ? Non : les recherches effectuées sur le sujet démontrent que, pour peu que l'environnement s'y prête, les individus jouent le jeu de façon altruiste (lorsqu'il s'agit, par exemple, de décider de la répartition d'une ressource rare), et qu'ils en viennent vite à trouver gênantes les marques d'égoïsme ou d'indifférence[3].

Deuxième point de méthodologie : les réseaux fonctionneront sur la base de "consensus approximatifs", un autre concept issu du monde de l'Internet : dès que sur un point donné une convergence suffisante est atteinte sur les principes fondamentaux à appliquer, on passe à la définition des normes et des recommandations, et ensuite au point suivant, et ainsi de suite… Il ne s'agit pas d'obtenir l'assentiment de tous, mais d'adapter constamment la démarche aux solutions qui se dessinent, sans se laisser paralyser par des procédures formelles[4].

Troisième aspect méthodologique, chaque réseau devra s'adjoindre, à des fins purement consultatives, un forum électronique aussi vaste et ouvert que possible afin d'associer à ses travaux toutes les parties qui le souhaiteraient par le biais de "consultations délibératives". Si le formidable potentiel de mobilisation de l'Internet a en la matière un rôle clé à jouer, ici aussi la discipline sera essentielle : chaque consultation à propos d'un ensemble d'alternatives doit en effet permettre de progresser, si peu que ce soit, dans le diagnostic ou le règlement du problème. Ce point de discipline sera lui aussi inscrit dans le code de conduite du réseau.

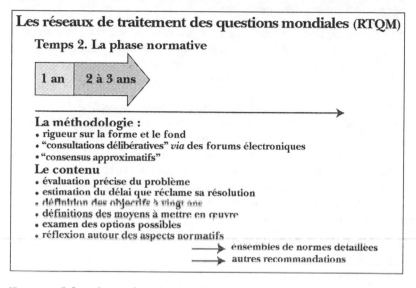

Figure XIX.2. Les réseaux de traitement des questions mondiales. Deuxième phase.

Certains réseaux peuvent par ailleurs décider de s'adjoindre un groupe d'experts indépendants, faisant ainsi leur une pratique qui a souvent donné de bons résultats dans l'élaboration des traités internationaux (témoin, par exemple, le Groupe intergouvernemental sur l'évolution climatique cité au chapitre XII). Dans le souci de préserver l'indépendance scientifique, il est cependant essentiel que ces experts opèrent en dehors du réseau lui-même[5].

Telles seraient donc les grandes lignes de la méthodologie. S'agissant maintenant du *contenu* du travail à fournir au cours de la deuxième phase, chaque réseau devra mener à bien une série de tâches en s'appuyant sur son forum électronique et, éventuellement, sur le groupe d'experts indépendants qu'il aura constitué.

• Il commencera par cerner précisément la question, en en identifiant les principaux paramètres ainsi que les éléments secondaires, en dégageant les causalités et en évaluant les inconvénients et les risques planétaires de son ajournement.

• Il estimera le temps qu'il reste pour la régler (chaque grand problème mondial, en effet, a sa propre dynamique).

• Se projetant dans l'avenir à vingt ans d'intervalle, ses membres se mettront à la place de leurs enfants pour imaginer à quoi ressemblerait le monde si le problème posé avait été résolu. Le forum électronique jouera ici un rôle essentiel, puisque la consultation permettra de préciser cette vision.

• A partir de là, le réseau pourra visualiser en détail ce que devrait être la situation dans vingt ans, puis revenir à l'état de la question et définir les étapes intercalaires à franchir pour que cette vision se réalise en fixant d'ores et déjà la répartition des tâches.

• Il devra ensuite, mission entre toutes ardue, élaborer un ensemble de normes et de critères pour engager les processus devant permettre de franchir ces étapes intermédiaires. Bien que ces normes et ces critères représentent en l'occurrence le plus gros du travail, le réseau pourra également être amené à émettre des recommandations sur des mécanismes complémentaires – tels que les modalités de financement et de compensation, des systèmes de suivi international ou des systèmes réglementaires intergouvernementaux[6].

• Les normes et les critères demeureront cependant au cœur du travail des réseaux – et au cœur du concept même de réseau de traitement des questions mondiales. Formant un ensemble cohérent, ils pourront, selon les cas, être spécifiés de manière plus nuancée par les différents acteurs – Etats-nations, entreprises ou multilatérales mondiales. La tâche la plus importante du réseau sera de décider des normes que les Etats-nations devront respecter dans la formulation des lois nationales relatives à la question mondiale considérée ; parfois cela pourra aussi l'amener à demander aux Etats qu'ils ratifient les traités existants, pour autant qu'ils fassent l'affaire, et à prendre toutes mesures nécessaires pour que ces traités soient effectivement appliqués. Le réseau décidera également des normes auxquelles les entreprises devront se conformer pour étendre ou poursuivre leur activité à l'échelle de la planète. Il pourra même édicter des normes applicables aux multilatérales mondiales qui interviennent dans son domaine de compétence, les amener à monter toute opération de financement ou de soutien s'avérant nécessaire, voire exiger, à l'occasion, qu'elles modifient leur approche du problème afin d'agir plus efficacement. Et ainsi de suite... L'ensemble de ces normes et de ces critères composerait au fond une sorte d'"éthique fonctionnelle" par rapport à la question planétaire qui a motivé la constitution d'un réseau particulier[7].

• Pour finir, ces normes et ces critères seraient officiellement présentés à l'occasion d'une manifestation de lancement. Quoi qu'en pensent ceux pour qui cet effort de formulation de critères et de normes s'apparenterait à une législation "douce" n'ayant pas force de loi, le caractère percutant de cette approche apparaîtra dès la phase de mise en œuvre.

LA PHASE DE MISE EN ŒUVRE

Lors de cette troisième phase (figure XIX.3) qui pourrait s'étendre sur une dizaine d'années ou plus, les réseaux s'élargiront à nouveau pour inclure d'autres participants et assumer un rôle d'observatoire et d'agence de notation. A ce titre, ils évalueront dans quelle mesure les Etats et les différents autres acteurs, les entreprises, par exemple, respectent les normes et les critères édictés[8]. Ce suivi régulier leur permettra, non seulement de jauger les performances absolues des uns et des autres, mais aussi de mesurer les progrès réalisés d'une année sur l'autre. C'est à partir de là que les effets de réputation entrent en jeu : les réseaux et leurs forums électroniques passeront leur temps à surveiller les différents acteurs et à vérifier s'ils se conforment aux exigences assignées. A cette étape, plus les réseaux de traitement des questions mondiales se comporteront comme des ONG engagées, mieux cela vaudra.

Il est vrai, cependant, que les normes ne sont pas des lois. Pour l'essentiel, il appartiendra aux Etats de décider librement – parce que tel est leur choix ou sous la pression des effets de réputation – de mettre leur législation en conformité avec ces normes. Les réseaux

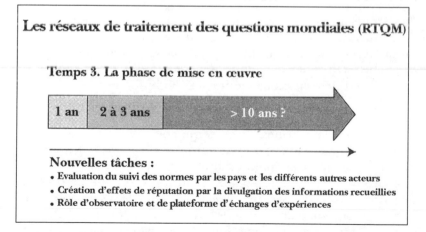

Figure XIX.3. Les réseaux de traitement des questions mondiales. Troisième phase.

n'auront pas non plus de pouvoir réglementaire sur les entreprises ou les autres acteurs de la société civile. Leur autorité morale, en revanche, devrait être bien réelle ; à eux de trouver les moyens de l'imposer – en divulguant les notations et les informations dont ils disposent, en jouant à plein des effets de réputation, en désignant publiquement les fraudeurs et les resquilleurs qui transgressent les normes ou les ignorent. C'est chose facile, à l'ère de l'information et des médias : les notations et les classements sont aussi appréciés par la presse que redoutés par ceux qui en sont l'objet, et sur ce point les réseaux de traitement des problèmes mondiaux auront de quoi alimenter les rédactions.

L'efficacité des effets de réputation est-elle vraiment démontrée ? Nous avons vu au chapitre XIV que le seul fait de publier la liste des pays où le blanchiment d'argent a cours a eu des retombées salutaires quasi immédiates. Autre exemple, sans aucun rapport mais très parlant lui aussi : il y a quelques années, le gouvernement indonésien s'est rendu compte qu'il n'avait pas les moyens de sanctionner les entreprises qui enfreignaient les mesures de protection de l'environnement. Pour y remédier, il a simplement établi un barème de notation de 1 à 5 – de la médaille d'or pour les entreprises qui font plus que respecter ces mesures au macaron noir pour celles qui les transgressent cyniquement. Les plus méritantes sont officiellement félicitées, tandis que les entreprises épinglées pour leurs mauvaises pratiques ont six mois pour rectifier le tir avant que leurs noms soient rendus publics. Résultat, la plupart de ces dernières se mettent soudain à investir massivement dans des technologies propres ou au moins palliatives. Les réseaux de traitement des problèmes mondiaux pourraient parfaitement adopter des stratégies similaires à l'échelle de la planète tout entière.

Si néanmoins la dénonciation au cas par cas et les effets de réputation s'avéraient insuffisants, d'autres possibilités sont envisageables. On peut par exemple imaginer que les divers réseaux de traitement des questions mondiales fondent en un seul barème composite la notation qu'ils appliquent aux Etats, de façon à distinguer nettement les pays "planétairement civiques", ayant à cœur de respecter les normes, de ceux qui continuent à faire cavalier seul en tardant à adapter leur législation ou à ratifier les traités internationaux. Cela donnerait au concept d'"Etat voyou" une extension qui mérite réflexion. Allant plus loin, on peut même envisager que l'ONU participe à l'établissement de ces super-barèmes de notation, voire aux sanctions qui en découleraient. Même sans cela, l'élargissement de la notion d'"Etat voyou" pourrait avoir un impact considérable.

Dernier point : en sus de ces activités de notation et de production d'effets de réputation, lors de la troisième phase les réseaux assureront les échanges et les transferts d'expériences (les "bonnes pratiques"), relayés en cela par leurs forums qui fonctionneront aussi comme des observatoires. En résumé, les réseaux qui d'étape en étape auront élargi leur base et leurs attributions se présenteront schématiquement comme suit :

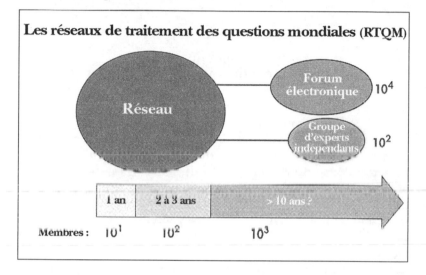

Figure XIX.4. Les réseaux de traitement des questions mondiales. Récapitulatif.

Le réseau qui au départ comportait quelques dizaines de membres en rallie des centaines à la deuxième phase, et pour finir des milliers. Le forum électronique regroupe quant à lui des dizaines de milliers de participants ou plus – il n'y a pas de limites à son extension. Et les groupes d'experts indépendants éventuellement constitués peuvent rassembler plusieurs centaines d'experts, ou plus : le Groupe intergouvernemental sur l'évolution climatique (GIEC) en compte 1 057.

XX

Les avantages des réseaux de traitement des questions mondiales

Le concept de réseau de traitement des questions mondiales manque de netteté[1], mais c'est de là que lui vient la souplesse nécessaire pour adapter les méthodes de base à la spécificité de chaque question et à son évolution au fil du temps. Je pourrais encore enrichir le tableau d'ensemble que j'en ai donné de toutes sortes de détails et de variations. Mieux vaut cependant en rester à cette représentation schématique, car il ne s'agit pas d'autre chose : elle suffit à rendre compte de l'idée générale, de ses forces et de ses faiblesses.

Les réseaux de traitement des questions mondiales présentent quatre caractéristiques indissociables qui, d'une manière ou d'une autre, devraient utilement contribuer à la résolution des grands problèmes planétaires.

LA RAPIDITÉ

Ils ont pour vocation d'élaborer au plus vite des normes afin de rapidement exploiter les effets de réputation qu'elles induiront. C'est pourquoi les méthodes décrites ici impliquent toutes de se mettre à l'ouvrage sans tarder. En quels termes exactement se posent les problèmes ? Combien de temps reste-t-il pour les régler ? Quels objectifs faut-il se fixer dans un délai de vingt ans ? Quels moyens mettre en œuvre pour les atteindre ? Quelles sont les alternatives ? Qu'en pense l'opinion, consultée par le biais des forums électroniques ? Autant d'angles d'attaque à comparer avec le temps perdu en déclarations pontifiantes, communiqués flous et abstraits ou vains appels à l'action auxquels se résume trop souvent le mode d'appréhension actuel des grandes questions mondiales.

Autre facteur d'accélération : par les dynamiques politiques et le climat d'urgence qu'ils instaureront, les réseaux obligeront le système international existant à travailler aux grands problèmes de la planète à un rythme plus soutenu que celui qu'il est par nature enclin à adopter.

LA LÉGITIMITÉ

Ainsi que l'observait Jürgen Habermas, la gouvernance mondiale est au fond l'art de formuler une politique intérieure aux dimensions de la planète[2]. Mais il souligne aussi que cette ambition se heurte à un sérieux obstacle. Sur le plan national, en effet, les débats de politique intérieure se déroulent au sein d'une culture politique assez homogène, qui assure d'emblée une certaine "densité" de communication entre les différents intervenants[3]. Pour arriver à communiquer avec autant d'efficacité sur la scène internationale, il faudrait qu'un sentiment d'identité planétaire se développe chez les citoyens du monde entier... C'est évidemment placer la barre très haut.

Les réseaux de traitement des problèmes mondiaux et leurs forums électroniques devraient pourtant aider à surmonter cet obstacle. Pourquoi ?

• Tout d'abord, la prise en charge par chacun de ces réseaux d'une question mondiale précisément ciblée augmente les chances d'arriver à mobiliser les énergies autour de sujets de préoccupation communs, voire universels. En d'autres termes le sentiment de citoyenneté planétaire se développera plus sûrement à partir d'engagements concrets sur des problèmes précis que d'une vague prise de conscience "globale".

• Ensuite, avec leurs structures ouvertes les réseaux s'adressent aux individus de tous les pays du monde, à tous les groupes, associations et organisations susceptibles de participer à l'élaboration des normes et des barèmes de notation ou aux procédures d'évaluation. Ils encourageront ainsi la formation de la citoyenneté mondiale ou de ce fort sentiment d'appartenance à une même communauté, qui, selon Habermas et d'autres, est un préalable nécessaire à la résolution des problèmes de la planète.

• Enfin les forums électroniques ajoutent également à l'ensemble une dimension résolument nouvelle. Non seulement les communications que permet l'Internet suppriment le vieux dilemme entre la richesse et la portée des messages (cf. chap. IV), mais de surcroît elles peuvent créer un espace public virtuel à même de réduire significativement la distance entre les simples citoyens et les décideurs politiques. Il y a là, en puissance, de quoi corriger l'un des plus gros défauts du système international actuel.

Une nouvelle forme de légitimité pourrait sortir de tout cela. Habermas estime qu'elle serait moins exigeante que celle traditionnellement liée à la représentation démocratique, mais pour ma part je me demande si d'une certaine façon elle ne le serait pas plus, au contraire, dans la mesure où elle serait sous-tendue par une adhésion de tous les instants à des critères de participation, de compréhension scientifique et d'intérêt général.

Cette légitimité issue des réseaux de traitement des questions mondiales sera *horizontale,* en ce sens qu'elle naîtra des délibérations communes (internationales au vrai sens du terme, associant par-delà les frontières des gouvernements, des entreprises et des organismes de la société civile) d'un large groupe de personnes très informées de l'état de telle ou telle grande question et très investies dans son règlement. Ainsi comprise, elle viendra non pas supplanter mais compléter la légitimité traditionnelle – celle, *verticale* de la représentation électorale des Etats-nations, qui certes est censée prendre en compte l'ensemble des questions, mais dans le cadre restreint d'un territoire donné.

On peut se représenter comme suit la manière dont ces deux légitimités se combinent (cf. figure XX.1). La raison d'être de la

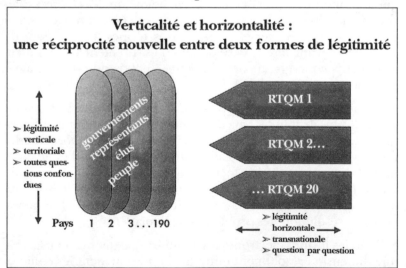

Figure XX.1. Verticalité et horizontalité : une réciprocité nouvelle entre deux formes de légitimité.

légitimité horizontale des réseaux de traitement des questions mondiales est précisément de contraindre les systèmes de légitimité verticale des Etats-nations à s'occuper plus sérieusement des questions planétaires urgentes. Autrement dit à agir plus vite, et dans une perspective de citoyenneté planétaire à l'horizon plus large que les points de vue généralement adoptés par ces instances traditionnelles.

Parallèlement, le système de la légitimité horizontale comblera vraisemblablement une lacune en imposant aux systèmes politiques des Etats-nations une sorte de second cadre de référence. Les politiciens trop souvent obnubilés par des cycles électoraux courts, circonscrits à un territoire déterminé, pourraient alors avoir à se justifier sur des points plus importants et plus décisifs que ceux qui d'habitude leur valent, à l'échelon local, les lauriers ou les critiques de leurs électeurs. Il y a là, potentiellement, de quoi élargir les bases sur lesquelles sont jugés les hommes politiques.

LA DIVERSITÉ

Par leur constitution, les réseaux associeront trois groupes qui generalement voient les choses sous des angles différents : les gouvernements, les milieux d'affaires et les organisations de la société civile. Cette hétérogénéité présente un avantage indéniable par rapport au fonctionnement actuel des institutions internationales. Les expériences menées par des multilatérales mondiales sur ce type de partenariat tripartite (dans des domaines qui ne sont pas forcément planétaires) prouvent combien la démarche est productive. Il y a quelques années, j'ai ainsi participé au montage d'un partenariat tripartite sur le problème de la sécurité routière dans les pays en développement (où le coût des accidents de la route peut atteindre jusqu'à 2 % du PIB) : la formule a rapidement permis de dégager des pistes de travail plus inventives que si chaque secteur avait travaillé de son côté.

De plus, étant donné la complexité des questions mondiales aujourd'hui posées, les entreprises multinationales et les organisations internationales issues de la société civile ont un net avantage sur les fonctionnaires des gouvernements nationaux pour ce qui est de la compréhension, et souvent de la connaissance, des enjeux planétaires, puisque contrairement à ces derniers leur rayon d'action s'étend à tout le globe. J'ai souvent été frappé de constater combien il est facile d'amener les dirigeants de multinationales à réfléchir sur le long terme dans une perspective mondiale, alors que ce n'est généralement pas vrai des dirigeants politiques, prisonniers de leurs calendriers électoraux et de leurs préoccupations territoriales, ou écrasés sous le nombre excessif de sujets qu'ils sont censés maîtriser (deux points dont il a été question au chapitre VII).

La plupart des organisations de la société civile possèdent elles aussi cet avantage intellectuel, surtout lorsqu'elles s'entendent pour former des réseaux internationaux. On peut d'ailleurs penser que l'existence des réseaux de traitement des problèmes mondiaux incitera les acteurs de la société civile à constituer à leur tour une multiplicité de réseaux à seule fin de participer. L'actualité récente autour de la renégociation de la dette ou de la régulation du commerce international montre que les réseaux d'ONG parviennent rapidement à acquérir un savoir scientifique qui parfois dépasse celui des experts officiels.

Tout cela pourrait d'ailleurs avoir une retombée intéressante. Comme nous l'avons vu au chapitre VII, la légitimité spontanée de la société civile est souvent remise en cause au motif qu'elle ne serait pas représentative, mais ceux qui formulent cette critique s'en tiennent là, sans jamais pouvoir tirer les conséquences pratiques de ce qu'elle implique. Or, avec leur méthodologie et leur composition très particulières, les réseaux de traitement des problèmes mondiaux offriraient à certains éléments au moins de la société civile la possibilité de passer de cette légitimité "brute" à une forme de légitimité plus sanctionnée et reconnue : je pense à ceux de ses représentants qui parviennent, grâce à leurs connaissances et aux perspectives qu'ils apportent, à s'inscrire durablement dans un réseau et à nourrir la réflexion sur le problème qu'il entend résoudre. Ces remarques valent également pour le monde de l'entreprise, dont la légitimité à l'égard de la résolution des grandes questions mondiales pourrait être contestée de la même manière.

LA COMPATIBILITÉ AVEC LES INSTITUTIONS TRADITIONNELLES

Les réseaux de traitement des questions mondiales ainsi que leurs forums électroniques et leurs groupes d'experts indépendants se caractérisent à la fois par leur souplesse et leur détermination. Détermination, car ainsi que nous l'avons vu ils n'hésiteront pas à utiliser les armes redoutables que sont la notation et les effets de réputation, autrement plus persuasifs que les règles ou les sanctions, par les temps qui courent.

Ils sont souples, cependant, en ce sens qu'ils sont ouverts et flexibles, qu'ils s'accommodent du système international existant et le reconnaissent pour nécessaire. Les réseaux de traitement des questions mondiales ont en effet besoin des structures qui aujour-d'hui composent ce système (nous les avons passées en revue au chapitre XVI), si imparfaites qu'elles soient. Pourquoi ? Parce que la gouvernance ne saurait se passer du gouvernement[4]. Plus haut, j'ai dit par exemple qu'il serait sans doute bon que chaque réseau soit officiellement lancé à l'occasion d'une conférence intergou-vernementale. Dans la mesure aussi où ils n'auront pas de pouvoir législatif, ils devront s'en remettre aux exécutifs et aux parlements des Etats-nations pour faire passer des lois en accord avec les normes qu'ils auront établies. L'aide des institutions multilaté-rales mondiales leur sera par ailleurs précieuse pour obtenir le déblocage de fonds ou d'autres mesures de soutien qu'ils pour-raient être amenés à recommander.

Par construction, les réseaux de traitement des questions mon-diales s'emploieront à tirer le meilleur parti possible des institu-tions internationales existantes. Cela vaut mille fois mieux que d'essayer d'en créer de nouvelles ou de s'astreindre à la tâche de Sisyphe qui consisterait à réformer celles qui existent – deux options qui requièrent précisément ce que le monde n'a plus : du temps, beaucoup de temps.

LA GOUVERNANCE EN RÉSEAU

Les réseaux de traitement des questions mondiales apparaissent dès lors comme un concept en phase avec notre époque : celui de la gouvernance en réseau. L'exercice ne serait pas de tout repos. Il aurait sûrement son lot de confusion, d'ambiguïtés, de raccour-cis hâtifs. En contrepartie, il pourrait accélérer considérablement les processus de décision et d'action, et alimenter une source nou-velle de légitimité horizontale, indépendante mais hautement com-plémentaire de la légitimité verticale qui caractérise les modes de représentation traditionnels.

Comme je l'indiquais dans la première partie de cet ouvrage, il est tentant de parler d'"économie en réseau" à propos de la nouvelle économie mondiale. Une logique de symétrie tentante (un souci d'équilibre, pourrait-on dire) conduit à juxtaposer à cette image la "gouvernance en réseau". Leur couplage pourrait faire partie de ces mécanismes capables de tirer vers le haut la courbe des institutions humaines (pour reprendre la terminologie de la figure VIII.1), et ce faisant de résorber au moins partiellement la crise de la complexité déclenchée par les deux grandes forces qui vont si profondément transformer le monde au cours des vingt ans à venir.

Le concept de gouvernance en réseau décrit ici au travers d'*une* de ses expressions possibles (les réseaux de traitement des questions mondiales, appuyés sur leurs forums électroniques et leurs groupes d'experts indépendants) n'est pas une formule magique que je tire de mon chapeau : si vous y réfléchissez, vous verrez qu'il est en fait étroitement en rapport avec les trois réalités nouvelles exposées dans le chapitre VII.

XXI

Des aspects plus discutables

Un dicton anglais affirme que le diable se cache dans les détails – mais pour le sujet qui nous occupe il pourrait aussi se cacher dans la conception d'ensemble. Quatre grands écueils au moins attendent la gouvernance en réseau et les réseaux de traitement des questions mondiales qui illustrent la manière dont elle pourrait s'exercer.

DES TÂCHES D'UNE EFFARANTE COMPLEXITÉ

Formuler des normes et des critères détaillés pour chacune des vingt grandes questions mondiales que nous avons recensées sera rien moins que simple. Les difficultés, nous l'avons vu, sont d'ordre politique ou technique, voire doublement politiques et techniques pour la plupart d'entre elles. Si sur certains aspects elles peuvent probablement être résolues à l'aide de stratégies gagnant-gagnant, en règle générale cela se traduira par des gains sur le plan mondial et des pertes sur le plan local, ou exigera à tout le moins des sacrifices immédiats dans l'intérêt des générations futures. Il suffit pour s'en convaincre de penser au réchauffement climatique, et aux plafonds des émissions de dioxyde de carbone.

Cela étant, le degré de difficulté est inhérent aux problèmes qu'il s'agit de régler, pas au concept des réseaux. En tout état de cause, un problème qui s'avère déjà lourd pour le système international tel que nous le connaissons aujourd'hui donnera sûrement du fil à retordre au réseau de traitement constitué pour en lever l'hypothèque. Reste qu'avec leur démarche toute pragmatique les réseaux (qui excluent les prises de position individuelles et dont les membres doivent penser et agir en citoyens du monde) ont plus de chances d'arriver à des solutions que le dispositif international actuel, abandonné à ses propres mécanismes. En d'autres termes : où est l'alternative ? Avons-nous vraiment le choix ?

LA LÉGITIMITÉ ET LA REPRÉSENTATION DÉMOCRATIQUE

Qui décidera des qualités exigibles des membres d'un réseau de traitement des questions mondiales ? Quels seront les organismes ou les réseaux émanant de la société civile jugés dignes d'en représenter d'autres, et qui dira qu'ils le sont ? Qui tranchera, en ce qui concerne les entreprises ? Et qui sera expulsé pour ne pas s'être comporté en citoyen du monde ? Par quelle instance ? Les interrogations de ce genre, éminemment problématiques, vont très logiquement se poser à propos du concept de réseau, et plus particulièrement de la phase de constitution, entre toutes délicate. On ne manquera notamment pas de remarquer que ces créatures naissent et vivent à l'écart du système électoral.

Une fois encore, cependant, avons-nous vraiment le choix ? Le dispositif international existant ne permettra pas de résoudre les grands problèmes à temps – et le délai de vingt ans qu'il reste pour maîtriser les problèmes de la planète est trop court pour envisager la création d'un gouvernement mondial.

Mais la question de la légitimité des réseaux admet toutefois d'autres réponses :

• Les réseaux mondiaux n'ont pas de pouvoir législatif. Leur mission est d'élaborer des normes et de vérifier qu'elles sont appliquées par les différents acteurs. Dans la mesure où ils n'usurpent pas les fonctions des gouvernements mais se veulent simplement un instrument de gouvernance, l'argument sur la représentation démocratique perd en partie de sa pertinence.

• Les trois facilitateurs de chaque réseau devront s'assurer que toutes les questions relatives à la représentation reçoivent des réponses correctes et équitables. Les multilatérales mondiales exerçant au premier chef cette fonction de facilitation au sein de chaque réseau auront en la matière un rôle essentiel à jouer. D'une certaine manière, elles ont les bagages pour. Leur caractère technocratique, qui de l'extérieur apparaît souvent comme un handicap, pourrait en l'occurrence s'avérer une force, car elles ont d'entrée de jeu une position plus neutre que les représentants des gouvernements, des milieux d'affaires ou de la société civile. Aux côtés des deux autres facilitateurs, elles seraient donc particulièrement bien placées pour aider le réseau à se doter d'une base équilibrée et gérer les connaissances et les contributions des divers intervenants. Qui plus est, le fait que toutes les nations en soient les mandataires leur permettrait de veiller à ce que soient associés au travail des réseaux des représentants des pays et des groupes les plus démunis, qui autrement risquent de n'avoir ni audience ni participation dans les réseaux.

• Nous avons vu au chapitre XIX que les réseaux doivent adopter des principes fermes pour décider de l'intégration ou de l'exclusion de leurs membres. Quelle est la valeur scientifique des contributions de tel acteur ? Est-ce qu'il agit et pense en citoyen du monde ou ne défend-il que son propre intérêt ? Les trois facilitateurs auront tout pouvoir, et la responsabilité qui va avec, pour arbitrer sur ces sujets en se référant au code de conduite du réseau.

• Les forums électroniques – vastes plateformes de consultation accessibles en ligne – pourraient introduire un élément de participation démocratique plus affirmé que le modèle pyramidal des scrutins électoraux classiques, qu'ils soient locaux, nationaux ou internationaux. Il existe sûrement de par le monde une multitude de gens qualifiés prêts à intervenir sur des questions dont ils sont bien informés. D'où l'importance de ces auxiliaires des réseaux que sont les forums : ils peuvent puissamment contribuer à construire la nouvelle forme de légitimité horizontale dont il a été question plus haut, qui en tant que première émanation d'une citoyenneté planétaire en voie de formation viendra compléter les systèmes de légitimité verticale à vocation territoriale existant au sein des Etats-nations.

• On pourrait enfin imaginer un cadre de relations internationales où l'ONU demanderait à ses membres de se prononcer par référendum sur la liste des normes formulées par un réseau dès lors que celle-ci aurait créé un certain effet de seuil dans les législations nationales (à partir du moment où la moitié des Etats membres, mettons, lui aurait donné force de loi). Cette idée a surgi dans les débats que suscite l'improbable avènement d'un "gouvernement mondial[1]", mais la gouvernance en réseau ouvre beaucoup plus de pistes à la créativité. Si elle se concrétisait, les réseaux ne représenteraient alors que le premier stade, la chrysalide, d'un processus législatif planétaire somme toute classique, porté en fait par l'ONU. Le résultat pourrait être intéressant, car, malgré les doutes que certains entretiendraient peut-être temporairement à propos de la légitimité des réseaux, à terme cette légitimité serait consacrée par l'adhésion aux idées qu'ils défendent[2].

L'INTERDÉPENDANCE DES GRANDES QUESTIONS MONDIALES

Constituer un réseau planétaire autour de chacune des grandes questions mondiales apporte la garantie qu'elles seront plus rapidement réglées, et de façon plus précise. Cette solution présente toutefois l'inconvénient majeur de ne tenir aucun compte de l'interdépendance des problèmes. Il est évident, par exemple, qu'il existe des liens étroits et complexes entre la pauvreté et les menaces d'ordre environnemental. Les populations les plus démunies sont touchées au premier chef par le réchauffement climatique et l'épuisement de la ressource halieutique ; et la pauvreté, à son tour, aggrave ces problèmes planétaires que sont la perte de la biodiversité, la déforestation, l'extension des maladies infectieuses. Les questions environnementales ne sont pas non plus facilement dissociables les unes des autres : ainsi, le réchauffement du climat pourrait amplifier les déficits en eau douce et précipiter la disparition d'espèces animales ou végétales. Quant aux deux thèmes de la pauvreté et de l'éducation, ils sont bien sûr étroitement corrélés. Nous avons même mis l'environnement en rapport avec la nécessité de repenser la fiscalité, par le biais des taxes sur les émissions de carbone. Il sera aussi plus difficile de prévenir les conflits si rien n'est fait à propos du déficit hydrique – et ainsi de suite. La prise en compte de ces relations est donc essentielle.

Mais opposer cet argument à l'approche au cas par cas inhérente au concept de réseaux de traitement des questions mondiales serait néanmoins désastreux, et ce pour deux raisons. L'architecte Christopher Alexander expose la première dans un livre remarquable, *Notes on the Synthesis of Form.* Il y explique que pour résoudre un problème quel qu'il soit, il faut avant toute chose le décomposer en questions ou sous-ensembles de questions dont on peut estimer qu'elles sont raisonnablement indépendantes les unes des autres. A l'inverse, le regroupement excessif de questions ou de sous-ensembles de questions sous des chapeaux trop larges est le plus sûr moyen de passer à côté de la solution[3].

La deuxième raison de soutenir l'approche au cas par cas est qu'elle permet de court-circuiter une des pratiques les plus déplaisantes en usage dans la diplomatie internationale : la fâcheuse tendance des négociateurs à entrer dans des marchandages aux termes desquels un pays accepte le laxisme dont fait preuve un autre pays dans le domaine X dans la mesure où celui-ci lui renvoie l'ascenseur dans le domaine Y, ou à fondre ensemble deux questions pour sciemment empêcher que celle qui aurait pu être résolue le soit. Les spécialistes de l'arbitrage entre des parties en conflit considèrent sans doute que ces tactiques facilitent les négociations, mais, dès lors qu'il s'agit des solutions à apporter mondialement à des problèmes planétaires urgents, elles ont toutes les chances de produire un résultat dont la planète n'a précisément pas besoin : un saupoudrage de demi-mesures, conséquence d'une appréhension trop peu rigoureuse des problèmes.

Oui, mais que faire de l'interdépendance des questions ? A l'occasion d'un débat organisé sur ce dilemme à l'Institut de Santa Fe, le physicien Murray Gell-Mann et plusieurs autres collègues suggérèrent de mettre sur pied un vingt et unième réseau qui servirait de connecteur entre les vingt questions mondiales et les réseaux qui travaillent dessus. Cela étant, de même que les réseaux de traitement des problèmes mondiaux collaboreront naturellement afin d'échanger leurs bonnes pratiques, voire s'associeront pour procéder à l'évaluation générale des Etats, de même, du fait de leur interdépendance, il est très vraisemblable qu'ils entreprendront tout aussi naturellement de collaborer sur des thèmes proches ou associés. Reste qu'ils s'y emploieront de manière plus systématique et consciencieuse si ces correspondances sont mises en avant par un vingt et unième réseau, à la mission bien différente.

DES IDÉES SIMPLISTES ?

Pour quiconque est un peu familier de la littérature technique sur la gouvernance mondiale – très dense, abstraite et autoréférentielle –, la manière dont je décris les réseaux de traitement des questions mondiales risque fort de paraître naïve. Tout comme le concept de gouvernance en réseau. Il est assez malaisé de répondre à cette critique, sauf peut-être à demander si la *vraie* naïveté n'est pas de croire que le dispositif international actuel a une chance quelconque de fournir en temps voulu les solutions dont la planète a besoin.

Il y a d'ailleurs des précédents montrant que ces idées ne sont peut-être pas si simplistes, après tout. Bien que très éloignés du concept de réseau exposé ici, ils présentent l'immense intérêt d'avoir expérimenté l'approche tripartite. C'est le cas de la Commission mondiale des barrages, qui en dépit de polémiques incessantes et de nombreux faux pas a réussi ces dernières années à définir des normes qui devraient permettre de déterminer si la décision de construire un grand barrage en tel lieu est bonne ou mauvaise. Ce sujet ne constitue sans doute pas une grande question mondiale, et la méthodologie suivie par la commission n'a pas grand rapport avec celle décrite à propos des réseaux, mais au moins l'exemple prouve que l'on peut rapidement obtenir des résultats en associant les trois secteurs des pouvoirs publics, des milieux d'affaires et de la société civile : déjà des gouvernements reconsidèrent le soutien qu'ils avaient apporté à la construction de certains barrages. Dans le même esprit, un effort intéressant auquel les trois secteurs sont également associés se poursuit en ce moment sur l'exploitation durable des forêts.

Ces expériences partielles sont depuis longtemps au centre de débats d'où commencent à se dégager quelques leçons. Le Bureau international du travail, l'une des plus vieilles multilatérales mondiales, offre un autre précédent intéressant. Voilà des décennies qu'il a mis en pratique l'approche tripartite (en l'occurrence avec les gouvernements, le patronat et les syndicats), même si par ailleurs ses méthodes demeurent plus classiques et plus formelles que celles préconisées pour les réseaux de traitement des questions mondiales.

Quant à l'activité de production normative de ces réseaux, elle aussi s'inscrit dans une histoire. On sait que la stratégie judicieuse du Groupe d'action financière internationale (GAFI) a poussé nombre de pays à prendre les dispositions voulues pour effacer leurs noms de la liste des Etats tolérant le blanchiment de l'argent sale (liste établie à partir de quarante critères) : en l'espace d'un an, la moitié des pays ainsi montrés du doigt avaient adopté les lois et réglementations nécessaires. Une démarche similaire a été entamée par le Forum de stabilité financière pour évaluer la sécurité du système financier des places offshore ; l'OCDE publie une liste de paradis fiscaux, et une ONG spécialisée, Transparency International, édite chaque année son classement des Etats en fonction de leur degré de corruption.

Bien d'autres exemples viennent à l'esprit. Aucune de ces stratégies normatives ne jouit cependant de la légitimité que conféreraient aux réseaux leur triple assise et leur méthodologie particulière. Ce défaut de légitimité explique que certains Etats réagissent très mal à l'imposition de critères perçus comme émanant des pays riches – particulièrement en ce qui concerne le blanchiment d'argent et les paradis fiscaux. En s'inspirant de ces divers précédents historiques, les réseaux de traitement des questions mondiales pourraient, grâce à leur méthodologie, passer à la vitesse supérieure et apporter rapidement des améliorations majeures.

XXII

Un peu de recul : les autres solutions envisageables

Les réseaux de traitement des questions mondiales ne constituent bien sûr pas la seule forme imaginable de la gouvernance en réseau – ni la seule solution pour accélérer la résolution des problèmes de la planète. Le temps que j'ai passé à défendre ce concept ne me laisse pas oublier deux autres catégories d'idées qui valent la peine d'être creusées, car bien qu'elles ne relèvent pas strictement de la gouvernance en réseau elles en sont à certains égards assez proches, voire complémentaires.

LA PISTE G20

On pourrait par exemple conserver l'approche au cas par cas des questions, mais sans l'assortir de la création de réseaux de traitement caractérisés par leur composition tripartite et leur méthodologie originale – autrement dit s'en tenir à la démarche plus classique (j'allais dire plus banale) des groupements de pays du type G20. L'idée est la suivante : chacune des grandes questions mondiales serait confiée à un G20 *ad hoc*. De même que le G20 existant s'occupe essentiellement d'architecture financière internationale et réunit des ministres des Finances[1], chaque nouveau G20 prendrait en charge un problème spécifique et regrouperait les ministres compétents en la matière.

Sous la forme que nous lui connaissons, le G20 est composé des pays du G7 (y compris la Russie qui y est entrée récemment), du pays nommé pour assumer six mois durant la présidence de l'Union européenne, de l'Australie, de la Chine, de l'Inde, de l'Indonésie, de la Corée du Sud, de la Turquie, de l'Arabie Saoudite, du Mexique, du Brésil, de l'Argentine et de l'Afrique du Sud. Si l'on désigne un G20 pour chaque question mondiale, aucun ne rassemblera exactement les mêmes pays à l'exception de ceux du G7, noyau dur du système.

Bien que le G20 existant soit pour l'essentiel resté un lieu de débats (la plupart des décisions effectives sont prises par le G7 et un groupe technique associé baptisé G10), rien *a priori* n'empêcherait d'autres G20 de définir des règles et des directives somme toute proches des normes et des critères qu'auraient pu produire les réseaux de traitement des questions mondiales. Ces G20 auraient évidemment une activité plus intermittente que nos réseaux constitués pour durer. Et ils ne s'accompagneraient certainement pas de cette forme de légitimité inédite et étrange dont les réseaux devraient favoriser l'émergence, autant grâce à leur composition trisectorielle et transnationale que grâce à leur méthodologie nouvelle. Enfin, ils se heurteraient forcément aux quatre limites dont nous avons vu au chapitre XVI qu'elles sont inhérentes au fonctionnement des groupements de pays du type G7. Moins séduisants que les réseaux de traitement des problèmes mondiaux, ils ont toutefois pour eux le mérite de la simplicité sur le plan pratique.

LA PISTE DE LA NOUVELLE DIPLOMATIE ET D'UNE CONCEPTION ÉLARGIE DE L'AIDE INTERNATIONALE

Des penseurs qui collaborent directement ou indirectement au Programme des Nations unies pour le développement (PNUD), en particulier Inge Kaul, ont avancé des idées qui pourraient utilement compléter l'action des réseaux de traitement des problèmes mondiaux ou des G20 décrits ci-dessus. Elles supposent, en deux mots, d'élargir la conception de la diplomatie et de l'aide internationale[2]. Traduites dans les faits, elles amèneraient par exemple à :

• créer au sein des ministères techniques de tous les Etats-nations (l'Agriculture, l'Education, l'Energie...) des postes confiés à des experts diplomates qui travailleraient en contact direct avec leurs homologues étrangers sur les questions planétaires ;

• doter ces ministères de deux budgets : l'un destiné aux programmes de politique intérieure, l'autre à l'action mondiale ;

• répartir de même les financements de l'aide internationale entre les programmes d'aide alloués aux pays en développement et les programmes d'aide visant à accélérer la résolution des problèmes mondiaux ;

• constituer un fonds de participation mondial afin d'encourager les pays en développement, en particulier les plus pauvres, à s'associer réellement à la résolution des problèmes de la planète.

UN SCÉNARIO PLAUSIBLE

Imaginez que les dirigeants de la planète se réunissent à l'abri des regards indiscrets pour réfléchir ensemble, non aux problèmes mondiaux eux-mêmes – ils seraient vite noyés sous leur complexité – mais à une *méthodologie* adaptée à la résolution des problèmes mondiaux. Un pareil débat admet bien sûr toutes sortes d'issues, mais l'on peut parier sans risques que l'une d'entre elles se présenterait *grosso modo* comme suit :

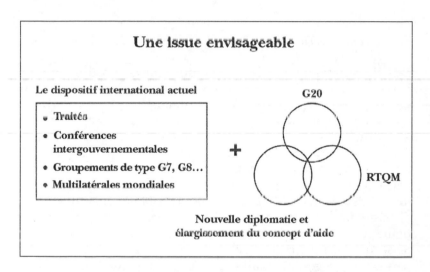

Figure XXII.1. Un scénario plausible.

On obtiendrait de la sorte une structure potentiellement viable, où le dispositif international actuel ne serait pas remplacé mais au contraire délibérément renforcé, sollicité plus encore et responsabilisé au moyen de trois éléments nouveaux : des réseaux de traitement des questions mondiales (RTQM sur le schéma ci-dessus) pour certaines questions ; de simples G20 pour d'autres ; et la mise en œuvre des idées intéressantes et clairvoyantes du PNUD sur la nouvelle diplomatie et l'extension de l'aide internationale. Ce ne serait pas un si mauvais résultat, même s'il a un aspect un peu brouillon, et même si la composante G20 représente d'une certaine manière un héritage des anciennes façons de penser.

Mais à certains égards ce triumvirat élargi pourrait bénéficier de vraies synergies. Ainsi, les réseaux de traitement mondiaux et les G20 fonctionneraient probablement mieux si, parallèlement, la mise en pratique des idées du PNUD soutenait leur action. Celles, en particulier, des budgets d'aide globaux et d'un fonds de participation mondial pourrait en la matière s'avérer très utiles, voire décisives, étant donné que la résolution globale des vingt questions mondiales décrites plus haut passe nécessairement par des réalisations au niveau local, notamment dans les pays en développement (ainsi, nous avons vu dans la deuxième partie comment certaines de ces questions conduisent, entre autres, à revoir à la hausse les montants de l'aide).

AUTRES PROPOSITIONS, DONT CERTAINES SONT VOUÉES A L'ÉCHEC

Des idées circulent, ces derniers temps, sur la constitution d'un Parlement mondial[3] ; la création d'un Conseil de sécurité économique au sein de l'ONU[4] ; l'élargissement du G7 à un G16 ou même un G20 mondial[5] ; l'ouverture du G7 à des représentants des principales zones de commerce régionales[6] ; le lancement d'un Groupe de gouvernance globale qui comprendrait vingt-quatre membres[7]. Les variations sur ces thèmes sont multiples. Parmi toutes les pistes proposées à la réflexion, celle qui conduit à un élargissement du G7 renforcerait probablement l'efficacité du dispositif international actuel (détaillé dans la partie gauche de la figure XXII.1) – de même, peut-être, que la création d'un Conseil de sécurité économique. Si elles étaient suivies, toutefois, la plupart de ces suggestions pâtiraient immédiatement d'un handicap massif, et à terme mortel, dû à l'écrasante complexité de toute organisation qui serait conçue pour résoudre *simultanément l'ensemble des questions mondiales*. Imagine-t-on à quoi ressembleraient les séances d'un Parlement mondial, par exemple ?

Une autre raison, plus surprenante peut-être, engage à considérer ces suggestions avec scepticisme : notre monde qui sort d'une période de tension entre l'Est et l'Ouest pourrait bien entrer dans une période de tension entre le Nord et le Sud, compliquée par les dissensions entre ceux qui appellent le changement de leurs vœux et ceux qui le redoutent ou le conspuent. Si la prédiction est juste, les tensions qu'elle annonce seront beaucoup plus susceptibles d'être résorbées par des approches au cas par cas (appliquées par les réseaux de traitement des questions mondiales ou même le triumvirat évoqué ci-dessus) que par de nouveaux "machins" institutionnels dont les compétences s'étendraient sans distinction à toutes les questions, tels des parlements mondiaux ou les instances plus fermées mais disposant d'un large mandat préconisées par certaines des suggestions mentionnées ci-dessus. Il est d'ailleurs très probable que leurs interventions exacerberaient ces tensions au lieu de les calmer.

XXIII

De l'imagination pour penser autrement

Jamais l'humanité n'a eu devant elle autant d'occasions d'améliorer sa condition – jamais elle n'a nourri autant d'incertitudes quant à sa capacité à saisir les opportunités qui s'offrent à elle. Les contestataires osent exprimer l'angoisse qu'ils sentent monter, mais partout les gens sont dans l'attente d'un changement profond dans la manière dont les problèmes mondiaux seront appréhendés – surtout depuis que la décision américaine de rester à l'écart du protocole de Kyoto et les attentats du 11 septembre 2001 ont ouvert bien des yeux sur cette redoutable problématique. Chacun sait, au fond de lui, que les évolutions en cours ont des aspects merveilleusement positifs mais aussi des côtés terrifiants. Intuitivement, nous savons tous que le temps nous file entre les doigts et que nous ne pouvons pas rester les bras croisés.

C'est précisément dans des moments pareils que les concepts un peu nébuleux de la gouvernance en réseau et des réseaux de traitement des questions mondiales peuvent s'avérer viables : la rapidité et la souplesse du réseau sont bien adaptées à la nature des questions à traiter et aux courts délais dont nous disposons pour les résoudre. Selon une possibilité évoquée plus haut, pour certaines d'entre elles il serait plus expéditif de constituer un groupement de type G20. Bien sûr, on pourrait faire valoir que toutes ces solutions improvisées sont loin d'être parfaites, mais comme le notait Karl Polanyi, l'un des observateurs les plus perspicaces des grandes mutations sociales, il y a plus d'un demi-siècle : "Ce n'est pas la première fois dans l'histoire que des expédients de fortune pourraient contenir en germe de grandes institutions permanentes[1]."

Ce qu'il nous faut, surtout, c'est de l'imagination et des idées nouvelles. Des idées pour imaginer comment les pouvoirs publics, le monde des affaires et la société civile devraient travailler ensemble, et comment amener les Etats-nations à promulguer des lois dans l'intérêt de la planète tout entière et pas seulement de leurs électeurs. Des idées pour élaborer ces outils de type réseau à même de créer, pour chaque grande question, une source de légitimité horizontale, transnationale, qui viendrait compléter les processus de représentation et de légitimité traditionnelles, territoriales et verticales des Etats-nations. Des idées inspirées par l'Internet, afin de permettre à des tas de gens d'échanger les leurs *via* les nouvelles technologies et de commencer à poser les prémices de la citoyenneté mondiale. Bref, nous avons besoin d'idées inventives et imaginatives.

Seulement il faut aussi réfléchir vite, très vite. La marge de manœuvre que nous laissent la plupart des grandes questions mondiales est serrée : c'est tout de suite qu'il faut agir, avec des objectifs à vingt ans, pas sur un demi-siècle. Qu'on pense seulement au réchauffement planétaire, à l'épuisement des ressources de la pêche, aux pandémies, à l'inquiétant essor des drogues de synthèse, aux progrès pour l'heure incontrôlables des biotechnologies.

Tel était, en substance, le message de la troisième partie de ce livre.

La deuxième partie était simplement conçue pour donner un bref aperçu des vingt grandes questions mondiales – pas pour préciser les choses une fois pour toutes mais pour relier entre eux les arguments de la première et de la troisième partie.

La première partie est celle qui contient les messages les plus importants en regard du contexte. Elle rappelle ainsi qu'en sus de penser vite il ne serait pas mal non plus d'essayer de penser juste. Il est étonnant de voir comme les gens se laissent facilement enfermer dans des raisonnements confus à partir de mots tels que "mondialisation" ou "antimondialisation". Ces vagues termes fourretout ouvrent de véritables boulevards aux idées fausses, aux diagnostics erronés, aux solutions qui n'en sont pas.

Dans ce livre, j'ai essayé de montrer que la seule façon d'en sortir est de prendre du recul et de considérer les deux grandes forces distinctes qui vont profondément transformer le monde dans les vingt ans à venir : l'augmentation de la population sur une planète à bout de souffle, et la nouvelle économie mondiale qui implique de faire à peu près tout autrement. Ces deux forces entraînent avec elles toute une série de tensions et quelques opportunités fantastiques. Les premières sont porteuses d'une crise de la complexité qui ira en s'amplifiant, au fur et à mesure que les questions sociétales deviendront plus ardues, le rythme du changement proprement effréné, les institutions humaines plus handicapées par l'allure d'escargot à laquelle elles évoluent.

Là est précisément le grand défi de notre époque : il faut absolument améliorer les performances de ces institutions pour ce qui est de la résolution des problèmes mondiaux. Ceci vaut surtout pour celles qui sont en charge de la gouvernance publique, qu'il s'agisse des groupements de gouvernements, des gouvernements des Etats-nations, des services gouvernementaux, des multilatérales mondiales ou des autres grandes institutions internationales. En cas d'échec, le double inquiétant de la crise de la complexité, la crise de la gouvernance, aura le champ libre pour gâcher durablement les choses. L'espèce de mauvaise humeur qui s'exprime déjà sans retenue dans maints débats publics en est un signe avant-coureur.

Pour insuffler aux institutions ce dynamisme qui leur manque, on ne peut toutefois pas se contenter d'en réformer quelques-unes. Une des tragédies de notre temps tient à la conviction trop partagée que pour peu qu'on réforme sur quelques points deux ou trois institutions internationales bien en vue, ensuite, ouf ! tout ira bien. Beaucoup d'hommes politiques et de contestataires sont tombés dans ce piège.

La tâche est plus vaste et plus ardue : au-delà des quelques succès marginaux enregistrés çà et là, il faut tirer la leçon de l'échec fondamental, indéniable de *l'ensemble* du système international existant et des Etats-nations de la planète à régler vite et efficacement les problèmes mondiaux. La solution exige de penser en fonction des trois nouvelles réalités dont s'accompagne la crise de la complexité, qui auront bientôt transformé en vieilles lunes les hiérarchies, les instincts exagérément territoriaux des Etats-nations et le cloisonnement artificiel entre le pouvoir politique, le monde des affaires et la société civile.

C'est là que les trois parties de ce livre se rejoignent et que les concepts de gouvernance en réseau et de réseaux de traitement des questions globales trouvent leur source. Pensez-y, et peut-être finiront-ils par modifier votre façon de penser – même si, comme moi, vous êtes un peu mal à l'aise devant tel ou tel aspect de cette approche.

Soyez vigilants, aussi, car à penser autrement on s'égare, parfois. Cela m'est sûrement arrivé, mais c'est le prix à payer pour tenter de trouver des modes de résolution à la fois efficaces et rapides des grands problèmes mondiaux. Si en lisant ces pages vous avez buté par endroit sur tel ou tel défaut de raisonnement, au moins je ne vous aurais pas entraîné dans l'erreur autrement redoutable qui consiste à croire que le système international existant, même remanié à l'aide de quelques correctifs, parviendra seul à préserver l'avenir. Ce n'est tout simplement pas le cas.

Postface

Avant de mettre un point final à ce livre, je voudrais exprimer deux regrets, et une requête.

Mon regret le plus sincère est que le sujet et la structure de l'ouvrage ne m'ont pas permis de donner à la Chine et à l'Inde toute la place qu'elles méritent. La moitié de la population du monde en développement vit dans ces deux pays gigantesques, et les réponses qu'ils apporteront aux vingt questions mondiales dans les vingt prochaines années auront une énorme importance. Le sujet justifierait presque un autre ouvrage.

Mon second regret, plus nuancé, est d'avoir peut-être injustement passé plus de temps à pointer ce qui pèche par son absence dans la résolution des problèmes de la planète qu'à rendre hommage à ce qui a pu être effectivement tenté. Etant moi-même un fonctionnaire international, je ne connais que trop bien la charge de travail éreintante et ingrate inhérente au suivi des affaires mondiales. Aussi est-ce avec beaucoup d'empathie que je pense à tous ces dirigeants, ministres, diplomates et fonctionnaires des administrations internationales, qui estimeront sans doute que j'ai décrit le verre à moitié vide quand j'aurais dû le décrire à moitié plein. Mes excuses, toutefois, s'arrêteront là, car je n'abandonnerai pas la position défendue tout au long de ces pages, à savoir que pour ce qui concerne la rapidité et l'efficacité de la résolution des problèmes mondiaux, le verre est moins qu'à moitié plein.

Ma requête, pour finir. J'ai essentiellement eu recours à deux sources : des exemples de ce qui se passe, extraits de coupures de presse fripées, et les questions ou les suggestions de mes interlocuteurs. Quand j'y réfléchis, ces éléments m'ont beaucoup plus aidé à formuler ou modifier les pensées que m'inspire la résolution des problèmes globaux que les livres ou les articles spécialisés que j'ai pu lire sur le sujet. Si vous voulez m'envoyer des questions, des idées, des exemples, je serais ravi de les recevoir sur le site créé dans ce but à l'adresse suivante : http://www.rischard.net. Je ne pourrais peut-être pas répondre à tous les messages, mais ferai de mon mieux pour signaler et prendre en compte ceux qui bousculent ma ligne de pensée, l'enrichissent d'une idée ou d'une perspective nouvelle.

Juillet 2001-février 2002

REMERCIEMENTS

Dix amis proches qui se reconnaîtront sûrement ont pris sur leur temps pour me fournir des indications et me prodiguer des conseils de prudence et de précieux encouragements du début à la fin de ce parcours. Je ne saurai les en remercier assez, même si je reste seul responsable des idées de base exposées dans ces pages, des erreurs ou des défauts de raisonnement que l'on pourra y trouver.

Ma gratitude va aussi à la Banque mondiale, à qui je suis infiniment redevable. Je ne parle pas ici en son nom ; ce livre, je l'ai composé de ma propre initiative et à mes moments de loisir, mais il n'empêche : le fait même que je puisse écrire ce genre d'ouvrage doit beaucoup aux années passées dans cette grande institution aussi large d'esprit que riche de savoir. Contrairement à ce que l'on pense trop souvent, elle est le lieu d'un débat d'idées permanent où les échanges parfois vifs le disputent aux choix cornéliens devant lesquels sont sans cesse placés celles et ceux qui se consacrent à la tâche redoutable et complexe de combattre la pauvreté. Je tiens tout particulièrement à remercier son président, Jim Wolfensohn, toujours prêt à laisser leur chance aux idées neuves et à un certain anticonformisme. Mes pensées vont également à son prédécesseur, Lew Preston, qui a bien voulu me catapulter en avant.

La plus lourde de mes dettes me lie toutefois à ma femme, Jacqueline, pour son soutien et sa patience, son indulgence surtout envers mes absences, en action ou en pensée, responsables de tant de soirées, de week-ends, de vacances gâchés, que j'ai consacrés à l'écriture de ce livre en plus de ma charge de travail habituelle.

NOTES

PREMIÈRE PARTIE. Ne nous laissons pas piéger par le concept de mondialisation

II. UNE PLANÈTE A BOUT DE SOUFFLE : L'EXPLOSION DÉMOGRAPHIQUE

1. Cf. les rapports successifs publiés ces dernières années par la division Population des Nations unies, par ex. "World Population Prospects The 2000 Revision", Population Division, Department of Economic and Social Affairs, United Nations, New York, 2001.
2. Cf. "The End of World Population Growth" de Wolfgang Lutz, Warren Sanderson et Sergei Scherbov (*Nature*, 412, 2 août 2001), où l'on trouvera une analyse détaillée fondée sur le calcul des probabilités.
3. Cf. le rapport de la division Population des Nations unies, "World Urbanization Prospects : The 1999 Revision" ; et "2015, la ville tentaculaire", *Libération*, 11-12 nov. 2000.
4. "Survey on Agriculture", *The Economist*, 23 mai 2000.
5. Pour une vue d'ensemble et une perspective historique sur la question, cf. le rapport des Nations unies, "Population, Environment and Development", United Nations, New York, 2001.

III. AUTRE CHOSE, AUTREMENT :
LA NOUVELLE ÉCONOMIE MONDIALE ET LES DEUX RÉVOLUTIONS QUI LA PROPULSENT

1. Ce point est examiné dans une perspective plus large par Daniel Yergin et Joseph Stanislaw (collaborateur), *La Grande Bataille : les marchés à l'assaut du pouvoir*, Odile Jacob, Paris, 2000.
2. Cf. Thomas L. Friedman, "A Big Stride Along the Capitalist Road to Liberty", *New York Times*, repris dans *International Herald Tribune*, 13 août 2001.
3. Sur ce dernier point, cf. David Henderson, "Anti-Liberalism 2000 : The Rise of the New Millenium Collectivism", 13e conférence de Wincott publiée par l'Institut des affaires économiques, 2001.
4. Intel a récemment annoncé qu'il allait ouvrir un nouveau processus destiné à la fabrication de transistors très rapides. Celui-ci mettra d'ici 2007 l'entreprise en mesure de produire des microprocesseurs moins consommateurs en énergie

et comprenant un milliard de transistors, soit vingt-cinq fois plus que ceux de l'actuel Pentium 4. De là à en déduire que la loi de Moore doit être revue à la hausse, il n'y a qu'un pas.
5. Chiffres avancés en 2001 par Zhang Chunjing, le ministre chinois des Industries de l'information.
6. Cf. l'article sur la téléphonie cellulaire parue dans *The Economist*, 7 oct. 1999.
7. Mark Turner, "The Call on Africa Grows Louder", *Financial Times*, 21 août 2001.
8. On trouvera d'autres arguments sur l'avenir de la nouvelle économie mondiale dans *L'Economie mondiale de demain : vers un essor durable ?*, Organisation pour la coopération et le développement économiques, 1999. Cf. aussi le livre de Michael L. Dertouzos, *Demain*, Calmann-Lévy, Paris, 1999.

IV. COMMENT LA NOUVELLE ÉCONOMIE MONDIALE TRANSFORME LES FAÇONS DE FAIRE

1. Cf. "Floating on Air", *The Economist*, 19 mai 2001.
2. Kelvin Chan, "Sewing Africa into Loop", *International Herald Tribune*, 18 juil. 2001.
3. Pour une bonne mise en perspective de ces chiffres, cf. l'étude de Peter Drucker, "The Next Society", *The Economist*, 3 nov. 2001.
4. Thomas Friedman, "In Ghana, Hope Arrives Via Satellite", *New York Times*, repris dans *International Herald Tribune*, 2001.
5. Philip Evans et Thomas S. Wurster, *Net stratégies*, Editions d'organisation, Paris, 2000. Cf. aussi Frances Cairncross, *The Company of the Future : How the Communications Revolution Is Changing Management*, Harvard Business School Press, Boston, 2002.
6. Sur la sous-traitance d'un nombre de plus en plus important d'activités jusqu'alors assurées en interne, cf. "Out of the Back Room", *The Economist*, 1er déc. 2001.
7. Sur ce thème, cf. la série d'articles de Tony Jackson, "Plugged into the IT Revolution", publiée par le *Financial Times* à dater du 13 oct. 1998.
8. Cf. à ce propos, "They Share Horses, Don't They ?", *The Economist*, 1er sept. 2001.
9. Citation extraite du livre de Stan Davis et Christopher Meyer, *Le Paradigme du flou : vitesse, connectivité, immatérialité*, Village mondial, 1998.
10. "Le pneu increvable ou la révolution façon Michelin", *Challenges*, juin 2001.
11. Barbara J. Feder, "Motorola Claims Breakthrough in Specialty Chips", *New York Times*, repris dans *International Herald Tribune*, 15 sept. 2001.
12. Pour une description d'ensemble des changements qui attendent le secteur bancaire, cf. l'enquête "The Virtual Threat", *The Economist*, 18 mai 2000.
13. Brad Spurgeon, "Big Brother Aside, Smart ID Cards Are Making Global Converts", *International Herald Tribune*, 16 nov. 2001.

V. LES OPPORTUNITÉS ET LES TENSIONS DE LA NOUVELLE ÉCONOMIE MONDIALE

1. Pour un bon exposé de ces questions, cf. Tony Jackson, "The Eclipse of Manufacturing : Making Money from Things Is Getting Harder", *Financial Times*, 15 déc. 1998.
2. Il faut noter à cet égard que la "correction" opérée ainsi que le ralentissement et la récession qu'elle a entraînés n'avaient rien à voir avec la hausse des taux d'intérêt décidée par la Réserve fédérale américaine dans le vieux cycle de production lorsque la demande dépassait l'offre. Ladite correction a surtout été imposée par l'éclatement de la bulle financière, et en ce sens elle rappelle des phénomènes

beaucoup plus anciens, surtout caractéristiques du XIXᵉ siècle et du début du XXᵉ. Certains observateurs américains ont parlé à ce propos de *tech-correction*.

3. Un rapport récemment publié par une commission constituée sous l'égide de l'Académie nationale des sciences des Etats-Unis soulève un certain nombre de questions à propos de cette correction paramétrique effectuée en 1997. Sans se prononcer définitivement, ses auteurs estiment que l'annonce de 1997 mériterait d'être analysée plus finement. Au reste, les modifications de méhodes statistiques introduites il y a peu par les statisticiens du gouvernement américain ont significativement diminué l'inflation officielle.

4. Cf. "US Productivity Rises 2.1%, Defying a Slumping Economy", *International Herald Tribune*, 6 sept. 2001. Bien après les événements du 11 septembre 2001, Alan Greenspan, le président de la Réserve fédérale américaine, se disait toujours convaincu que la hausse des taux de productivité autorisée par les progrès technologiques allait se poursuivre malgré le démenti que semble apporter la récession mondiale ; selon ses propres termes, les perspectives de croissance de productivité à long terme étaient "à peine entamées". Sur ce point, on peut aussi se reporter à l'article de Ken Rogoff et James Morsink, tous deux membres du FMI, "Permanent Revolution : A Slump in Technology Shares Will Not Eliminate the Sector's Impact on Productivity", *Financial Times*, 21 sept. 2001. Notons que depuis la Seconde Guerre mondiale, huit des neuf récessions survenues aux Etats-Unis se sont accompagnées d'un effritement de la productivité ; ce ne fut pas le cas pour la dernière, celle de 2001, dont l'ampleur a clairement été atté nuée par la remarquable stabilité du taux de croissance de la productivité.

5. Ce discours de Larry Summers est cité dans le numéro d'*Atlantic Monthly* paru en janvier 2001. Ajoutons qu'il compare l'économie à feed-back négatif à un "thermostat", et l'économie à feed-back positif à une "avalanche".

6. Les travaux du US Conference Board peuvent être consultés sur le site : http://www.conferenceboard.org ; cf. également William W. Lewis, Vincent Palmade, Baudouin Regout et Allen P. Webb, "What's Right with the US Economy", *McKinsey Quarterly* 1, 2002.

Une autre remarque importante s'impose : l'économie à feed-back positif et la flexibilité des divers marchés peuvent en effet expliquer l'accélération générale de l'économie, à partir, notamment, de la hausse du taux de croissance de la productivité. Il y a toutefois de bonnes raisons de penser que le premier élément déclencheur qui a fait passer l'économie à la vitesse supérieure est un processus d'innovation particulier. L'innovation se manifeste sur deux modes : par addition, auquel cas les innovations s'ajoutent les unes aux autres, ou par multiplication, quand une découverte s'avère si fondamentale qu'elle induit dans des tas d'autres domaines des innovations dérivées, qui à leur tour viennent amplifier la découverte initiale. Plus rare, ce dernier cas de figure, le "régime d'innovation démultipliée", est le résultat de technologies génériques à applications multiples – comme l'invention du mouvement rotatif continu, ou l'invention de la logique binaire. Cette dernière en date des technologies génériques (la logique binaire est au cœur des nouveaux modes de télécommunication et des technologies informatiques qui sont en train de tout changer) pourrait bien être la force qui propulse la nouvelle économie mondiale à un palier de vitesse possiblement supérieur, tout en nourrissant l'accroissement de productivité qui en est le corollaire. Sur les technologies génériques, cf. T. Bresnahan et M. Trajtenberg, "General Purpose Technologies : Engines of Growth ?", National Bureau of Economic Research, rapport préliminaire n° 4148, août 1992, texte discuté par Horace W. Brock dans le rapport d'août 1995 de Strategic Economic Decisions Inc. (SED).

7. L'ong Peoplink fut l'une des premières à développer cette formule ; Viatru, Virtual Souk et d'autres lui ont depuis emboîté le pas.

8. Notamment celui-ci, de Kevin Kelley, *New Rules for the New Economy, 10 Ways the New Economy is Changing Everything*, Fourth Estate, Londres, 1998 ; ou cet autre titre plus ancien du même auteur, *Out of Control* (Addison-Wesley Publishing Company, New York, 1994), livre remarquable et visionnaire. Cf. aussi Lester C. Thurow, "Building Wealth : The New Rules for Individual Companies, and Nations", *Atlantic Monthly*, juin 1999 ; et Richard T. Pasquale, Mark Millemann et Linda Gioja, *Surfing the Chaos : The Laws of Nature and the Laws of Business*, Crown Business, New York, 2000.

9. Cf. Robert H. Franck et Philip J. Cook, *The Winner-Take All Society : Why the Few at the Top Get So Much More Than the Rest of Us*, Martin Kessler Books at the Free Press, New York, 1995.

10. Sur ce point, cf. aussi Martin Wolf, "The Curse of Global Inequality", *Financial Times*, 26 janv. 2000.

11. Janny Scott, "1990 Boom Felt by Only a Few", *New York Times*, repris dans *International Herald Tribune*, 2001.

12. Cf. Lowell Bryan et Diana Farrell, *La Planète capital : quand les marchés se libèrent*, Village mondial, Paris, 1996.

13. Cf. Alison Mitchell, "Moving to Head Off a Digital Pearl Harbor", *New York Times*, repris dans *International Herald Tribune*, 20 nov. 2001.

14. Umberto Eco expose de façon aussi divertissante qu'instructive la différence entre idiots, imbéciles, fous et crétins dans le chap. x du *Pendule de Foucault* (Grasset, Paris, 1990).

15. Cf. aussi l'article provocateur de Harvey Cox, "The Market as God", *Atlantic Monthly*, mars 1999.

VI. UNE CRISE DE LA COMPLEXITÉ

1. Cf. Michael Skapinger et Christopher Brown-Humes, "The Nordic Minnow That Took Over the Sea", article en trois parties dont la première dans le *Financial Times* daté du 20 juin 2001.

VII. TROIS NOUVELLES RÉALITÉS

1. Cf. Jeffrey E. Garten, *The Mind of the CEO*, Basic Books, New York, 2001.

2. A ce propos, on pourra se reporter à l'étude de David Berreby, "The Hunter-Gatherers of the Knowledge Economy", *Strategy and Business*, Booz Allen and Hamilton, n° 16, 3e trimestre 1999.

3. Pour une autre approche de ces questions, cf. Francis Fukuyama, "Death of Hierarchy", *Financial Times*, 12-13 juin 1999 (tiré de son livre, *The Great Disruption : Human Nature and the Reconstitution of Social Order*, Simon and Schuster, New York, 1999). Un demi-siècle plus tôt, Friedrich von Hayek soulevait déjà le problème posé aux hiérarchies par la circulation et le contrôle de l'information.

4. Bien que la figure VII.2 ne l'indique pas, le système politique commence lui aussi à subir l'influence des grandes forces transfrontalières. Ainsi la Belgique a-t-elle adopté une loi dite "de compétence universelle" qui confère aux tribunaux belges le droit de juger des dirigeants étrangers pour des actes commis à l'étranger. On sait par ailleurs que c'est un juge espagnol qui fut à l'initiative d'une procédure

lancée contre Augusto Pinochet. Les interventions armées de maintien de la paix sur des territoires étrangers (cf. chap. XIII) relèvent d'une logique similaire.
5. Cf. "Les adolescents sont indifférents à la politique, pas à la misère" (*Le Monde*, 4-5 mars 2001), pour une analyse d'enquête élaborée à partir de critères également retenus par les sociologues américains.
6. Cf. Virginia Postrel, *The Future and Its Ennemies*, Free Press, New York, 1998.
7. L'historien Barry Strauss estime que cette bataille pourrait marquer la phase finale d'une lutte qui oppose entre elles deux idées héritées du XVIIIᵉ siècle. La première, idéal de la philosophie des Lumières, affirme l'égalité de tous devant la liberté et ajoute que pour peu que ce principe soit appliqué de manière productive et rationnelle il conduira à la paix et à la prospérité, lesquelles, à leur tour, amèneront les civilisations à coexister dans un monde qui ne connaîtra plus ni les guerres ni les frontières. La seconde, dans le droit fil de l'idéal opposé des traités d'Augsbourg et de Westphalie, pose que la liberté ne peut s'exercer qu'entre individus d'un même groupe : elle épaule le nationalisme et l'État-nation dans leur âpre défense des frontières. Voilà deux cents ans que le monde suit le combat que se livrent l'idéal des Lumières et son moins noble jumeau. L'issue semblait prévisible, mais contre toute attente les deux grandes forces vont sans doute donner l'avantage au premier. Remarques extraites de l'article de Barry Strauss, "A Truly Crucial Chapter in the History of Borders", *International Herald Tribune*, 2 mai 1999.
8. Cf. le site http://www.cisco.com/edu/academy.
9. Il existe à propos de cette stratégie un témoignage personnel passionnant : cf. Joseph Jaworski, *Synchronicity*, Berrett-Koehler Publishers, San Francisco, 1996, 1998.
10. Pour citer un exemple limité mais parlant, un nombre important d'entreprises travaillant dans les secteurs de l'énergie, des télécommunications, des transports et des services se sont unies pour exiger l'entrée en vigueur du protocole de Kyoto. Cf. http://www.emission55.com.
11. Cf. le livre captivant que Roger Lowenstein a consacré à ce sujet : *When Genius Failed : The Rise and Fall of Long-Term Capital Management*, Random House, New York, 2000.
12. Cf. Joseph S. Nye, "The Best and the Brightest Now Shun Public Service", *International Herald Tribune*, 24 août 2001.

DEUXIÈME PARTIE. Etat d'urgence : vingt défis brûlants pour la planète

VIII. UN DANGEREUX FOSSÉ

1. Kevin O'Rourke et Jeffrey G. Williamson, *Globalization and History : The Evolution of a Nineteenth Century Atlantic Economy*, MIT, Cambridge (Massachusetts) et Londres, 1999.
2. Karl Polanyi, *La Grande Transformation : aux origines politiques et économiques de notre temps*, Gallimard, Paris, 1983. Sur ce thème, cf. également, Barry Eichengreen, *L'Expansion du capital : une histoire du système monétaire international* (L'Harmattan, Paris, 1997), où l'auteur présente ses propres arguments comme "une élaboration de celui que développe Karl Polanyi [à savoir] que l'extension des institutions du marché au XIXᵉ siècle a suscité une réaction politique de la part d'associations et de groupes de pression qui ont fini par ébranler la stabilité du marché". On trouvera

d'autres exemples de ces contrecoups politiques d'un changement vécu comme insoutenable dans Thomas L. Friedman, *The Lexus and the Olive Tree : Understanding Globalization*, Farrar, Strauss and Giroux, New York, 1999.
3. Jürgen Habermas, "La constellation post-nationale et l'avenir de la démocratie", dans *Après l'Etat-nation : une nouvelle constellation politique*, Fayard, Paris, 2000.
4. Joseph Nye et Robert Keohane, "Globalization : What's New ? What's Not ? (And So What ?)", *Foreign Policy*, n° 104, printemps 2000.

X. VINGT DÉFIS POUR LA PLANÈTE, VINGT ANS POUR Y FAIRE FACE

1. Cf. "West Missing Emissions Targets", *Financial Times*, 12 juin 2000 : "Les suites du protocole de Kyoto sur le changement climatique sont compromises par l'échec de la plupart des pays européens, et des Etats-Unis, à freiner les émissions des gaz à effet de serre." De fait, les Etats-Unis ne sont pas les seuls à rejeter un volume plus important de ces gaz. Aux Pays-Bas, censés atteindre en 2010 un volume total d'émissions inférieur de 6 % à celui de 1990, le rejet de dioxyde de carbone est déjà supérieur de 17 % aux taux enregistrés en 1990 ; en Autriche, cette augmentation est de 13 %.
2. Cf., par ex., David G. Victor, "Europe's Deal to Rescue the Kyoto Protocol Rescues Nothing", *International Herald Tribune*, 24 août 2001. En février 2002, le gouvernement américain a présenté un projet de son cru pour réduire l'"intensité des gaz à effet de serre" (ou "intensité GES) de 18 % dans les dix ans à venir. Par "intensité GES", les experts désignent le rapport des émissions de gaz à effet de serre sur le produit intérieur brut. Or, dans la mesure où selon les prévisions le PIB devrait croître d'environ 30 % au cours de la période, cela équivaut à autoriser une augmentation substantielle des émissions en regard des niveaux actuels. L'économiste Paul Krugman le dit on ne peut plus clairement : "En fait, l'administration [américaine] a proposé d'atteindre un résultat quasi nul ; logique avec elle-même, elle a également annoncé des mesures spécifiques de portée insignifiante et qui n'auront pratiquement pas d'effet" ; cf. son article, "Bush's Plan Won't Do a Thing to Halt Global Warming", *International Herald Tribune*, 16-17 fév. 2002.
3. Christopher D. Stone, *The Gnat is Older Than Man : Global Environment and Human Agenda*, Princeton University Press, Princeton, 1993, p. 82.

XI. LES PROBLÈMES INTRINSÈQUEMENT MONDIAUX

1. Wolfgang Reinicke fut un des tout premiers à s'y intéresser ; cf. son livre, *Global Public Policy : Governing Without a Government*, Brookings Institution Press, Washington, DC, 1998, et celui qu'il a publié avec Francis Deng, *Critical Choices : The United Nations, Networks and the Future of Global Governance*, International Development Research Centre, Ottawa, 2000.
2. Pour une autre classification qui a elle aussi sa cohérence, cf. Inge Kaul, Isabelle Grunberg et Marc Stern, *Global Public Goods : International Cooperation in the 21st Century*, Oxford University Press, New York, 1999.

XII. UNE MÊME PLANÈTE : QUESTIONS RELATIVES AUX BIENS PLANÉTAIRES COMMUNS

1. Expression directement traduite d'un article de Garrett Hardin abondamment repris et commenté, "The Tragedy of Commons", *Science* 162, 1968, p. 1243.

2. Gregg Easterbrook, "Something Can Be Done About Global Warming", *International Herald Tribune*, 30 août 2001.

3. Cf. le site web du GIEC : http://www.ipcc.ch. Un livre très controversé récemment publié par un statisticien danois (Bjorn Lomborg, *The Skeptical Environmentalist* (Cambridge University Press, Cambridge, 2001) prend délibérément le contre-pied des avis émis à propos du réchauffement planétaire et d'un certain nombre d'autres questions telles que la biodiversité, la déforestation, la raréfaction de la ressource halieutique, le manque d'eau, sans oublier l'énergie, les besoins alimentaires et la population. Ceux qui seraient tentés de se plonger dans cette lecture ont tout intérêt à lire aussi les critiques que lui ont adressées Stephen Schneider ("Global Warming : Neglecting the Complexities ?"), John P. Holdren ("Energy : Asking the Wrong Questions ?") et Thomas Lovejoy ("Biodiversity : Dismissing Scientific Process ?"), tous parus dans *Scientific American*, janv. 2002.

4. Cf., par ex., Scott Wilson, "Peru's Shrinking Glaciers May Bring Disasters", *International Herald Tribune*, 2001.

5. Selon une étude récemment publiée par l'Académie nationale des sciences des Etats-Unis, il est probable que l'effet de serre et les autres conséquences écologiques de l'activité humaine vont accroître le risque d'apparition des violents changements climatiques survenus par le passé à l'échelle régionale ou mondiale. Il y a onze mille cinq cents ans, une brutale hausse de température fit gagner 8 °C au Groenland en moins d'une décennie, ce qui en trois ans se traduisit par un doublement des précipitations neigeuses. Autre cas bien connu, celui du réchauffement des régions de l'Atlantique nord dans les années vingt, à l'origine de la grande sécheresse qui frappa l'Ouest américain pendant la décennie suivante. Dans l'autre sens, on sait que les températures chutèrent de 6 °C il y a huit mille deux cents ans. Cf. Hervé Morin, "L'évolution du climat réserve parfois des surprises inévitables", *Le Monde*, 15 déc. 2001.

6. Cf. Jeremy Thomson, "Les courants océaniques, grands maîtres des changements climatiques", *Le Monde*, 12 janv. 2001.

7. Cf. Leo A. Falcam, président des Etats fédérés de Micronésie, "An Early Warning by Pacific Islands to the Mighty", *International Herald Tribune*, 16 août 2001.

8. Cf., par ex., Andre Simms, "No True Friend of Earth", *International Herald Tribune*, automne 2001 ; l'auteur de cet article s'élève lui aussi contre les thèses à rebours avancées par Lomborg.

9. Cf. à ce propos le rapport très complet publié par la Banque mondiale, *Fuel for Thought*, 2000. On pourra également consulter Amory B. Lovins et L. Hunter Lovins, *Climate Change : Making Sense and Making Money*, Rocky Mountain Institute, 1997 ; ainsi que José Goldemberg, "For a Less Vulnerable Energy System, Switch to Renewables", *International Herald Tribune*, automne 2001.

10. Pour d'autres idées sur le stockage du dioxyde de carbone, cf. Vanessa Houlder, "Down-to-Earth Plans for Carbon Dioxyde", *Financial Times*, 9 nov. 2001.

11. L'un de ces mécanismes consisterait à autoriser les entreprises à troquer des crédits d'émission de CO_2 (une entreprise qui n'aurait pas atteint le plafond qui lui a été fixé pourrait revendre le crédit ainsi obtenu à une autre entreprise qui elle risque de dépasser son plafond) ; une autre solution mentionnée ci-dessus serait d'en finir avec au moins certaines des énormes subventions accordées à l'exploitation des énergies fossiles (qui coûtent très cher aux gouvernements, ne profitent jamais aux pauvres et ruinent les espoirs d'arriver à changer le profil énergétique de la planète) ; enfin il faudrait encourager par tous les moyens la recherche technologique, ses applications pratiques et surtout leur partage.

12. Cf. Robert T. Walson *et al.*, *Protecting Our Planet, Securing Our Future* (UNEP, US National Aeronautics and Space Administration, World Bank, Washington, DC, 1998), document de travail 20757, 18, de la Banque mondiale. Cf. aussi Henry Gee, "Comment freiner l'extinction annoncée des espèces vivantes ?", *Le Monde*, 10 mars 2000.

13. Selon certaines estimations, dont celles avancées par l'Union internationale pour la conservation de la nature (UICN), la proportion serait en fait d'une sur quatre (cf. ci-dessous la note 17 sur la *Liste rouge* de l'UICN).

14. Carol Kaesuk Yoon, "Another Bad Year for Penguins", *New York Times*, repris dans *International Herald Tribune*, 28 juin 2001.

15. *Ressources mondiales 2000-2001 : les hommes et les écosystèmes*, Eska, 2000.

16. Cf. aussi Norman Myers et Crispin Tickell, "Cutting Evolution Down to Our Size", *Financial Times*, 27-28 oct. 2001 ; et William Souder, "A Sneak Preview of Earth 2050 : The Study of Plant Species Makes a Case for Biodiversity", *Washington Post*, repris dans *International Herald Tribune*, 19 avril 2001, à propos d'une étude conduite par une équipe de l'université du Minnesota sous la direction de Peter Reich.

17. Selon l'Union internationale pour la conservation de la nature (IUCN), l'offensive à mener pour la protection de l'environnement requiert des dépenses dix à cent fois supérieures à ce qu'elles sont aujourd'hui. Cf. le rapport de l'IUCN, *Liste rouge 2000 des espèces menacées*.

18. Cf. Guy Gugliotta, "Tiny Lezard Illustrates Big Lessons on Habitat", *Washington Post*, 3 déc. 2001.

19. WWF International, "Hard Facts, Hidden Problems : A Review of Current Data on Fishing Subsidies" ; cf. le site du WWF : http://www.panda.org.

20. Cf. Joshua Reichert, "If the Sea Lion Starves, Pity the Fishing Fleets", *International Herald Tribune*, 17 oct. 2000.

21. Cf. "Fishy Figures", *The Economist*, 1er déc. 2001.

22. Cf. "Net Benefits", *The Economist*, 24 fév. 2001.

23. Cf. "Economic Man, Cleaner Planet", *The Economist*, 29 sept. 2001.

24. Cf. *Ressources mondiales 2000-2001, op. cit.*, n. 15.

25. Chiffre avancé par l'Agence d'investigation sur l'environnement (Londres) et Telepak, son correspondant en Indonésie.

26. Cf. Thomas Lovejoy, "Biodiversity : Dismissing Scientific Process", *Scientific American*, janv. 2002.

27. Pour un exemple concernant la forêt amazonienne, cf. "Managing the Rainforests", *The Economist*, 12 mai 2001. D'un point de vue plus général, sur l'homologation des techniques compatibles avec le développement durable, cf. Jared Diamond, "Finding Value in the Environment", *International Herald Tribune*, 12 janv. 2000.

28. "Le lac Tchad en voie de disparition", *Sciences et Avenir*, avril 2001.

29. Cf. Philip Ball, "Running on Empty : The World Is Dangerously Short of Water and a Global Crisis Could Be Just 20 Years Away", *Financial Times*, 2-3 oct. 1999. Les eaux du Jourdain (et des nappes phréatiques de la région) sont une cause de conflit majeur au Proche-Orient.

30. En Chine, la nappe phréatique qui alimente Pékin est sérieusement menacée, et tandis que plusieurs fleuves sont quasiment à sec une sécheresse exceptionnelle aggrave encore la situation. Au point que le Premier ministre Zhu Rongji a été jusqu'à déclarer au printemps 2001 que la "pénurie d'eau [était] un sérieux obstacle au développement économique et social de la Chine" ; cf. "Une sécheresse exceptionnelle accélère la désertification du Nord de la Chine", *Le Monde*, 18 août 2001. Les pays riches ne sont pas non plus à l'abri de ces menaces

qui grèvent les conditions de leur développement : le gouvernement de Malaisie envisage de limiter l'approvisionnement en eau de Singapour à cause d'une période de sécheresse.

31. Cf. le site : http://www.nilebasin.org.

32. Entre 1850 et 1900, les habitants des villes françaises ont vu leur espérance de vie passer de trente-deux à quarante-cinq ans grâce aux améliorations décisives apportées aux réseaux d'adduction d'eau et d'égouts. Ce sont des progrès de ce type qu'il faudrait maintenant reproduire dans la plupart des pays en développement.

33. Chiffre cité par la Commission mondiale sur l'eau.

34. L'Organisation maritime internationale (OMI) est une petite structure ne disposant que d'un budget très limité (26 millions de dollars par an seulement) et d'une marge de manœuvre réduite ; cf. Michael Peel et Francesco Guerrera, "Sea Change for International Shipping Body : The UN Agency Has Had a Low Profile Since It First Met in 1959", *Financial Times*, 21 août 2001. Pour ne citer qu'un exemple récent du peu de cas fait de certains traités, aux termes d'une convention signée par les pays de l'Atlantique nord la France aurait dû diminuer de moitié les quantités de nitrates qu'elle déverse dans l'océan ; au lieu de quoi elle les a multipliées par deux entre 1985 et 1999, ce qui représente un volume de 375 000 tonnes par an.

XIII. UNE MÊME HUMANITÉ : LES QUESTIONS DE SOCIÉTÉ APPELANT UNE MOBILISATION MONDIALE

1. Martin Wolf, "The View from the Limousine", *Financial Times*, 7 nov. 2001. Robert Kaplan recourt à une métaphore similaire dans un numéro d'*Atlantic Monthly*. Des données récentes établissent que les 50 millions des personnes les plus riches gagnent autant que les 2,7 milliards d'habitants les plus pauvres de la planète.

2. Pour une vue d'ensemble sur la question, cf. le rapport de la Banque mondiale, *Rapport sur le développement dans le monde 2000-2001 : Combatre la pauvreté*, Eska, 2001.

3. Pour mettre ces chiffres en perspective, il faut savoir qu'ils représentent le cinquième de la population mondiale, contre les trois quarts en 1820. Cf. le rapport de la Banque mondiale, *Mondialisation, développement et pauvreté*, Eska, 2002.

4. Cf. Sylvie Brunel, *La Faim dans le monde*, Presses universitaires de France, Paris, 1999.

5. Cf. Deepa Narayan *et al.*, Banque mondiale, *Voices of the Poor*, 3 vol., Oxford University Press, Oxford, 2000-2002.

6. L'accroissement des inégalités dans les différentes provinces de Thaïlande a ainsi substantiellement entravé les chances de réduire la pauvreté grâce à la croissance. Le creusement des écarts de revenus enregistré dans le pays à la fin des années quatre-vingt-dix a réduit 2 millions de Thaïlandais de plus à la pauvreté ; cf. le rapport de la Banque mondiale, "Thailand Social Monitor : Poverty and Public Policy", nov. 2001. Cf. aussi le chap. V.

7. Cf. le *Rapport sur le développement dans le monde* mentionné ci-dessus dans la n. 2, et Vinod Thomas *et al.*, *The Quality of Growth*, Oxford University Press, Oxford, 2000.

8. Résolution n° 2626 adoptée par l'assemblée générale des Nations unies le 23 octobre 1970.

9. Banque mondiale, *Assessing Aid : What Works, What Doesn't and Why*, Oxford University Press, Oxford, 2000 ; et C. Burnside et David Dollar, "Aid, Policies on Growth", *American Economic Review*, 86 (2), 2000.

10. L'expérience de l'Inde témoigne de l'importance de l'environnement des affaires. Dans les Etats indiens où il est le moins satisfaisant, la lutte contre la pauvreté donne peu de résultats, car les entrepreneurs doivent supporter des frais tellement plus élevés qu'ailleurs que la croissance se fait attendre. Selon qu'ils sont installés dans les Etats les mieux ou les plus mal placés à cet égard, les chefs d'entreprise indiens assument des coûts de fonctionnement de plus ou moins 30 % – écart qui, pour les régions les plus défavorisées, représente un désavantage concurrentiel difficile à surmonter.

11. Cf. Nitin Desai et Jayantha Dhanapala, "A Peace Dividend for Developing Coungries Would Pay Off", *International Herald Tribune*, automne 2000.

12. Cette idée est notamment avancée par John Ruggie, professeur à la Harvard's Kennedy School of Government, dans "UN Peacekeepers Are No Quick Fix for Afghanistan", *International Herald Tribune*, 27-28 oct. 2001.

13. Ce sujet est discuté plus en détail dans "Why and When to Go In", *The Economist*, 6 janv. 2001. L'ancien président des Etats-Unis Jimmy Carter déplore pour sa part le "vide juridique des opérations de paix" dans "As a Peacemaker, America Is Blundering Badly", *International Herald Tribune*, 28 mai 1999.

14. Paul Collier, "Economic Causes of Civil Conflict and Their Implications for Policy", Banque mondiale, 15 juin 2000.

15. Cf., par ex., R. Nicholas Burns, "NATO Is Vital for the Challenges of the Next Century", *International Herald Tribune*, 10-11 nov. 2001 ; et Jackson Diehl, "Big Plans for a Fraying Atlantic Alliance in Need of a Mission", *International Herald Tribune*, 13 nov. 2001. Pour une piste différente, cf. Graham Allison, Karl Kaiser et Sergei Karaganov, "The World Needs a Global Alliance for Security", *International Herald Tribune*, 21 nov. 2001.

16. Robert J. Barro, "Human Capital and Growth", *American Economic Review*, 91 (2), p. 12-17.

17. Cf. J.-L. Reiffers (sous la dir. de), *L'Accréditation des compétences dans la société cognitive*, minutes d'un colloque organisé en février 1998, Editions de l'Aube, La Tour-d'Aigues, 1998.

18. Le virus de la grippe "espagnole" qui a fait environ 20 millions de morts pendant l'épidémie de 1918-1919 a récemment été identifié comme très proche de celui de la grippe porcine. Selon des résultats de recherches publiés en 2001 dans *Science*, les scientifiques ont réussi à reconstruire l'ADN du virus prélevé sur un cadavre féminin enterré dans le permafrost en Alaska ; il s'agit en fait d'un hybride des virus grippaux affectant les espèces porcine et humaine.

19. On trouvera une très bonne présentation d'ensemble du problème dans "The Urgency of a Massive Effort Against Infectious Diseases", communication de David L. Heynmann (OMS) prononcée le 29 janvier 2000 devant la Commission des relations internationales de la Chambre des représentants du Congrès américain.

20. Pour simplifier et aller vite, je parle de "sida" même pour les situations où le souci d'exactitude imposerait de préciser "virus HIV et sida".

21. Cf. Mark Derr, "New Theories on the Black Death", *New York Times*, repris dans *International Herald Tribune*, 4 oct. 2001.

22. Cf. Murray Feshbach, "Dead Souls", *Atlantic Monthly*, janv. 1999.

23. Sur la propagation du sida dans l'ensemble de l'Asie, voir l'enquête intitulée "Sex Bomb : The Struggle Against AIDS in Asia Is Far From Over", *The Economist*, 6 oct. 2001.

24. Nicol Degli Innocenti, "AIDS Names as South Africa's Biggest Killer", *Financial Times*, 2001 ; les chiffres avancés sont cités dans un rapport du Conseil sud-africain de la recherche médicale.

25. Sur le cas tragique du Zimbabwe, par exemple, cf. Mark Turner, "The Shadow of AIDS Is Casting a Pall of Darkness over the Heart of Africa", *Financial Times*, 1er juil. 2000.

26. Minimal, parce que, en tout état de cause, les systèmes de santé des pays en développement ont besoin d'être sérieusement améliorés. Cf. à ce propos cet article recommandé dans un rapport de l'OMS (Jeffrey Sachs *et al.*) : Martin Wolf, "The Low Cost of Better Health", *Financial Times*, 9 janv. 2002. Le rapport lui-même s'intitule *Macroéconomie et Santé : Investir dans la santé pour le développement économique*, OMS, Genève, 2002. Pour y parvenir, les pays en développement auraient besoin chaque année de 25 milliards de dollars d'aide supplémentaire.

27. Cf. à ce sujet le livre fascinant de Laurie Garrett, *Betrayal of Trust : The Collapse of Global Public Health*, Hyperion, New York, 2000. Les progrès sans équivalent en matière de santé publique réalisés dans la ville de New York entre 1890 et 1920 ont non seulement été balayés un siècle plus tard, mais de surcroît on n'a pas su reproduire à l'échelle de la planète l'approche qui les a rendus possibles. Elle établissait des corrélations scientifiques et politiques plus solides que celles de mise aujourd'hui entre les germes et les maladies infectieuses, et se focalisait avec pragmatisme sur les intérêts de la population new-yorkaise dans son ensemble : distribution de protéines aux occupants des logements sociaux, inspection des denrées alimentaires, surveillance des maladies et contrôle épidémique dans tous les quartiers, pureté de l'eau, nettoyage des rues, amélioration de l'habitat et sécurité de l'espace public. D'une certaine façon, le monde entier ressemblera bientôt à un grand New York, mais la réflexion mondiale reste à la traîne.

28. Il faut d'ailleurs y ajouter un aspect supplémentaire : la nécessité, après le 11 septembre 2001, d'engager des efforts sans précédent pour contrer la menace des armes biologiques. La situation est extrêmement alarmante. Moscou qui n'a jamais tenu compte de la convention signée en 1972 sur ce type d'armes employait à la fin des années quatre-vingt 60 000 personnes à la production en très grandes quantités de bacilles du charbon, de la variole et de la peste. Certaines expériences laissent même soupçonner que les scientifiques auraient essayé de combiner le virus Ebola à celui de la variole pour créer une arme d'une puissance létale redoutable, et cherché parallèlement à rendre les germes résistants aux traitements. Ce programme secret a pris fin en 1992, mais il est impossible de déterminer l'ampleur des trafics illicites qu'il a induits d'un bout à l'autre de la planète. Ce qui est sûr, c'est qu'à l'heure actuelle six pays continuent de produire des armes bactériologiques.

29. Cf. "Information Infrastructure Indicators, 1999-2000" sur le site web d'info-Dev : http://www.infodev.org.

30. Cf. J.-F. Rischard, "Connecting Developing Countries to the Information Technology Revolution", *SAIS Review* (hiver-printemps 1996). On trouvera quantité d'informations sur les applications réelles et potentielles de ces nouvelles technologies sur le site web d'info*Dev* mentionné à la note précédente. Cf. aussi Miria A. Pigato, "Information and Communication Technology, Poverty and Development in Sub-Saharan Africa and South Asia", Banque mondiale, document de travail n° 20 sur la zone Afrique ; et, pour un survol général, "A Great Leap", *Time*, 31 janv. 2001.

XIV. LES MÊMES RÈGLES POUR TOUS : QUESTIONS RELEVANT D'UNE APPROCHE JURIDIQUE MONDIALE

1. Cf. l'enquête intitulée "The Mystery of the Vanishing Taxpayer", *The Economist*, 29 janv. 2000.

2. Les flux financiers internationaux étant extrêmement importants (plus de 1 000 milliards de dollars par jour), une taxe même minime permettrait de dégager des recettes fiscales importantes ; il n'en va pas de même pour les ventes internationales d'armes qui, après avoir augmenté pendant trois années consécutives jusqu'en 2000, ont plafonné cette année-là à 36 milliards de dollars.

3. Cf., par ex., George Kopits, "Solving a Taxing Problem", *Financial Times*, 5 juin 2000.

4. Un désaccord récent surgi entre les Etats-Unis et l'Europe illustre clairement les conséquences néfastes de l'absence de réflexion internationale sur ce point. Il porte sur un des plus gros marchés de la nouvelle économie mondiale : les ministres des Finances de l'Union européenne ont décidé de prélever, pendant trois ans, une taxe sur les musiques, les logiciels et les jeux informatiques téléchargés grâce à l'Internet par les résidents de l'Union. Les Etats-Unis sont pour le moins réservés sur le moment choisi pour adopter cette mesure.

5. La différence entre clonage thérapeutique et clonage reproductif n'est pas des plus évidentes, comme en témoignent les réactions qu'a suscitées la firme Advanced Cell Technology (Massachusetts) en annonçant le 25 novembre 2001 qu'elle avait cloné le premier embryon humain. Cette société n'avait pourtant pas l'intention de créer un être humain (clonage reproductif), mais simplement un embryon sur lequel il serait possible de prélever des cellules souche (clonage thérapeutique). Aucun des embryons qu'elle a ainsi obtenus n'était viable, et on ne sait pas au juste si elle a pu se procurer des ovules pour créer de nouvelles cellules. Reste que, quelques heures durant, il y a eu dans ses éprouvettes les premiers éléments au départ de la vie humaine. Cf. "The Politics of Cloning", *The Economist*, 1er déc. 2001.

6. Robert Kuttner, "A Global Market Isn't As Easy As It Looks", *Business Week*, 3 sept. 2001.

7. La Banque d'Angleterre et la Banque du Canada ont été jusqu'à publier un document préconisant de strictement limiter le montant des enveloppes accordées à cette fin par le FMI, afin de contraindre les pays concernés à contrer eux-mêmes plus tôt les éventuelles crises financières liées à leur niveau d'endettement. Cf. http://www.bankofengland.co.uk.

8. L'idée d'adopter à l'égard des pays en crise des mesures similaires à la loi américaine sur les faillites avait déjà été évoquée par quelques ministres des Finances, mais à la surprise quasi générale elle fut clairement mentionnée dans une allocution prononcée fin novembre 2001 à Washington par Anne Krueger, directrice générale adjointe du FMI. (Cf. "When Countries Go Bust", *The Economist*, 8 déc. 2001.) Le ministre des Finances américain avait lui-même avancé des arguments dans ce sens plusieurs mois auparavant, et la prise de position d'Anne Krueger décida certains pays appartenant ou non au G7 à soutenir cette proposition en se réservant toutefois sur la formulation détaillée des aspects juridiques, dont certains s'avèrent très délicats à mettre au point. Il est en effet prévu que le processus de règlement se déroule en trois étapes, décrites par l'économiste Jeffrey Sachs qui fut l'un des premiers à évoquer cette idée : dans une première étape, le pays endetté devait être temporairement soustrait aux poursuites de ses créditeurs ; puis, au fil des négociations sur le montant de la dette, ceux des créditeurs qui lui accorderaient de nouveaux financements d'urgence deviendraient prioritaires par rapport aux autres ; enfin, une fois que les parties se seraient entendues sur le montant renégocié, un vote à la majorité empêcherait les créditeurs dissidents de bloquer la procédure. Cette dernière disposition est très problématique d'un point de vue juridique, en particulier pour les

détenteurs d'obligations dont les clauses d'achat ne prévoient pas ce cas de figure. Pour compliquer encore les choses, certaines ONG estiment que le modèle à suivre, en l'occurrence, n'est pas le chapitre XI mais le chapitre IX de la loi américaine sur les faillites, qui se rapporte aux collectivités locales.

9. "Rebuilding the International Financial Architecture", EMEGP, rapport de Séoul, octobre 2001 ; et Stephany Griffith-Jones, Jenny Kimmis et Ariel Buria, "The Reform of Global Financial Arrangements", Institute of Development Studies, rapport préparé pour le secrétariat du Commonwealth, 2001.

10. On trouvera un bon exposé général des crises financières dans "Perspectives de l'économie mondiale", mai 1998, FMI, Division française du bureau des services linguistiques du FMI, chap. IV.

11. La définition de ces principes est en relativement bonne voie depuis 1997-1998, grâce à l'insistance jamais démentie du ministre des Finances britannique Gordon Brown. Avec le concours circonstanciel d'associations professionnelles internationales, le FMI, la Banque mondiale et l'OCDE ont commencé à tracer les grandes lignes de codes applicables à un certain nombre de domaines tels que la supervision des activités bancaires, les politiques monétaires, la gouvernance d'entreprise. C'est un progrès, même si on en est encore aux balbutiements, notamment sur le dernier point.

12. Cf. "Shining a Light on a Company's Accounts", The Economist, 18 août 2001. Chose sidérante, dans le même temps les banques japonaises sont autorisées à multiplier le risque d'exposition aux swaps et autres transactions dérivées sans avoir à en avertir les investisseurs : cf. "Storing Up Trouble", The Economist, 25 août 2001.

13. "The Latest Bubble ?", The Economist, 1er sept. 2001.

14. Cf. Joseph Stiglitz et Leif Pagrotsky, "Blocking the Terrorist Funds", Financial Times, 7 déc. 2001.

15. Cf. Michael Klein, "Banks Lose Control of Money", Financial Times, 14 janv. 2000.

16. Michael Richardson, "Singapore Faces Big Adjustments", Financial Times, 26 oct. 2001.

17. Cf. Jeffrey E. Garten, "Beware of the Weak Links in Our Globalization Chain", éditorial du New York Times, repris dans International Herald Tribune, 1999.

18. Cf. "The World Geopolitics of Drugs", rapport annuel de l'Observatoire géopolitique des drogues, avril 2000 ; Nations unies, Bureau de surveillance des drogues et de la prévention du crime, World Drug Report, 2000 ; idem, Global Illicit Drug Trends, 2001 ; ainsi que cette enquête très fouillée sur le trafic de drogue que je reprends ici largement : "High Time", The Economist, 28 juil. 2001.

19. Richard Labevière, Les Dollars de la terreur, Grasset, Paris, 1999.

20. Cf. "L'école de la deuxième chance à Marseille à la lumière des expériences internationales", minutes d'un colloque organisé en 1997 à Marseille, publié sous la dir. de J.-L. Reiffers, Editions de l'Aube, La Tour-d'Aigues, 1997 ; et The Second Chance : Learning in the Context of the Second Chance School Pilot Scheme, Commission européenne, Bruxelles, mars 2001.

21. Cf. le rapport de la Banque mondiale, Mondialisation, développement et pauvreté, op. cit., n. 3, chap. XIII.

22. Pour paraphraser une formule employée par le secrétaire d'Etat américain Colin Powell dans un éditorial du Wall Street Journal, automne 2001.

23. La Russie attend son tour. C'est la seule grande puissance qui n'ait pas encore intégré l'OMC, et depuis la rencontre au sommet entre George Bush et Vladimir Poutine, qui a eu lieu en novembre 2001 aux Etats-Unis, les forces favorables à sa candidature s'organisent.

24. En 1998, les pays de l'OCDE ont versé au total 360 milliards de dollars à leurs agriculteurs, la part la plus importante de ces aides allant aux producteurs de

lait, de riz et de sucre. Calculé par rapport aux recettes des exploitations, le soutien apporté la même année aux producteurs japonais, européens et américains fut respectivement de 60, 40 et 20 %. Cf. l'enquête publiée à ce sujet dans *The Economist*, 23 mai 2000.

25. Cf. Organisation mondiale du commerce, Conférence ministérielle, 4ᵉ session, Doha, 9-14 nov. 2001, déclaration en date du 14 nov. 2001.

26. Cf. le site de la CNUCED (Conférence des Nations unies sur le commerce et le développement) : http://www.unctad.org. Cf. aussi Reginald Dale, "Global Investment Needs New Rules", *International Herald Tribune*, oct. 2000.

27. Jeffrey E. Garten, "As Business Goes Global, Antitrust Should, Too", *Business Week*, 13 nov. 2000.

28. Cf. à ce propos l'article limpide intitulé "Market for Ideas" (*The Economist*, 14 avril 2001), dont je me suis largement inspiré pour décrire dans ses grandes lignes la question de fond.

29. "Polémique autour de la brevetabilité du logiciel", *Le Monde*, 12 sept. 2001.

30. Cf. Adriana Eunjung Cha, "Free Software Makes Inroads into the Microsoft Empire", *Washington Post*, repris dans *International Herald Tribune*, 2001.

31. Cf. Patti Waldmeir, "Laws of Contradiction", *Financial Times*, automne 2001.

32. "Crops and Robbers : How Patents Jeopardize Global Food Security", Action Aid, 2001.

33. Cf. l'enquête "Life Story" publiée dans *The Economist*, 29 juin 2000.

34. Cf. Donald G. Mcneil Jr., "Demand for Antibiotic May Alter US Patent Policies", *New York Times*, repris dans *International Herald Tribune*, 18 oct. 2001.

35. L'image du "septième continent" aurait été utilisée par le PDG d'Intel.

36. Cf. "Shopping Around the Web", enquête publiée dans *The Economist*, 24 fév. 2000 ; et "We Have Lift-Off", *The Economist*, 3 fév. 2001.

37. "Ignore French Website Ruling, Says US Judge", *Financial Times*, 7 nov. 2001.

38. Parmi les dernières en date des solutions imaginées dans ce sens, citons un logiciel de "localisation géographique" qui repérerait l'endroit où se trouve une personne à partir de l'adresse Internet de son ordinateur (adresse IP). S'il est mis au point, il lèvera peut-être les blocages dus à l'hétérogénéité des législations nationales, car il sera possible de refuser aux résidents de tel pays l'accès à tel site en raison de tel point de droit propre au pays en question. Cela aurait néanmoins pour effet de balkaniser l'Internet de façon regrettable (en obligeant notamment les opérateurs de sites web à connaître toutes les législations applicables de l'Andorre au Zimbabwe), sans compter que les utilisateurs pourraient se servir d'autres logiciels pour masquer leur identité. La question n'est donc pas tranchée. Cf. Adriana Eunjung Cha, "Bye-bye Borderless Web : Countries Are Raising Electronic Fences", *Washington Post*, repris dans *International Herald Tribune*, 5-6 janv. 2001.

39. Cf. "Stop Signs on the Web", *The Economist*, 13 janv. 2001.

40. Voir Thomas L. Friedman, "The Real Threat Is Cyberterrorism", *New York Times*, repris dans *International Herald Tribune*, automne 2001 ; et Thorold Baker, "Cybercrime Threat to E-Business", *Financial Times*, automne 2001.

41. Gina Kolata, "Stealth Messages on Internet Leaves No Outward Evidence", *New York Times*, oct. 2001 ; et "Des messages terroristes peuvent se cacher dans les images de la Toile", *Le Monde*, 21 sept. 2001. La stéganographie ne date pas d'aujourd'hui : Hérodote raconte qu'un message tatoué sur le crâne d'un esclave, puis recouvert par la repousse des cheveux, donna le signal d'une rébellion contre les Perses.

42. Cf., par ex., Robert Taylor, "Breaking the Bonds of Forced Labor", *Financial Times*, 10 déc. 2001.

43. On pourra se faire une idée plus précise de cette orientation en consultant la communication que lui a consacrée Bob Hepple, professeur à Cambridge : "Work, Empowerment and Equality", disponible sur le site web du BIT : http://www.ilo.org.

44. Cf., par ex., Maria Nowak, "Pour le droit à l'initiative économique", *Le Monde*, 11 déc. 1998.

45. Ces idées sur la notion de travail "décent" dont je ne donne ici qu'un aperçu ont pour l'essentiel été développées par Juan Somavia, l'actuel directeur général du BIT.

46. Cf. Kimberly, Ann Elliott, "The ILO and Enforcement of Core Labor Standards", Institute of International Economics (IIE), juil. 2000, mis à jour en avril 2001, disponible sur le site web : http://www.iie.com.

47. Cf. l'article du Pr Jagdish Bhagwati, "Break the Link Between Trade and Labor", *Financial Times*, 29 août 2001.

48. Samuel Huntington, "Migration Flows Are the Central Issue of Our Time", *International Herald Tribune*, sept. 2001 ; cf. aussi, du même auteur, *Le Choc des civilisations*, Odile Jacob, Paris, 2000.

49. On trouvera une analyse récente des questions liées à l'immigration dans Jonathan Coppel et al., "Trends in Immigration and Economic Consequences", OCDE, juin 2001 (document de travail n° 284 de la Direction des affaires économiques).

50. À l'heure actuelle, la grande majorité des politiques nationales relatives à l'immigration est conçue pour tenir les migrants à distance, pas pour faciliter ou, mieux encore, préparer leur entrée. Cf. sur ce point Dani Rodrik, "Mobilising the World's Labor Assets", *Financial Times*, 12 déc. 2001.

51. Nicol Degli Innocenti, "Virus Hits at the Coungry Life Force", *Financial Times*, 26 sept. 2001.

52. "Sharing the Spoils : Taxing International Human Capital Flows", juin 2001, rapport de travail préliminaire préparé par Mihir Desai, Devesh Kapur et John McHale, qui sont tous trois chercheurs à l'université de Harvard.

TROISIÈME PARTIE. Penser tout haut : de nouvelles pistes pour la résolution des problèmes au niveau planétaire

XV. IL N'Y A PAS DE PILOTE DANS L'AVION

1. Le concept de "biens publics mondiaux" forgé par les économistes commence depuis peu à envahir ce domaine encore tout neuf. Si utile qu'il soit à certains égards, il a néanmoins un côté pernicieux en ce sens qu'il dirige les esprits vers des classifications fondées sur des catégories abstraites et un jargon technicien plutôt que sur un inventaire pragmatique. De plus, l'accent mis sur la notion de "biens" a trop souvent pour effet de distraire la réflexion de la vraie question, la *méthodologie* à même de résoudre les questions au niveau planétaire, pour au contraire l'axer de façon prématurée sur des aspects tels que "le financement des biens publics mondiaux" – certes importants mais qui restent secondaires en regard de la nécessité de concevoir d'abord des structures décisionnelles.

2. "Lori's War", *Foreign Policy* 54, printemps 2000.

XVI. UN SYSTÈME INTERNATIONAL LOIN D'ÊTRE A LA HAUTEUR DE L'ENJEU

1. Les idées développées dans les chapitres XVI à XXI sont pour l'essentiel exposées dans J.-F. Rischard, "We Need New Approaches to Global Problem-Solving, Fast", *Journal of International Economic Law* 4 (3), sept. 2001 ; cet article est lui-même tiré d'une communication donnée le 28 juin 2000 à Paris au colloque ABCDE-Europe, et d'autres antérieures. Cf. aussi J.-F. Rischard, "A Crisis of Complexity and Global Governance", *International Herald Tribune*, 2 oct. 1998.
2. Cf. Michael Richardson, "Fishing Fleets Are Raiding Ever-Remoter Seas", *International Herald Tribune*, 31 déc. 2001.
3. Cf. Linda Starke, sous la dir. de, *State of the World 2001*, Worldwatch Institute Book, W. W. Norton & Company, Washington, 2001.
4. Cf., par ex., Ivo H. Daalder et James M. Lindsay, "Unilateralism Is Alive and Well in Washington", *International Herald Tribune*, 21 déc. 2001.
5. Cf. Eric Pianin, "Climate Pact Marks a Victory for Europe But Russia and Others Win Concessions", *Washington Post*, repris dans *International Herald Tribune*, 12 nov. 2001.
6. Tout aussi préoccupante est la prolifération d'équipes ou de groupes susceptibles de s'emparer d'un problème dont la résolution relève en principe d'un traité international, et qui donnent la fausse impression que les choses sont en bonne voie quand en réalité rien n'est fait pour y apporter une réponse convaincante et unifiée. Il faudrait longuement chercher pour trouver une description à peu près complète de la nécessaire réforme de la fiscalité, et pourtant cette question mobilise quantité d'experts en tout genre : les membres de la commission des affaires fiscales de l'OCDE, les spécialistes des questions d'administration publique et de fiscalité du FMI et de la Banque mondiale, le Comité des organisations internationales sur l'administration fiscale, le groupe *ad hoc* d'experts de l'ONU sur la coopération internationale en matière d'impôts, le Forum mondial de l'OCDE sur la taxation, et le Réseau mondial sur les taxes et les impôts récemment constitué. Pour couronner le tout, un comité de sages nommé par l'ONU a proposé en 2001 de créer une Organisation fiscale internationale. Tous ces comités, commissions et groupes de travail ont en soi leur utilité, mais l'ensemble est loin de valoir la somme des parties. Ce syndrome qui amène parfois les institutions internationales à rivaliser entre elles et provoque une fièvre de réunions, d'articles, de recherches et de communiqués n'épargne pour ainsi dire aucun des vingt problèmes mondiaux. C'est une des raisons pour lesquelles je vous ai épargné une description au cas par cas des tentatives dans l'ensemble peu concluantes des instances internationales pour les résoudre, car au mieux cela vous aurait donné la fausse impression que les choses ont sérieusement commencé à bouger.
7. Groupe de recherche G8, université de Toronto, "From G7 to G8", document consultable sur le site web du Centre d'information du G8 : http://www.g7.utoronto.ca (juin 2001).
8. Beaucoup de pays économiquement peu puissants furent invités à siéger aux côtés de nations comme la Grande-Bretagne, les Etats-Unis ou la France ; ce fut le cas, pour en citer quelques-uns, des Pays-Bas, du Luxembourg, de l'Islande, du Liberia, d'Haïti et de l'Iran. Cf. Devish Kapur, John P. Lewis et Richard Webb, *The World Bank : Its First Half Century*, vol. 1, Brookings Institution Press, Washington, DC, 1997, p. 62.
9. Edward Bernstein à l'auteur, 1995.
10. Pr John Kirton, "What Is the G20 ?", à consulter sur le site web du Centre d'information du G8 : http://www.g7.utoronto.ca (juin 2001).

11. Cf., par ex., Michael Hardt et Antonio Negri, "The New Faces in Genoa Want a Different Future", *International Herald Tribune*, 25 juil. 2001.

XVII. PAS DE SALUT DANS UN GOUVERNEMENT MONDIAL

1. Jürgen Habermas développe ce point dans le livre cité en n. 3 du chapitre VIII.

XVIII. POUR UNE GOUVERNANCE EN RÉSEAU : ÉLÉMENTS D'UNE SOLUTION

1. Il y a deux ans, une recherche sur l'Internet à l'aide des mots clés "gouvernance en réseau" *(networked governance)* donnait des résultats qui se comptaient sur les doigts d'une main. Aujourd'hui, ils prennent des pages et des pages, et ce concept que nous n'étions au départ qu'une poignée à utiliser (Wolfgang Reinicke plus que quiconque : cf. n. 1, chap. XI) s'est répandu et a gagné au passage différentes acceptions. Tel que je l'utilise dans ce livre, il renvoie essentiellement à la thématique des problèmes intrinsèquement mondiaux et aux solutions envisageables pour les résoudre au plus vite.

XIX. LES RÉSEAUX DE TRAITEMENT DES QUESTIONS MONDIALES

1. Pour donner un ordre de grandeur, le nombre des membres d'un de ces réseaux de traitement serait, disons, de 10^1 à la phase 1, de 10^2 à la phase 2 et de 10^3 à la phase 3. Les forums électroniques qui donneraient leur assise à ces réseaux pourraient facilement porter le nombre des participants à 10^4. Quant au groupe d'experts indépendants que chaque réseau solliciterait occasionnellement, il pourrait s'établir autour de 10^2.
2. Parce qu'il est essentiel de pouvoir s'appuyer sur des connaissances spécialisées, l'institution multilatérale qui interviendra en tant que facilitateur principal doit être celle qui possède l'expertise, le savoir et l'organisation les plus pointus relativement au problème mondial qu'il s'agit de traiter – pas seulement une sorte de légitimité historique qui n'est pas en soi une garantie de compétence. Cf. à ce sujet J.-F. Rischard, "Multilateral Development Banks and Global Public Networks : Speculations for the Next Century", *EIB Papers* 3 (2), 1998.
3. Le Pr Samuel Bowles a attiré mon attention sur cette information capitale lors d'un débat à l'Institut de Santa Fe. Les recherches sur le sujet ont notamment été conduites par Ernst Fehr et Simon Gächter, dont plusieurs articles sont accessibles sur la Toile.
4. Cf. "Regulating the Internet : The Consensus Machine", *The Economist*, 10 juin 2000 ; ainsi que les échanges d'idées sur le consensus et la gouvernance envoyés au site web de l'institut Law School's Berkman Center for Internet and Society de l'université de Harvard : http://cyber.law.harvard.edu/is99/governance/consensus.html (consulté le 11 juin 2001), en particulier les entretiens avec Joe Sims et John Perry Barlow.
5. Pour un avis contradictoire sur cette question, cf. les réflexions que livre Michael Prowse dans "It's Not Who Decides, But How Well They Do It", *Financial Times*, 27-28 oct. 2001.
6. Pour une typologie de ces structures, cf. Anne-Marie Slaughter, "Global Government Networks, Global Information Agencies, and Disaggregated Democracy", Harvard Law School, section de droit public, document de travail n° 18.

7. Une éventualité à envisager, même si elle paraît tirée par les cheveux : les réseaux chargés de résoudre certains des grands problèmes mondiaux pourraient aller jusqu'à édicter des normes applicables aux acteurs de la société civile, par exemple en leur demandant d'établir une hiérarchie dans les priorités que se fixent les diverses ONG environnementales, surtout lorsque leurs querelles de chapelle et leurs fréquents désaccords sur l'importance relative des problèmes sèment la confusion, aussi bien entre elles que dans l'opinion publique.
8. Ils pourraient pour ce faire s'inspirer des pratiques de l'ISO 9000 codifiées par l'Organisation internationale de normalisation. Cf. le site http://wwww.iso.ch.

XX. LES AVANTAGES DES RÉSEAUX DE TRAITEMENT DES QUESTIONS MONDIALES

1. Le concept de réseaux de traitement des questions mondiales (RTQM) n'est pas très éloigné de ce que l'on appelle aujourd'hui "réseaux de politique publique mondiaux" (RPPM), à ceci près que ce dernier concept a fini par être appliqué à toutes sortes de problèmes qui ne sont pas "intrinsèquement mondiaux" au sens défini dans ce livre. Les RTQM dont je parle ici s'adressent spécifiquement à ces questions intrinsèquement mondiales et ont pour principale mission de distiller des normes collectivement applicables, alors que le concept de RPPM recouvre toutes sortes de choses (des campagnes de vaccination régionales, par exemple) et ne s'occupent pas de formuler des normes. Il s'agit au vrai d'un concept plus large qui en est venu à désigner toute forme de partenariat tripartite assez fréquente aujourd'hui entre le secteur public, les milieux d'affaires et la société civile. En ce sens, les RTQM et leur méthodologie particulière sont une sous-classe des RPPM. Cf. Reinicke et Deng, *op. cit.* n. 1, chap. XI.
2. Cf. la référence donnée n. 3, chap. VIII. Cela étant, la "politique intérieure" à laquelle songe Habermas se rapporte surtout à la question de la redistribution, qui à son sens devrait être aussi le premier objectif de la politique européenne et mondiale.
3. *Ibid.*
4. Wolfgang Reinicke insiste sur cette distinction dans son ouvrage cité n. 1, chap. XI.

XXI. DES ASPECTS PLUS DISCUTABLES

1. Idée de Jamie Carnie citée dans *Après l'Etat-nation, op.cit.*, n. 3, chap. VIII.
2. Pour être vraiment complet, il faut encore mentionner une autre perspective qui s'ajoute aux réponses déjà exposées : théoriquement rien ne s'opposerait à l'apparition de réseaux multiples, qui viendrait traduire la pluralité des points de vue encouragée par le concept ouvert de gouvernance en réseau. Même si l'hypothèse est hautement improbable, on peut alors envisager que deux réseaux concurrents arrivent à formuler à propos d'une même question des ensembles de normes différentes – selon le cas de figure qu'illustre, par exemple, l'existence de plusieurs fédérations mondiales de la boxe. Les Etats et les autres acteurs seraient alors placés devant un choix, et un des réseaux finirait par s'imposer, grâce surtout aux effets de réputation qu'il aurait réussi à induire. Hypothèse improbable, donc, ne serait-ce qu'à cause du litige qu'elle suppose : les gens devraient déterminer lequel des deux réseaux œuvre le plus dans l'intérêt de la communauté mondiale.

3. Christopher Alexander, *Notes on the Synthesis of Form*, Harvard University Press, Cambridge, 1964. Ce livre m'a été signalé par le Pr Walter Fontana à l'issue d'un débat à l'Institut Santa Fe.

XXII. UN PEU DE RECUL : LES AUTRES SOLUTIONS ENVISAGEABLES

1. Le G20 a exprimé le désir de statuer également sur d'autres questions économiques – le prix du pétrole, notamment – dès le sommet d'Ottawa qui a eu lieu à la fin du mois d'octobre 2000. Cf. Laurence Caramel, "Nord-Sud, Sud-Nord", *Le Monde*, 14 nov. 2000.
2. Voir l'ouvrage cité n. 2, chap. XI.
3. Richard Falk et Andrew Strauss, "Toward Global Parliament", *Foreign Affairs*, janv.-fév. 2001.
4. L'idée qui en revient à Jacques Delors a récemment été avancée par un groupe de travail de l'ONU auquel participait l'ancien président du Mexique, M. Zedillo.
5. La création d'un G16 a été envisagée dès 1998 par Jeffrey Sachs, dans "Making It Work", *The Economist*, 12 sept. 1998 ; sur le remplacement du G7 par un G20, cf. Klaus Schwab, "The World's New Actors Need a Bigger Stage", *Newsweek*, 30 juil. 2001.
6. Dans une lettre ouverte publiée en septembre 2001, Guy Verhofstadt, le Premier ministre belge, suggérait qu'en sus d'être élargi à la Russie le G7 devrait aussi comprendre des représentants de zones commerciales régionales telles que l'ASEAN de l'Asie du Sud-Est ou le Mercosur d'Amérique du Sud.
7. "La gouvernance mondiale", *Luxemburger Wort*, 27 oct. 2001. Michel Camdessus s'est associé à cette proposition.

XXIII. DE L'IMAGINATION POUR PENSER AUTREMENT

1. Dans le chapitre XXI de *La Grande Transformation*, *op. cit.*, n. 2, chap. VIII. Autre citation qui vient à l'esprit, celle-ci, merveilleuse, de Shakespeare : "Il y a dans les affaires des hommes une marée montante ; qu'on la saisisse au passage, elle mène à la fortune..." (*Jules César*, acte IV, scène 3.)

INDEX

Ouvrage réalisé
par l'atelier graphique Actes Sud.
Reproduit et achevé d'imprimer
en janvier 2003
par Normandie Roto Impression s.a.s.
61250 Lonrai
pour le compte des éditions
Actes Sud
Le Mejan
Place Nina-Berberova
13200 Arles.

Dépôt légal
1re édition : janvier 2003.
N° d'impression : 02-3025
(Imprimé en France)

Ville de Montréal

Feuillet
de circulation

À rendre le		
25 SEP. 2003		
19 NOV 2003		
10 DEC. 2003		
21 FEV. 2004		
29 AVR 2004		
19 MAI 2004		
24 JUIL. 2004		
01 SEP. 2004		

06.03.375-8 (01-03) ✪